Yves Laliber

LE SECRET DE DIEU

TOME 1

LE MESSAGE DES TEMPLIERS

Les Éditions
COUP d'œil

Du même auteur :
Tutti Footsie, Direct livre, 2004.
Le cyclope, Direct livre, 2005.
Le secret de Dieu, tome 2 : Le trésor enfoui, Les Éditions Coup d'œil, 2014.

Couverture : Kevin Fillion et Sophie Binette
Conception graphique : Sophie Binette
Révision et correction : Martin Duclos, Audrey Faille et Élaine Parisien

Première édition : © 2010, Direct livre, Yves Laliberté
Présente édition : © 2014, Les Éditions Coup d'œil, Yves Laliberté
www.boutiquegoelette.com
www.facebook.com/EditionsCoupDœil

Dépôts légaux : 4e trimestre 2014
Bibliothèque et Archives nationales du Québec
Bibliothèque et Archives Canada

Imprimé au Canada

ISBN : 978-2-89731-598-6

À Isabelle Jodoin, pour m'avoir fait découvrir le monde des professionnels de l'édition et le Salon du livre de Montréal sous un angle nouveau.

À Audrey O'Brien, greffière de la Chambre des communes du Canada, pour s'être gracieusement prêtée à mon jeu de « questions orales et écrites » que j'avais « inscrites au Feuilleton », et à Pierre Rodrigue, greffier principal du Service de Gestion de l'information de la Chambre des communes, pour m'avoir ouvert les portes de l'enceinte parlementaire sous la tour. J'ai pu mener une recherche poussée dans les lieux où se situe ce roman.

À Monique Desloges, à Nicole Blais et à Suzanne Proulx, pour leur contribution enthousiaste.

L'Ordre ressurgira dans six cents ans et plus…
GEOFFROY DE GONNEVILLE,
SURVIVANT DU MASSACRE DES TEMPLIERS (1317-1318)

Dieu est sous terre et non dans le ciel.
MEMBRE ANONYME DES CAÏNITES

Extraits de la base de données du SCRS
(Service canadien du renseignement de sécurité)

BIOLOGICAL WARFARE : ANTHRAX
(guerre biologique au moyen de l'anthrax)

01. Ottawa
Le 15 octobre 2001, une adjointe administrative parlementaire fédérale présenta les symptômes d'une éruption de la peau après avoir ouvert le courrier. L'équipe d'intervention contre les substances dangereuses fut dépêchée sur les lieux. Dès lors, tous les accès à la colline du parlement furent bloqués par des rubans jaunes de la police. On aménagea des douches portatives derrière les édifices du parlement, et des scaphandres d'astronaute envahirent l'édifice central. Trente personnes furent mises en quarantaine après avoir été en contact avec ce qui devait s'avérer être de l'anthrax.

02. Montréal et Vancouver
En juin 2002, l'opération Diva, menée simultanément à Vancouver et à Montréal par la GRC et par la Sûreté du Québec, permit d'enrayer ce qui aurait pu devenir une menace mortelle. Sous la pelouse entretenue comme celle d'un vert de golf, le sol des cours arrière de deux cottages de banlieue avait été saturé de spores d'anthrax, de toute évidence sous le

couvert d'un traitement aux pesticides. On suppose que ces spores provenaient du détournement d'échantillons échangés librement par la poste entre des laboratoires commerciaux de 1980 à 2007.

Par ailleurs, un examen des véhicules des propriétaires révéla que leurs systèmes d'échappement avaient été modifiés délibérément afin de répandre les spores dans l'air en raison de l'échec de leur diffusion par les pulvérisations de pesticides.

CAÏNITES

« Apparue vers l'an 159, la secte des caïnites faisait partie des ophites, les adorateurs des serpents. Pour eux, Yahvé, le Dieu de l'Ancien Testament, était l'incarnation du Mal. Au contraire, Caïn, le meurtrier d'Abel, était le symbole de la sagesse et du principe supérieur ; il devait être vénéré comme le premier des sages. Les partisans de cette doctrine, conséquents avec eux-mêmes, honoraient tous ceux que l'Ancien Testament avait condamnés : Caïn, Ésaü, Koré, les sodomites ; ils les considéraient comme des enfants de la sagesse et des ennemis du principe créateur. Les caïnites prétendaient que la perfection consistait à commettre le plus d'infamies possible. » – *Traité des religions de l'Antiquité à nos jours*

MOUVEMENTS RELIGIEUX ESCHATOLOGIQUES

Interventions des autorités

« Il arrive souvent que la violence n'éclate que lorsque le groupe entre en contact avec les autorités publiques, lesquelles incarnent à ses yeux les forces du Mal qu'il doit vaincre pour réaliser son scénario apocalyptique. Toute intervention des autorités publiques déclenche presque toujours une réaction, d'où l'importance d'user de délicatesse pour remédier à la situation.» – Rapport public du SCRS nº 2000/03

PROLIFÉRATION

Le SCRS prend très au sérieux la menace que représente la prolifération des armes de destruction massive (ADM) comme les armes NRBC[1] (nucléaires, radiologiques, biologiques et chimiques), ainsi que la prolifération des vecteurs d'ADM (tels que les missiles). Une mobilisation internationale est nécessaire pour mettre fin à cette prolifération.

En collaboration avec ses partenaires canadiens et étrangers, le SCRS suit de près la situation dans le monde et repère les pays et les organisations terroristes qui cherchent à mettre au point, à acquérir ou à utiliser des ADM et des vecteurs. Il se préoccupe beaucoup des tentatives de plusieurs pays en ce sens. Le SCRS continuera d'enquêter sur les activités de ce genre et sur les pays qui s'efforcent d'acquérir au Canada des technologies ou du matériel qui pourraient servir à la mise au point d'ADM.

---

1. La liste des acronymes et leur définition se trouvent en fin de volume.

Prologue

Immeuble de bureaux de la place du Centre, Gatineau (province de Québec, Canada), en face de la colline du parlement à Ottawa (province de l'Ontario, Canada)

Début de mai, il y a quelques semaines

— Je suis morte, monsieur ! déclara la jeune policière de la Gendarmerie royale entre deux quintes de toux. Je viens… je viens d'avaler une dose létale d'anthrax !

— Que dites-vous, agente Vale ? Répétez ! *Damn it !*

— Suther m'a piégée ! dit-elle en toussant. Une poignée en plein visage !

Au lieu de se teinter d'empathie, la voix dans l'écouteur prit un ton sarcastique :

— Agente Vale, il vous reste en principe quelques minutes avant de mourir de cette dose létale d'anthrax. Profitez-en pour compléter votre mission.

***

Depuis deux mois, Kristen Vale surveillait les allées et venues de Rodger Suther, un des employés affectés à l'entretien des bureaux des ministères fédéraux de la place du Centre. Elle s'était jointe au groupe des concierges relevant des Travaux publics pour le côtoyer sans l'alarmer.

Le service de Kristen Vale à la Gendarmerie royale du Canada avait été mis sur le pied de guerre à la suite d'alertes à l'anthrax survenues dans des bureaux du gouvernement fédéral à Ottawa, à Toronto et à Halifax, tout au long de l'année 2001, avant et après le 11 septembre. La GRC ne disposait pas encore de l'équivalent de l'Epidemic Intelligence Service (EIS) des Centers for Disease Control américains (CDC), qui enquêta sur les lettres contenant de l'anthrax envoyées à Boca Raton, en Floride, aux chaînes de médias à New York ainsi qu'au bureau du sénateur Tom Daschle à Washington. Comme le ministère de la Sécurité publique n'existait pas encore, Preston Willis avait monté une équipe de détectives en hâte : les renifleurs de virus et de bacilles.

À la première réunion où les participants aux yeux grands comme des soucoupes apprirent des faits alarmants, Willis avait déclaré :

– Les scientifiques canadiens du Centre de recherches pour la défense de Suffield et les services d'urgence d'Ottawa sont les premiers à avoir évalué le danger que constituent les envois d'anthrax par la poste. Ils ont ensuite communiqué leurs conclusions aux CDC à Atlanta.

Willis, les sourcils froncés et le regard en feu, brandit une enveloppe décachetée tout en laissant tomber un terrible avertissement.

– On s'est aperçus que la contamination par la poste est redoutablement efficace. Même avant l'ouverture de l'enveloppe, parce que celle-ci n'est pas hermétique, le poison commence à se répandre. Des doses mortelles se trouvent déjà sur le bureau, le papier, les dossiers et les crayons. Pas besoin d'avoir été en contact avec le courrier pour être contaminé.

Kristen Vale, une policière à la fin de la vingtaine, se rappela alors le breffage donné par le du FBI sur l'anthrax.

– Mesdames, messieurs, je vous présente Ray Phillips. Chez nos voisins du Sud, il a travaillé sur l'enquête qui a reçu le nom de code « Amerithrax ».

– Oui, eh bien, commençons par les symptômes : vous bouillez littéralement dans votre propre peau, qui devient une cocotte sous pression à quarante degrés, déclara l'agent spécial chargé du réseautage canado-américain, trop heureux de s'affirmer. Par la suite, des ulcères vous déforment le visage.

– Pourquoi l'anthrax plutôt qu'une autre arme ? avait demandé la jeune femme.

– Bonne question. Il faut vous dire que l'anthrax est l'arme biologique la plus pratique pour un terroriste. Le bacille n'est pas dangereux à manipuler car, en l'absence d'eau, il se transforme en spores inertes. Mais attention, il devient létal au contact des sécrétions du corps humain : sang, salive, larmes, mucus des fosses nasales, lubrifiant des bronches, etc., puisqu'elles contiennent toutes une part d'humidité.

Il avait conclu avec l'argument en faveur d'éventuelles attaques.

– Avec l'anthrax, on pratique un terrorisme pépère, donc séduisant, ce qu'on appelle le « terrorisme élevé/bas » *(high/low terrorism)*, c'est-à-dire un nombre de victimes très élevé à un prix dérisoire.

Au sein du climat de paranoïa déclenché par les terroristes, on ne négligeait aucun comportement suspect. Or, Rodger Suther semblait constituer un risque pour deux raisons. Il avait proféré en public des menaces de mort à l'endroit de bien des dirigeants de l'administration gouvernementale. De plus, il avait travaillé par le passé dans un site d'enfouissement de carcasses de vaches infectées à l'anthrax, quelque part aux États-Unis. La souche la plus virulente en plus, la Vollum.

Ce matin à la place du Centre se déroulait comme tous les autres. Kristen Vale exerçait une surveillance discrète des allées et venues de Suther. La répétition jour après jour des corvées du ménage était monotone, mais elle restait à l'affût du moindre signe suspect, sans relâcher sa vigilance.

Après avoir siroté un café lui servant de petit-déjeuner et grillé une cigarette sur le pas de la porte en compagnie d'une demi-douzaine de fonctionnaires, le faux concierge Rodger Suther avait repris ses tâches sans grande ardeur. Il astiqua les lambris de l'ascenseur central, puis il entreprit de vider les corbeilles des bureaux du ministère du Patrimoine, au troisième étage, en échangeant des blagues de sexe avec les employés.

– Il fait preuve d'une assurance incroyable, remarqua Vale, ce qui me laisse croire qu'il n'envisage pas d'attaque encore aujourd'hui. Si jamais attaque il y a.

À l'aide du *walkie-talkie* à oreillette dissimulé sous sa chemise de concierge, Kristen Vale restait en contact continu avec le chef des opérations, Preston Willis. Le grand manitou était posté à quelques kilomètres de là à vol d'oiseau, sur la rive opposée de l'Outaouais, dans un bureau satellite de la GRC au centre-ville d'Ottawa.

– En effet, on fait peut-être tout ça pour rien, admit ce dernier. Mais vous savez ce qu'on disait dans les forces spéciales de la Joint Task Force Two, la Deuxième Force opérationnelle interarmées en Bosnie, agente Vale ? Qu'il y a toujours deux vérités : la vérité superficielle et la vérité vraie, la *ground truth*.

« Preston Willis et ses citations à n'en plus finir », pensa Vale.

La réflexion moqueuse de Kristen Vale à propos de Preston Willis et de son obsession pour les citations se voulait toutefois gentille. Elle aimait bien Preston Willis, son mentor des services secrets.

Suther s'était maintenant arrêté devant le photocopieur d'une salle de service au troisième étage. Kristen Vale l'aperçut à travers les paravents vitrés entourant les appareils de bureautique pour étouffer le bruit.

– Quoi ? Il va faire des photocopies ? C'est nouveau, ça !

À sa grande surprise, elle le vit soulever le boîtier du module et retirer la cartouche d'encre sèche. Sans même vérifier si on l'observait, il sortit une autre cartouche de son chariot de travail et l'installa.

– Ce n'est pas au concierge de faire ça, remarqua Vale. C'est anormal !

Le temps qu'elle contourne la pièce jusqu'à une entrée aussi éloignée que possible de Suther, Kristen Vale trouva l'endroit désert.

– Il est parti, sauf qu'il y a quelque chose de vraiment étrange…

– Quoi donc ?

– La Xerox est en fonction. Suther a commandé trente copies, mais il n'y a pas de document à photocopier !

– Et s'il voulait tester la nouvelle cartouche, il serait demeuré sur place, non ? surenchérit Willis.

Cette anomalie suscita un mauvais pressentiment chez l'agente et son chef.

– Débranchez la Xerox et collez une affiche « En panne », ordonna Willis. Je crains fort que notre homme ait tendu un piège.

– C'est fait.

– Bien. Maintenant, vous me dites que cette pièce est isolée ? Refermez bien la porte et inscrivez : « Défense d'entrer par ordre des services de sécurité ». Et ajoutez : « Danger de contamination – par ordre du syndicat ». Les gens ont tendance à écouter leurs représentants syndicaux.

– Compris.

– J'envoie un agent en combinaison protectrice afin de vérifier la machine. Arrangez-vous pour que Suther et lui ne se croisent pas.

– Pas de danger. Le temps de rédiger la note, Suther a filé. Je ne le vois plus. D'habitude, il nettoie tous les bureaux avoisinants.

– *Damn!* C'est mauvais signe. Vous savez ce qu'on dit en français? «Quand le bateau coule, les rats partent les premiers.» Retrouvez-le et ne le lâchez pas d'une semelle.

S'il fuyait le bateau, comme Willis l'avait si bien dit, Suther aurait dû être repéré à la sortie du complexe, sur la promenade du Portage.

– Il aurait pris l'ascenseur, dans ce cas.

Quelqu'un confirma son hypothèse. On l'avait vu emprunter l'ascenseur. Elle descendit à son tour et le retrouva dans le hall. Mais au lieu de se hâter de quitter les lieux, il tira un seau et un vaporisateur d'une armoire à balai. Il se mit à polir la baie vitrée en face de la réception à l'aide d'un chiffon, interrompant son travail à l'occasion pour lorgner les jeunes femmes déambulant sur le trottoir à l'extérieur.

Tout à coup, il consulta sa montre et rangea son équipement. Puis, il prit la direction opposée à la sortie.

– On dirait qu'il se dirige vers la cafétéria au centre du complexe. Rien de plus normal puisqu'il sera bientôt midi.

Suther marchait avec nonchalance en s'arrêtant çà et là pour faire du lèche-vitrine. Il s'acheta même un paquet de cigarettes de marque Dunhill chez un vendeur de journaux, après avoir feuilleté distraitement un magazine de sports.

– Je pense comme Willis, on fait tout ça pour rien, conclut Kristen.

En parlant du diable, Willis choisit ce moment pour venir aux nouvelles :

– Rien de neuf ? Je veux dire, rien de particulier comme pour le photocopieur ?

– Non, depuis des mois, ce type agit comme quelqu'un qui a la conscience aussi tranquille qu'un bébé naissant.

– Donc, à cette heure, je présume qu'il va bouffer comme tout le monde ?

– Affirmatif.

– Ne l'appréhendez pas. *This is a red light*. Si on est patients, on ne sait jamais, on pourra le prendre en flagrant délit et avoir des preuves irréfutables. On n'en a jamais assez avec la justice. Vous dites qu'il est à la cafétéria ?

– Oui, je demeure à bonne distance, selon vos ordres. Mais, attendez...

– Quoi ? Que se passe-t-il, agente Vale ?

– C'est étrange : il ne s'est pas assis pour manger dans son coin habituel. Il observe le buffet à salades depuis quelques secondes, mais il n'a rien pris. Il tient son assiette vide.

– *Damn*, surveillez bien ses mains, agente Vale.

– Il a exécuté un mouvement rapide pour me tourner le dos.

– Vous aurait-il repérée ? Je vous avais dit de garder vos distances. Après tous ces mois de filature, il risque de trouver louche votre insistance à vous maintenir dans son champ de vision.

– Aucun problème, je suis loin. Trop loin, peut-être. Je vais changer d'angle.

– Surveillez ses mains, répéta Willis d'un ton impérieux.

– Ça y est, je l'ai de face, dans toute sa splendeur. Mais pendant ces quelques secondes, les mains de Suther ont pu saupoudrer les plats de la substance.

– Vous pensez qu'il pourrait contaminer la nourriture ?

– Ces maudits buffets sont des cibles rêvées, monsieur. C'est une façon simple de tuer beaucoup de gens. L'anthrax tue, qu'il soit absorbé par la bouche ou par le nez. Je me dois d'intervenir.

– Vous avez sans doute raison, Vale. Allez-y.

Kristen se précipita vers le buffet à salades. Elle rejoignit Suther au moment où il s'apprêtait à partir.

– Il sort sans avoir mangé. Il a remis son assiette vide dans la pile, près du buffet à salades.

– *Damn* ! *Damn* !

– Ça ne peut vouloir dire qu'une chose, déclara Kristen Vale.

Elle sentit une poussée d'adrénaline lui picoter les vertèbres et lui brûler le front.

– Monsieur Rodger Suther, je suis une agente de la GRC, dit-elle au suspect. Veuillez vous arrêter et vous retourner lentement vers moi, en gardant vos mains bien en vue. Ne posez aucun geste, sinon je devrai utiliser mon arme…

Suther sursauta. Néanmoins, Kristen fut surprise de la réaction qui s'ensuivit. Il se retourna tellement lentement qu'on aurait dit qu'il voulait susciter un effet théâtral. Ou préparer une contre-attaque. Rien de tel ne se passa cependant. Il se contenta de regarder la policière avec curiosité, puis un sourire apparut sur ses lèvres minces.

Le sourire du chat prêt à croquer la souris.

– *Jesus !* Ce type se fout de ce qui va lui arriver. Son sourire sarcastique veut dire qu'il a déjà perpétré son acte. L'anthrax est autour de nous…

Immeuble de bureaux de la place du Centre, Gatineau (province de Québec, Canada), en face de la colline du parlement à Ottawa (province de l'Ontario, Canada)

Début de mai, il y a quelques semaines

En deux mois de filature, Kristen Vale n'avait jamais pu dévisager Rodger Suther. Elle souhaita n'avoir jamais eu à le faire, car l'aspect de l'individu lui donna froid dans le dos. D'abord, son teint n'était pas naturel. Il arborait un coloris verdâtre d'extraterrestre.

Ensuite, son sourire d'hostilité hypocrite annonçait les pires traîtrises. Kristen en était sûre : non seulement Suther avait bel et bien l'intention d'utiliser l'anthrax, mais c'était déjà fait.

Willis ne pouvait mieux tomber quand il annonça dans l'écouteur :

— Attaque biologique à l'anthrax confirmée ! Je répète, Vale, attaque à l'anthrax confirmée ! On vient de me communiquer les résultats de l'examen du photocopieur. Positifs. On a eu raison finalement. Suther a commencé à répandre cette fichue saloperie. Empêchez ce fils de pute de faire le moindre geste. Les agents en combinaison HAZMAT sont en route pour vous relever.

— J'ai les choses sous contrôle. Je vais…

Devant elle, Rodger Suther n'avait pas cessé son curieux manège. Son sourire moqueur la narguait. Pour lui, il était au-dessus des lois, il jouait avec la vie et avec la mort, avec la mort en particulier, la sienne et celle de milliers d'innocents autour de lui.

Sûr de lui, Suther dirigea soudainement son regard vers le buffet à salades, puis vers la foule assemblée dans la cafétéria à l'heure du dîner. Kristen suivit la trajectoire de ce regard qui sembla s'attarder sur quelqu'un en particulier. Un type à la recherche d'une table libre. Un type avec le bras droit tendu devant lui, tenant dans la main une assiette de salade qu'il protégeait le mieux possible du va-et-vient.

«Je gage que ce sacré Suther admire son œuvre, réalisa-t-elle. Il a eu le temps de déverser l'anthrax sur les plats et cet amateur de cuisine végétarienne là-bas emporte l'arme biologique avec lui.»

Si c'était le cas, elle devait agir immédiatement. Dès que le bacille entrerait en contact avec les sécrétions du corps, l'effet serait foudroyant. Il faucherait cet infortuné mangeur de légumes et ses voisins et possiblement d'autres occupants du complexe avant que l'équipe d'intervention NRBC soit dépêchée.

Mais il y avait Suther. Pour être libre de ses mouvements, elle lui passa les menottes aux deux poings et les accrocha au montant du bar à salades.

Elle constata que les services de sécurité de la place du Centre, alertés par Preston Willis, se déployaient à une distance sécuritaire du buffet à salades pour en interdire l'accès. Elle savait que les pompiers et la police allaient suivre pour établir un périmètre de sécurité autour de l'édifice. Puis viendraient les spécialistes de la Sécurité publique affublés de combinaisons spéciales pour décontaminer les lieux. Enfin, les services sanitaires, pour prendre en charge d'éventuelles victimes.

Deux agents portant des combinaisons HAZMAT arrivèrent et elle leur confia la surveillance du prisonnier.

Elle rejoignit en courant l'homme d'âge mûr que Suther lui avait désigné par bravade. Ce devait être un fonctionnaire, car il portait une chemise blanche avec cravate et un pantalon bleu marine habillé. Il avait bel et bien un monticule de laitue et de betteraves marinées dans son assiette.

– Service de sécurité, prévint-elle en exhibant sa plaque d'agente spéciale de la GRC. Monsieur, cette salade risque d'avoir été contaminée. Je vous prie de me la remettre.

Elle fit mine de saisir l'assiette de plastique d'une main, mais le client ne lâcha pas prise. Au contraire, il réagit comme si on venait de bafouer la Charte des droits et libertés :

– Qu'est-ce que ça veut dire ? Non, mais, laissez-moi manger en paix ! J'ai assez de mon patron sur le dos huit heures par jour sans en avoir un autre à la pause du midi...

– Vous voulez avaler du poison ?

– Quoi ? Voyons donc...

– Vous avez des enfants, monsieur ?

– Euh !... oui, une fille et un garçon.

– Vous voulez rentrer chez vous ce soir pour revoir votre fille et votre garçon ? Il n'en tient qu'à vous.

Le ton ferme et le regard autoritaire de Kristen eurent autant d'effet que ses paroles. Le fonctionnaire relâcha sa prise avec regret.

Kristen en profita pour envelopper le plat dans un des sacs de plastique autoscellants qu'elle portait sur elle pour parer à une telle éventualité.

– Pour votre sécurité, ne touchez pas au buffet à salades ! lança-t-elle au fonctionnaire éberlué et à ses voisins de table.

C'est une question de vie ou de mort ! S'il vous plaît, demeurez sur place, la police va venir !

Déjà en sueur, elle évalua rapidement la situation. Le temps pressait : il fallait passer à la prochaine étape.

Avec son cellulaire, elle contacta le centre des opérations de la sécurité de la place du Centre. Le préposé aux appels confirma avoir reçu des consignes de Willis :

— Nous sommes au courant, dit-il, on a dépêché nos gens sur les lieux.

— Oui, j'ai vu, c'est parfait. Il faudrait encore que vous diffusiez un message dans tout l'immeuble. Les personnes qui ont acheté de la salade ne doivent pas la manger. Danger de contamination.

— Elles doivent la jeter ?

— Non, surtout pas. Pas de manipulation. Aucun contact direct avec les aliments.

— S'en éloigner aussi ?

— Très bonne idée. Mais, avant, elles peuvent recouvrir leur assiette avec tout ce qu'elles ont sous la main : manteau, corbeille, feuille de papier...

— On dirait que vous craignez que les microbes s'envolent.

— Ce ne sont pas des microbes. Ne le répétez pas, mais il s'agit d'un contaminant pouvant se répandre dans l'air. Toutes les mesures sont bonnes pour enrayer la propagation.

— D'accord. On branche les haut-parleurs de la cafétéria.

— Pas seulement de la cafétéria. Diffusez partout dans les bureaux et les commerces. Il est peu probable que beaucoup de gens aient eu le temps de se servir de la salade après la contamination, mais il vaut mieux prévenir.

— OK.

— Et éteignez l'air conditionné.

— Je préviens immédiatement les services de maintenance.

Une minute plus tard, Kristen fut soulagée d'entendre au-dessus de sa tête une voix neutre diffuser son avis. Par le fait même, on demandait aux employés et aux visiteurs de rester sur place et d'attendre les services d'urgence.

La mission de Kristen n'était pas terminée. Elle jeta un regard circulaire autour d'elle pour évaluer l'aire de restauration. Elle espérait repérer l'autre personne qu'elle avait vue s'approcher de Suther au buffet à salades. Sans le savoir, cette personne était une menace mortelle.

— Les clients du buffet à salades doivent être assis aux tables entourant immédiatement le buffet, soit une cinquantaine de tables. Commençons par là.

En hâte, elle défila entre les rangées en vérifiant les assiettes et les clients. Ces derniers affichaient des visages atterrés. Ils se tassaient sur eux-mêmes pour, semble-t-il, ériger autour d'eux une enceinte de protection à l'épreuve de leur voisin dont ils se méfiaient tout à coup après avoir interrompu une conversation amicale. Plusieurs la mitraillèrent de questions. De telles réactions étaient prévisibles dans les circonstances.

— Qu'est-ce qui se passe ?

— Sommes-nous en danger ? Devons-nous porter des masques comme pour la grippe aviaire à Toronto ?

— On ne va tout de même pas rester assis sagement comme des moutons qu'on mène à l'abattoir, non ?

— Oui, oui, il faut fuir. Pourquoi ne sommes-nous pas évacués ?

Questions auxquelles elle répondait inlassablement :

— Suivez les instructions qui vous seront communiquées.

Sa mémoire photographique lui permit de reconnaître la femme d'une quarantaine d'années qui, plus tôt, s'était retrouvée près de Suther. Sa tenue formelle et son air d'autorité l'avaient frappée. Peut-être une sous-ministre, s'était-elle dit, ou un haut fonctionnaire à coup sûr.

— Madame, vous étiez près du buffet à salades il y a deux minutes ?

— En effet, agente Vale, répondit la gestionnaire après avoir lu son nom sur son insigne, le menton relevé pour ajuster ses lunettes de presbyte à double foyer. En effet, mais je n'ai rien pris finalement. La laitue ne me paraissait pas fraîche. J'ai tout de suite pensé à l'E. coli. C'est l'E. coli, n'est-ce pas ? D'autant plus qu'un type s'amusait à plonger ses mains dans les plats. Je l'ai fusillé du regard, ce dégoûtant personnage. C'est à cause de lui, toutes ces mesures ?

— Si vous voulez bien vous identifier quand les services sanitaires arriveront.

— Vraiment ? Très bien, si c'est nécessaire.

Pendant ce temps, les haut-parleurs débitaient inlassablement le même message :

— Attention, attention ! Nous vous prions de ne pas toucher aux mets du buffet à salades. Ils pourraient contenir des aliments contaminés. Si vous avez déjà une assiette, veuillez la recouvrir et vous en éloigner.

Kristen ne se souvenait que de deux individus ayant puisé dans le buffet à salades quand Suther y menait son attaque biologique : la gestionnaire et le fonctionnaire prêt à citer la Charte des droits et libertés. Elle les avait prévenus. Elle continuait néanmoins à vérifier une vingtaine de tables à tout hasard quand elle entendit une voix blanche laisser tomber derrière elle :

— Vous avez un gros problème.

La jeune femme se retourna pour se retrouver nez à nez avec le fonctionnaire qui, plus tôt, avait résisté à son injonction. Le type était maintenant en proie à une vive agitation. Kristen crut d'abord qu'il avait été infecté. La suite des événements démentit ses appréhensions. Peut-être eût-il mieux valu cependant qu'il fût le problème.

— Ouais, vous avez un maudit gros problème, grogna-t-il avec sa hargne habituelle en roulant des yeux à la fois revanchards et anxieux.

— Nous contrôlons la situation, monsieur. Vous pouvez regagner votre place, s'il vous plaît.

— Non, non, vous ne comprenez pas. Je vous ai entendue parler avec la dame qui était près du buffet à salades avec moi et un type en uniforme.

— Alors, vous l'avez vu, l'homme qui portait un uniforme de concierge?

— Oui, je l'ai même reconnu. C'est Suther, il vient ici régulièrement. D'habitude, il est poli, mais, aujourd'hui, je l'ai vu patauger dans la salade de couscous et de petits pois au citron. C'est la salade la plus populaire de toutes. S'il voulait empoisonner le plus de monde possible, il a bien choisi l'endroit où déverser sa merde.

— Vous en avez donc pris de cette salade finalement?

— Non, pas moi, je préfère la salade César agrémentée de betteraves, mais j'ai vu quelqu'un s'en servir une portion de géant, avec un monticule et tout.

À ces mots, Kristen réprima un frissonnement angoissé.

«Est-ce que j'aurais manqué un client du buffet quand je surveillais Suther? Il n'y avait pourtant que ce charmant personnage et la sous-ministre. Comment est-ce possible?»

Elle reçut une explication qui la rassura à peine au sujet de son sens de l'observation:

— Ouais, la petite dame de l'ACDI qui descend de la tour nord-ouest, continua le fonctionnaire. Jolie fille en fauteuil roulant motorisé. Elle était de l'autre côté du buffet à salades et on la remarquait à peine. J'étais tout près de la salade de couscous et j'ai seulement aperçu sa main se faufiler avec la cuillère au-dessus de tout l'étalage. Elle tient à se débrouiller par elle-même, c'est compréhensible.

« Voilà donc pourquoi ça ne m'a pas frappée », pensa Kristen. Elle était cachée par le meuble haut.

La vision d'une femme en fauteuil roulant portant un sac contaminé à l'anthrax sur ses genoux l'incita à se mettre en route sans délai.

— Merci, monsieur, je me lance à sa poursuite après avoir lancé un avis de recherche, ajouta-t-elle à l'adresse du fonctionnaire. De toute façon, à l'heure qu'il est, elle doit avoir reçu le message des haut-parleurs et s'être débarrassée de la salade.

Le fonctionnaire secoua la tête énergiquement.

— Non, non, rien n'est moins certain. Car je l'ai toujours vue descendre pour la bouffe avec des oreillettes Bluetooth. Il paraît qu'elle est folle de heavy métal. Elle le fait jouer à tue-tête. On l'entend venir de loin.

— *Jesus*. Quelle direction a-t-elle prise ?

— Aucune idée, désolé.

— Merci.

Elle adressa un constat troublant à Preston Willis :

— Un foyer d'infection est mobile, monsieur. Je suis en chasse.

— Stoppez-moi ça, Vale. La propagation au centre-ville serait une catastrophe.

Willis n'avait pas besoin de lui rappeler la gravité de la situation. Kristen ne pouvait plus tenir en place. Au pas de course, elle franchit en diagonale l'aire de restauration. Deux allées bordées de boutiques s'offraient à elle. Elle avisa l'allée de gauche, celle qui la conduirait plus rapidement à l'ascenseur

réservé aux employés de l'ACDI, une des agences gouverne-
mentales hébergées dans la tour de la place du Centre.

« Je parierais qu'elle est retournée manger à son bureau. Mais
il y a d'autres possibilités. Il fait si beau, elle peut être sortie pour
se faire bronzer. Ou pour faire des courses dans les boutiques
de la Promenade du Portage, en face. Je ne peux tout de même
pas me diviser en deux ou en trois. Il faut commencer quelque
part… N'empêche qu'en faisant un choix, j'ai l'impression de
jouer à la roulette russe avec la vie de cette jeune fille et de tous
ceux qu'elle risque de contaminer. »

Malgré ses doutes, l'agente de la GRC détala vers l'entrée
du centre commercial. C'est là où étaient postés des gardiens
à qui on devait présenter sa carte afin de grimper jusqu'aux
bureaux de l'agence.

« J'espère qu'elle a mis son assiette dans un sac, sinon elle
pourrait répandre l'anthrax sur son passage. À quelle vitesse
un fauteuil roulant motorisé peut-il se déplacer ? »

Les questions se bousculaient dans sa tête.

La foule d'employés qu'elle rencontra sur sa route ne semblait
pas incommodée.

« Bon sang, ça fait beaucoup de monde, se dit-elle. Des
centaines de personnes… »

En chemin, elle était en nage à force d'inspecter en vitesse
chaque groupe de passants au cas où ils auraient caché à sa vue
la porteuse d'anthrax. Elle devait en plus fouiller du regard les
boutiques du mail au-delà de leurs vitrines encombrées. La
lourde responsabilité d'avoir à éviter une catastrophe lui vrillait
les tempes et lui tenaillait les entrailles.

Elle parvint enfin devant le poste du gardien en faction,
sans avoir trouvé le fauteuil motorisé. Comme s'il était devenu
invisible juste pour la narguer.

– Je suis de la GRC, déclara-t-elle en exhibant sa plaque de nouveau. Est-ce qu'une personne handicapée est montée au cours des cinq dernières minutes?

– Ah! La jeune Émilie Lessard, une étudiante, stagiaire pour l'été. Non, elle est descendue il y a peu de temps et elle n'est pas remontée.

Le cerveau de Kristen Vale tourna à plein régime.

«Elle peut avoir bifurqué vers la passerelle menant à la place du Centre II et III. Ou elle peut être sortie pour profiter du soleil.»

Elle se demanda si le risque d'épidémie était plus élevé à l'intérieur ou à l'extérieur. «Sans doute à l'intérieur, pensa-t-elle. Quoique, sur un trottoir bondé à midi, comme si on était devant la Place-Ville-Marie à Montréal le samedi avant Noël, et avec le vent qui peut disséminer l'anthrax…»

Elle s'adressa au gardien:

– Vous connaissez ses habitudes, à mademoiselle Lessard? Où va-t-elle manger?

Le type âgé secoua la tête en signe d'ignorance.

– Merci!

Elle se posta à un croisement d'où elle pouvait embrasser l'étendue des corridors sur cent mètres. Rien.

– Excusez-moi, vous avez vu un fauteuil roulant? demanda-t-elle à plusieurs passants venant de directions différentes.

Son imagination commençait à lui jouer des tours: elle voyait déjà de plus en plus de gens se mettre à tousser. Revenaient la hanter les images du breffage sur l'anthrax donné par le FBI montrant les visages de victimes couverts d'ulcères.

Elle se résolut à sortir sur la promenade. Là aussi, elle pouvait voir plusieurs pâtés de maisons à l'est et à l'ouest, le long de la place du Centre.

«Rien, toujours rien!»

Elle héla des fonctionnaires, mais elle n'eut pas plus de succès qu'à l'intérieur.

«Un fauteuil roulant, ça se remarque, pourtant…»

Elle fit le point en vitesse. Rien n'était visible sur l'axe est-ouest, autant à l'intérieur qu'à l'extérieur du complexe. La jeune Émilie Lessard pouvait avoir pris une autre direction, vers le sud, par exemple.

«J'espère qu'elle n'est pas allée par là, se dit-elle. Il y a plein de monde vers l'hôtel de ville de Gatineau. Sans compter la bibliothèque municipale…»

Elle refit à la course le trajet jusqu'à la cafétéria, qu'elle dépassa pour accéder à la passerelle enjambant la rue de l'hôtel de ville menant au complexe administratif municipal de la Maison du citoyen. Son cœur battait à tout rompre : en plus de l'effort violent qu'elle déployait, elle était très anxieuse à voir autour d'elle tous ces gens ignorants de la mort qui les guettait. Engagée sur la passerelle, elle fut attirée par des cris d'effroi en contrebas.

«C'est Émilie Lessard qui crie comme ça? Les premiers symptômes de l'anthrax sont foudroyants…»

Sa maîtrise l'empêcha de s'affoler. Elle dévala quatre à quatre les marches d'un escalier de béton débouchant sur une cour intérieure. Elle vit une foule s'agglutiner autour d'une estrade occupée par des comédiens portant des costumes de clowns.

«Ouf! Ce n'est qu'une pièce de théâtre bouffonne. Ces cris font partie de leurs pitreries. J'aime mieux ça, mais me voilà revenue à la case départ. Et chaque seconde perdue, le risque d'épidémie augmente de façon exponentielle.»

Elle se résolut néanmoins à rebrousser chemin.

«Espérons que les services de sécurité auront eu plus de chance.»

Cette fois, elle n'emprunta pas le trajet intérieur par la passerelle. Elle contourna la scène où les rires des comédiens succédaient aux cris et longea un terrain vague, une zone à l'avenir incertain à la suite de la démolition d'édifices délabrés.

Elle allait traverser la rue en sens inverse pour se retrouver devant le haut flanc gris de la place du Centre quand, tout à coup, son attention fut attirée du côté des gravats et des herbes folles. Son ouïe fine perçut des éclats d'instruments de percussion projetés à un rythme d'enfer, jusqu'au trottoir en surplomb, à partir d'une cuvette en partie inondée.

Saisie par un mauvais pressentiment, Kristen s'élança vers la dépression. Plus elle approchait, plus elle pouvait identifier les notes jaillissant de la terre.

« Du heavy métal ! Ce ne peut être qu'Émilie Lessard. Mais qu'est-elle venue faire au milieu de nulle part ? La confusion causée par l'anthrax a dû lui faire perdre la tête, et elle s'est égarée. »

Ses craintes se révélèrent fondées. Le fossé n'était pas profond. Elle reconnut aussitôt la roue arrière droite, tournant dans le vide, d'un fauteuil roulant renversé sur le côté. Plus loin, au bord d'une mare aux eaux stagnantes, gisait sur le dos le corps d'une jeune femme à peine sortie de l'adolescence. Seuls ses bouts de cheveux longs et bruns trempaient dans le bourbier, et ses yeux étaient clos. Des graines dorées répandues sur sa poitrine autour d'un sac brun éventré, la semoule de blé du couscous, permirent à Kristen de l'identifier avec exactitude.

« C'est bien Émilie Lessard. Je l'ai trouvée, mais elle ne bouge plus. Est-il trop tard ? »

En quelques secondes, grâce à son cellulaire, l'équipe d'intervention NRBC de la Sécurité publique était prévenue.

« Ils ont dit deux minutes. »

Mais au premier coup d'œil, Émilie ne semblait pas avoir deux minutes.

En effet, elle constata que la stagiaire de l'ACDI ne respirait plus.

« Que ce soit l'anthrax ou une mauvaise chute, elle est en état de choc. »

Dans les cas de contamination à l'anthrax, le protocole interdisait aux premiers intervenants le contact direct avec le corps du malade. Mais dans ce cas-ci, Kristen ne risquait rien. Elle avait pris un comprimé de ciprofloxacine, un antibiotique à effet prolongé, une fois par jour durant les deux mois de filature. D'ailleurs, elle ressentait encore l'impression de fièvre qui était l'un des nombreux effets secondaires du médicament. Quelques cachets d'un analgésique courant suffisaient à la soulager.

Elle n'hésita pas à pratiquer la réanimation cardiorespiratoire. Elle craignit d'abord que les spores aient provoqué des hémorragies internes. Ses poumons pouvaient déjà être engorgés de sang. Elle rejeta cette possibilité, car les voies respiratoires n'étaient pas obstruées. En revanche, la bouche présentait les filets rougeâtres typiques d'infection par ingestion. Enhardie par son diagnostic, elle poursuivit la cadence.

L'état de santé d'Émilie était précaire. Kristen pouvait la perdre à tout moment.

Elle aurait aimé lui administrer le Cipro qu'elle avait sur elle. Comme Émilie était inconsciente, elle ne pouvait avaler le comprimé. D'ailleurs, Kristen n'avait pas de bouteille d'eau non plus. Pas question de puiser à la mare : cette eau polluée pouvait tuer aussi sûrement que l'anthrax. Pourtant, Émilie avait besoin d'être hydratée. Les calculs rapides de la policière devinrent soudain inutiles.

– Nous arrivons, entendit-elle.

Elle réalisa qu'elle était toujours en communication avec la sécurité publique via son cellulaire.

– Nous sommes là, dit-on ensuite.

Ces derniers mots n'émanaient pas du cellulaire, mais de la combinaison HAZMAT qui venait de dévaler la pente pour rejoindre Kristen et Émilie.

– Elle ne respirait plus, rapporta la policière de la GRC. J'ai pratiqué la réanimation…

– Excellent. Nous prenons la relève.

Un des nouveaux arrivants venait à peine de se pencher sur Émilie qu'il se releva pour annoncer :

– Si elle ne respirait pas, ce n'est plus le cas maintenant. Elle nous est revenue. Félicitations, agente Vale.

– Super.

Encore sous le choc, Kristen entendit une voix qui résonnait dans l'oreillette de son *walkie-talkie* :

– Agente Vale, vous m'entendez ?

– J'avais l'esprit occupé ailleurs. Maintenant, je vous reçois cinq sur cinq, monsieur.

– Où que vous soyez, rappliquez à la place du Centre. Suther s'est échappé. Les types en combinaison HAZMAT lui ont retiré ses menottes pour l'emmener à leur laboratoire, mais, gênés par leur lourd équipement, ils l'ont laissé filer.

– Il est en liberté en pleine ville ?

– Non, heureusement. On l'a vu descendre dans le sous-sol. Il est fait comme un rat.

– Peut-être pas. On a vécu en osmose depuis des mois : je crois savoir ce qu'il cherche. J'y vais.

Kristen entreprit de se tirer hors de la fosse. Elle stoppa net à mi-pente quand Émilie prononça les premiers mots à la suite de son retour dans le monde des vivants :

– Coco ? Où es-tu, Coco ? Quelqu'un a vu Coco ?

– Voulez-vous répéter ? dit le scaphandrier.

– J'ai donné un peu de ma salade à Coco, lui expliqua la jeune fonctionnaire, surprise d'une telle agitation causée par un simple plat de couscous et de pois.

– Coco.

– Coco ? balbutia Kristen, perplexe.

Elle supposa que la fièvre faisait délirer Émilie.

– Oui, oui, je lui dis bonjour tous les midis. Elle s'est creusé un terrier près de la mare.

Surprise du silence tombé autour d'elle, Émilie Lessard précisa aussitôt :

– Coco, c'est le nom que j'ai donné à une marmotte.

Sur ce, Émilie fut prise de hoquets, puis vomit avant de s'évanouir.

***

Kristen mit pied sur le béton humide du sous-sol en sachant la destination du fuyard. Suther ne redescendait jamais à son petit local dans le sous-sol à cette heure-ci. Il y commençait ses journées tôt le matin en enfilant son uniforme de concierge. Un réchaud lui assurait une provision matinale de caféine. Il badinait avec des collègues, échangeait des pronostics sportifs et des tapes sur l'épaule avant de monter pour la journée dans les bureaux des ministères. Une fois, Kristen l'avait surpris en train de se vanter auprès des copains d'avoir découvert une voie secrète sous la rue menant à la vieille usine désaffectée d'E.B. Eddy. Il s'était empressé de dissiper leurs doutes en les guidant à travers les tunnels comme des touristes du Gatineau souterrain.

« Je me rappelle où il les a menés, cette journée-là. »

Elle progressa au milieu d'un réseau compliqué de conduites de toutes sortes. Elles couraient au-dessus de sa tête et à ses pieds autant que de chaque côté d'elle sur les murs. Un perpétuel grondement emplissait les lieux. Sans ses nerfs d'acier, elle se serait sentie étouffée, prise dans une toile d'araignée.

Sûre d'elle-même, elle n'en était pas moins consciente du danger. Suther pouvait l'avoir attirée à dessein dans ces oubliettes dont il connaissait les moindres recoins. Une embuscade était à prévoir. Quand et où viendrait-elle ? Elle se le demandait.

Tout à coup, elle fut plongée dans les ténèbres. Pour appuyer ses appréhensions, Suther venait de couper le courant. Désormais guidée par le mince faisceau de sa lampe de poche, elle poursuivit son avance et arriva à destination sans encombre.

La lourde porte métallique de la salle de contrôle du complexe était devant elle, entrouverte.

– Cet endroit est interdit. La porte est verrouillée en permanence. Ou les techniciens font des réparations ou Suther a utilisé son passe-partout pour rejoindre le tunnel qui s'amorce dans cette chambre.

– Faites attention, Kristen, euh… agente Vale, entendit-elle dans son écouteur.

Willis.

– Pas de problème. Je suis déjà venue ici. On retire un grand panneau électrique pour accéder à un tunnel encombré de fils électriques reliant la place du Centre à d'autres immeubles gouvernementaux. Il y en a plein sous les rues près de la colline, à Ottawa.

– Attention. Vous auriez dû attendre les renforts avant de vous lancer dans…

– Silence. J'essaie de voir si j'entends quelque chose. Rien. Allons-y.

Kristen franchit la porte pareille à celle d'un coffre-fort de banque. Un spectacle hallucinant l'attendait. Dans la noirceur, des milliers de voyants lumineux clignotaient.

– On… on dirait un arbre de Noël.

Seul un grésillement lui répondit. Elle venait de perdre la communication avec l'extérieur.

Les tableaux et les indicateurs de la salle de contrôle ne réussirent pas à la distraire de sa mission. Elle avisa aussitôt le panneau qu'elle recherchait. Il avait été retiré et déposé sur le sol. Une ouverture rectangulaire béante pouvait livrer passage à un homme.

« Il a filé par là. »

Elle allait l'imiter quand elle perçut un glissement derrière elle. En se retournant vivement, elle éprouva une étrange sensation. Une poudre fine remonta le long de ses narines, menant sa charge mortelle à une vitesse folle vers ses poumons et son cerveau.

– Je suis morte, monsieur! déclara-t-elle entre deux quintes de toux. Je viens… je viens d'avaler une dose létale d'anthrax!

– Que dites-vous, agente Vale? Répétez! *Damn it!*

La communication était rétablie, sauf qu'il était trop tard.

– Suther m'a piégée! dit-elle en toussant. Une poignée en plein visage!

– Agente Vale, il vous reste en principe quelques minutes avant de mourir de cette dose létale d'anthrax. Profitez-en pour compléter votre mission.

Au lieu de s'offusquer de ce manque de sympathie, Vale esquissa un sourire en coin. En dépit de cette situation alarmante, elle et son chef savaient qu'elle ne mourrait pas de ça aujourd'hui. La ciprofloxacine lui permettait de manger de l'anthrax tous les matins avec ses céréales, ou presque.

Les paroles brutales, sarcastiques, de Willis avaient donc pour seul but de la fouetter.

Immunisée contre l'anthrax, elle risquait plus d'être aveuglée par la poudre et d'être à la merci d'un assaut direct.

Au même moment, à travers un brouillard, elle crut distinguer une silhouette informe se ruant sur elle.

Son instinct développé par de nombreuses séances d'entraînement au corps à corps lui fit lever le bras droit. Une douleur lui signala qu'elle venait d'être frappée. Son agresseur brandissait un tuyau de polychlorure de vinyle – du PVC.

Repliée sur elle-même, elle projeta une jambe devant elle en exécutant un demi-cercle au ras du sol. Fauché, son attaquant s'écroula.

– Ne bougez pas ! Police ! cria-t-elle en dégainant son arme.

Elle avait échappé sa lampe de poche lors de l'attaque, mais le concert de voyants répandait une lueur fantomatique mais efficace.

L'homme avait remarqué qu'elle était encore aveuglée et qu'elle se frottait les yeux de la main gauche. Il en profita pour plonger dans le conduit derrière le panneau électrique. Une poursuite s'engagea alors. Les deux devaient ramper sur des faisceaux de fils, à l'intérieur d'un espace de la taille d'une bouche de ventilation.

La chemise verte de la policière était détrempée. Son front ruisselait de grosses gouttes de sueur.

Au bout de dix minutes, Willis entendit :

– *Jesus* !

– Qu'y a-t-il, agente Vale ? Répondez, vite !

– Une bizarrerie… Suther s'est immobilisé.

– C'est une ruse. N'approchez pas trop près de lui.

– Il ne bouge plus. Il a le teint vert, on dirait l'Incroyable Hulk.

– Cyanose, dit aussitôt Willis en guise d'explication. L'anthrax provoque un choc pulmonaire. Il a dû s'infecter lui-même il y a plusieurs jours. Heureusement, l'anthrax ne se propage pas d'une personne à l'autre.

– Il… il a chuchoté quelque chose… Vous ne me croirez pas, monsieur…

– Dites toujours.

– Il a dit en souriant, toujours son sourire moqueur, que la vengeance est un plat qui se mange froid… et qui se mange chaud. Vous y comprenez quelque chose, vous ?

À la réponse de son chef, elle comprit qu'il jubilait. Willis n'avait-il pas vu juste au sujet de la filature, contre toute attente ? Son flegme britannique venait de se dissoudre dans une vague d'ébriété :

– Je suppose que j'ai un esprit aussi tordu que lui, agente Vale, car je crois détenir l'explication de cet humour macabre. D'abord, la vengeance vient de ce qu'on lui a refusé promotion sur promotion. Il en veut à tout le monde et au gouvernement plutôt qu'à lui-même. De nos jours, on tue quelqu'un à coups de bâton de baseball seulement parce qu'il vous a doublé sur l'autoroute, alors… Pour le reste, voyons : le repas chaud, c'est le four du photocopieur « alimenté » par des spores bouillies sous les lampes à quartz. Pas mal, n'est-ce pas ? Je suis vraiment en verve aujourd'hui et je récidive : repas froid et assiette froide de salade au couscous, c'est évident, non ? Mon naturopathe m'avait pourtant prévenu que « la mort nous guettait dans notre assiette ». Et moi qui ne le croyais pas.

Chapitre 1

Quartier général de la GRC, promenade Vanier, Ottawa (province de l'Ontario, Canada)

Le lendemain

Le jour suivant, en fin d'avant-midi, Kristen Vale était attendue à une fête improvisée au bureau de Preston Willis. C'était au quartier général de la GRC pour la Division A de la capitale nationale, situé sur la promenade Vanier, au sud-est du centre-ville. Dès qu'elle sortit de l'ascenseur, elle entendit l'écho des célébrations se répercutant sur tout l'étage :

– *For he's a jolly good fellow...*

Une collègue plus âgée la croisa, une haute tasse de plastique noire à la main. Son haleine dégageait un rien de vapeur d'alcool mêlée à l'arôme du café moka.

« Le café moka à la crème de coco, pensa la plus jeune. Ce n'est jamais assez sucré pour Beatrice. »

– On fête l'arrestation de Suther ? demanda Beatrice. Il n'est donc pas mort empoisonné par l'anthrax ?

– L'équipe de soins médicaux d'urgence avait de l'épinéphrine avec elle, soit de l'adrénaline. Elle l'a sauvé.

– Et la petite stagiaire ?

– Émilie Lessard est à l'unité des soins intensifs de l'hôpital d'Ottawa, mais elle est hors de danger à ce qu'il paraît.

– Quelle bonne nouvelle !

– En effet. Elle avait bien ingéré des spores avec sa salade. Au contact de la salive, elles ont provoqué les symptômes usuels, nausée, vomissements, saignement de l'estomac…

– Il paraît qu'elle était en arrêt cardiaque quand tu l'as repérée. Sans toi, elle y restait, c'est sûr.

– J'ai eu beaucoup de chance.

– Elle aussi. Elle a eu beaucoup de chance que tu sois là.

– Oh ! Oh !

– Le patron a remarqué ton absence, lui dit enfin Beatrice en retournant à la fête.

– Preston était prévenu que j'avais un rendez-vous que je ne pouvais pas manquer ce matin, rétorqua Vale sans chercher à se disculper de son retard.

– Je crois savoir, c'est la belle photo sur ton bureau.

– Oh ! Oh !

La femme dans la cinquantaine lui serra le bras.

– En tout cas, bravo à vous deux d'avoir déjoué Suther ! Il semble que la catastrophe qu'il espérait a pu être évitée. Pas de propagation dans la place du Centre. Bien joué !

– Merci, Bea.

– C'est vrai, tout le monde pense que tu es extra.

La collègue de Kristen Vale savait qu'elle ne se glorifiait pas de ses victoires. Il ne fallait pas que le chef seul soit cité pour du travail génial. Depuis des mois, Kristen menait une filature, ce qui voulait dire de longues heures : douze, seize, parfois vingt de suite.

– Je crois que Preston a des projets pour toi, dit Beatrice en prenant une gorgée de son nectar des dieux avant de s'échapper vers les toilettes.

Puis, elle revint et prit la main de sa cadette pour la serrer. Le geste parut trop appuyé pour n'être qu'une simple formalité, pour faire partie des tapotements dans le dos chaque fois qu'une mission prenait fin.

« On dirait des adieux, suspecta Kristen. Est-ce que Bea prend sa retraite ? Depuis le temps qu'elle en parle… Et avec tous ces cours de préretraite offerts par la fonction publique… »

Kristen commençait sa carrière et ne pouvait pas imaginer atteindre la cinquantaine un jour, encore moins prendre sa retraite. D'autres débutantes comme elle suivaient ces cours. Il n'était jamais trop tôt pour apprendre à économiser pour ses vieux jours.

– Foutez-moi la paix avec ça ! protestait-elle, mi-amusée, mi-insultée, quand on l'exhortait à assister à la présentation d'une comptable des services financiers.

Elle venait de s'acheter un bungalow pas trop cher du côté québécois, dans le secteur d'Aylmer, à l'extrême ouest de Gatineau. Les économies, ça viendrait après les versements pour rembourser l'hypothèque.

– … *For he's a jolly good fellow…*

Beatrice prit une grosse gorgée de café. Kristen entendit l'œsophage de sa collègue claquer comme un clapet.

Kristen était fatiguée. Son détour par l'Hôpital pour enfants de l'est de l'Ontario avait été exténuant. Les images de là-bas ne l'avaient pas quittée.

La chambre était bien éclairée, ce qui était rassurant. Des animaux en peluche jonchaient le fauteuil et la table roulante. Ils atténuaient l'effet inquiétant des tubes et des machines entourant l'enfant. Pour détendre l'atmosphère, des moniteurs télé avaient été installés loin du lit, heureusement, et une caméra de surveillance était dissimulée dans un plafonnier.

– Mon chéri d'amour, avait dit Kristen devant le petit malade dont le visage violacé et tuméfié émergeait d'un casque de football qu'il portait au lit. On y va, c'est promis.

On aurait dit la victime d'une grave agression. Un petit boxeur de sept ans, vaincu.

– J'ai hâte, avait soufflé l'enfant, les paupières alourdies par l'excès de sang sous sa peau.

– Tu es certain que tu ne veux pas aller à Disney World ?

– Non, j'en suis sûr, Krissie.

Dans un coin, un couple de personnes âgées avait échangé des haussements d'épaules avec Kristen. La femme aux cheveux blancs et au regard vif malgré son chagrin avait dit :

– On n'est pas riches, mais on peut vraiment se permettre l'avion vers le Sud.

– Je sais, je sais, maman, avait acquiescé Kristen. Mais lui veut voir des animaux au zoo, alors il…

À croire que l'enfant voulait montrer qu'il était grand et raisonnable. Qu'il ménageait sa famille.

– Il paraît qu'il y a des bisons au parc de Montebello, l'avait coupé l'enfant.

Grady était un phénomène. Il n'agissait jamais comme les autres. Elle avait remarqué bien des choses encore plus curieuses chez lui.

– On y va quand tu voudras.

– *Cool.*

– *Hooo, for he's a jolly good feeeeellooooooooooow, that nobody can deny…*

– Tu pourras jouer avec ta Xbox, avait dit Kristen en l'embrassant, avant de se lever pour aller au bureau. Grand-papa et grand-maman ont apporté plein de jeux électroniques. Il y a un nouveau jeu de hockey de la Ligue nationale offert par mon patron. Il paraît que les personnages ont vraiment l'air des joueurs des Sénateurs.

– Je veux une épée, avait répondu Grady sans la moindre marque d'impatience, en ouvrant ses grands yeux bleus.

Grady, son neveu de sept ans, était le seul enfant de sa connaissance qui était attiré non pas par les écrans de toutes sortes, mais par les épées du temps des croisades. Jusque-là, il avait découpé les lames de ses jouets dans des boîtes de carton qu'il se procurait dans les supermarchés. Il devait tenir un peu de sa tante : elle-même détestait saisir ses rapports sur le Dell du bureau.

Des rapports comme celui d'hier soir, sur Suther.

– Je veux la super épée d'Aragorn.

Grady était encore trop jeune pour voir la trilogie *Le seigneur des anneaux*. Mais sa tante lui avait acheté un tee-shirt sur lequel on voyait Aragorn brandissant son épée.

– À ce soir, ma terreur. Je t'apporte du Burger King, avait-elle dit en lui faisant la bise sur son front trop chaud.

C'était le seul enfant qu'elle connaissait qui préférait le Whopper au Big Mac.

– *Hooo, for she's a jolly good fellow...*

Kristen avait passé le pas de la porte du bureau de Willis, bien plus préoccupée, à ce moment-là, par Grady que par Suther.

Suther ne tuerait pas, et ce, un peu grâce à elle. Mais une menace de mort planait au-dessus de la tête de boxeur de Grady. Elle se rongeait d'impatience de ne pas pouvoir agir.

Elle était entrée dans les services secrets canadiens pour que les enfants comme Grady ne risquent pas de recevoir des éclats de bombe ou de respirer des nuages d'anthrax.

– *Shhheeee's a jolly good...*

— Viens chanter ! lui cria un collègue en la voyant figée, les yeux vides. Toi et Preston, vous avez encore réussi une mission !

— Ouais, beugla un autre, éméché au scotch plutôt qu'à la crème de coco dans son café. Heureusement que vous avez suspecté Suther avant d'avoir la confirmation qu'il se procurait de l'anthrax.

Preston tira Kristen à part. En désignant les collègues qui hurlaient leur chanson, il fit tourner son index sur sa tempe.

Preston Willis n'était pas d'un tempérament démonstratif. Mais son flegme coutumier ne l'empêcha pas de sourire.

— Ils sont cinglés, mais vous méritez les honneurs qu'ils vous rendent, agente Vale.

— Travail d'équipe.

— Oui, mais quand même… Vous étiez sur place et avez empêché le déclenchement d'une épidémie d'anthrax.

— J'ai appris au sujet des résultats du labo de Winnipeg, dit Vale en changeant de sujet. Vous avez des détails sur l'anthrax ?

— Comment va Grady ? demanda-t-il pour toute réponse, sachant que Vale était inquiète.

Le sourire du patron s'était effacé aussitôt qu'il était apparu.

— Je suis désolé que vous ayez dû rédiger votre rapport hier soir, agente Vale. Le ministre voulait l'avoir la semaine dernière, si vous voyez ce que je veux dire. C'est toujours pareil avec les politiciens. Comment va Grady ? répéta-t-il.

— Il est en forme dans sa tête. C'est un petit batailleur.

— Comme sa tante. Bien, bien.

— Il joue avec votre jeu vidéo de la Ligue nationale. Il l'adore, mentit l'agente à son supérieur.

— Bien, bien.

— Savez-vous ce qu'il craint le plus ? Non pas la maladie, ni la mort, mais d'être un *geek*. Voici ce qu'il m'a donné quand il m'a demandé s'il était un *geek*.

Dans la main de la jeune femme, Willis aperçut une pièce de métal trouée de couleur verte.

– *Damn the fucking meccano*! s'exclama-t-il.

– Oui, c'est une pièce de meccano, dont Grady raffole. Un jeu de construction qui est passé de génération en génération chez les Vale.

– Meccano versus Nintendo, je suppose. Votre neveu n'est pas un *geek*, c'est un génie.

Kristen s'attendait à entendre le rire de son patron devant cette absurdité d'enfant. Au contraire, Willis se fit pensif, comme s'il se remémorait sa propre enfance, passée en solitaire sur les quais de Manchester. N'avait-il pas embrassé la carrière d'espion en dehors du pays afin de pouvoir rester seul ?

– « Nous sommes tous des *geeks* », a dit le romancier américain Neal Stephenson. En tout cas, ce type-là est un *supergeek*, si je puis me permettre.

Kristen Vale s'attendait aussi à ce que le sujet soit clos par une de ces citations dont raffolait Willis. Mais ce dernier poursuivit.

– Un *geek* ? Grady a peur d'être différent des autres, je suppose. Car pour ce qui est d'être un *geek*, je pense comme Stephenson : nous le sommes tous. Vous et moi sommes obsédés par les signes de terrorisme dans les communications. Nous capotons devant un petit mot dans un courriel échangé entre Moscou et Islamabad, comme un archéologue travaille des semaines pour épousseter un petit os de poulet trouvé dans un ancien dépotoir. Et vous me disiez qu'il n'aime pas les ordis ? C'est donc impossible qu'il soit un *geek*, non ?

D'abord pensif, Willis devint grave au moment de donner les nouvelles du jour.

– Le Laboratoire national de microbiologie niveau 4 de Winnipeg a confirmé la présence d'anthrax dans la salade de couscous et dans la cartouche de *toner* du photocopieur.

– Heureusement que Suther n'en a pas saupoudré sur toutes les salades. Seulement deux clients des repas rapides ont été incommodés. Ils ont été traités à temps. Cela inclut la jeune femme en fauteuil roulant que j'ai poursuivie.

– Elle vous doit la vie, agente Vale.

– Il n'était pas question qu'elle m'échappe.

– Heureusement que Suther n'a pas non plus utilisé tout le stock d'anthrax. Dans son casier au sous-sol de la place du Centre, on a découvert environ trois mille LD-50s.

– Une dose pour éléphant, à ce qu'il paraît.

– En effet : une seule LD-50s est létale. Toute la place du Centre aurait pu y passer.

– Il faut avouer que l'idée du photocopieur était astucieuse…

– Personne n'aurait jamais été voir là avant qu'il ne soit trop tard. Le *toner* est aspiré à l'extérieur de la cartouche par électromagnétisme. À chaque copie faite par un fonctionnaire, les spores que Suther y avait mélangées auraient suivi le *toner* pour se répandre dans l'air. Mais ce n'est pas le plus génial…

– Le génie du diable ?

– Oui. C'est que les spores sont inoffensives sans humidité. Comme les lampes font fondre le *toner* pour qu'il adhère à la feuille de papier, il se produit une certaine condensation. Les spores seraient redevenues bacilles et auraient été mortelles avant même d'atteindre le nez ou la langue des fonctionnaires.

Le visage de Willis redevint grave.

– Avec les armes biologiques, Ottawa pourrait devenir un cimetière à ciel ouvert avant qu'on sache ce qui nous a frappés.

– Il suffit d'un buffet à salades, compléta Vale. Combien y en a-t-il en ville ?

– Beaucoup trop.

– Vous vouliez me voir pour autre chose, Preston ?

– Oui.

Willis entraîna sa collaboratrice à l'extérieur de son bureau, ce qui donna le signal aux autres fêtards de se remettre au travail. Le couple traversa l'édifice du sud au nord et s'arrêta devant une série d'écrans correspondant à autant de caméras de surveillance. Vale reconnut les principaux édifices de la rue Wellington filmés individuellement, des Archives nationales au Centre de la Confédération sur le canal Rideau.

Kristen se demanda ce que son patron avait derrière la tête. Pour un ancien diplomate expérimenté ayant servi en URSS en tant qu'officier de liaison des renseignements, il était plutôt direct. Elle savait qu'il avait aussi le talent de la mise en scène. La jeune femme comprit que quelque chose d'extraordinaire se préparait alors que Willis continuait à tourner autour du pot.

– Vous êtes de niveau de sécurité « secret », agente Vale ?

– Le SCRS a mené l'enquête sur mes antécédents avant qu'on me délivre une carte de haut niveau. On a même interrogé mes instructeurs à la Division Dépôt de Regina sur de possibles dépendances cachées. Vous ne me l'avez jamais dit, mais ils ont sans doute aussi voulu savoir quelle était mon orientation sexuelle ?

– Hum ! Que penseriez-vous d'un niveau de sécurité supérieur, disons à « très secret » ? contre-attaqua Willis en taisant les questions indiscrètes de l'enquête.

– Si c'est pour travailler sur le terrain, je suis pour, évidemment.

– Voyez sur ces écrans, Vale. C'est le terrain qui vous attend si vous acceptez.

Willis désigna un édifice qui venait d'apparaître sur l'écran d'une caméra pivotante. C'était une construction monumentale de grès olive. Les gros cubes Second Empire semblaient déplacés au centre-ville, ce style architectural ayant été peu populaire ici, et même ailleurs.

Kristen Vale connaissait cependant l'importance des activités se déroulant derrière les fenêtres cintrées de l'immeuble.

– C'est l'édifice Langevin, le cabinet du premier ministre, souffla-t-elle, à la fois surprise et sceptique.

Elle savait que si Preston Willis était direct, il était aussi blagueur et pouvait lui jouer un tour, juste pour rigoler.

À son air chagriné, elle sut qu'il ne badinait pas quand il déclara, à la façon d'un patron offrant un dîner d'adieu à un bon employé :

– Quand je te perds, commença à la tutoyer Willis, c'est le premier ministre qui en profite. *Damn !* J'ai peut-être le contrôle sur tout Ottawa, sur tout *O-Town*, mais lui en a encore plus. Il voulait Kristen Vale, il a insisté pour t'avoir, et ses désirs sont des ordres.

– Mais pourquoi moi ?

– Qui sait ? Dans la ville de Wilfrid Laurier, « Washington-on-Rideau », il y a autant d'intrigues que de goélands sur l'Outaouais derrière le parlement. Remarque que tu es brillante, que tu parles les deux langues officielles sans accent, que tu as l'énergie des sous-ministres qui travaillent seize heures par jour. Une directrice du SCRS en devenir, quoi.

« Eh ! Tu beurres épais, Pressing ! » pensa Kristen.

– C'est la vérité. En fait, le cabinet du premier ministre doit vouloir renforcer la sécurité depuis qu'un psychopathe appréhendé a avoué vouloir couper le cou du premier ministre. Tu passes donc au Bureau du Conseil privé, ma grande, qui veille sur le grand patron.

Kristen savait que la marche était haute. De plus, elle passerait devant d'autres candidats issus de la Section de protection des personnalités de la GRC, ceux-là mêmes qui accompagnent le cortège du premier ministre tous les jours.

Sa grimace aurait pu passer pour de l'ingratitude si Willis n'avait pas su qu'elle pensait à Grady dans sa chambre d'hôpital.

«Il ne va pas mourir, il ne va pas mourir, se répétait la jeune femme.»

Chapitre 2

Collège privé Lord-Elgin, Kingston (Ontario, Canada)

1er juin de l'année courante, 8 h, première attaque de mise en garde

Cinq jours et demi avant l'attaque finale

Chuck McCorkingdale épiait sa prochaine victime. L'arme du fils de treize ans d'un médecin de l'hôpital de Kingston était tout ce qu'il y avait d'inoffensif : une bombe aérosol de plastique. Il croyait innocemment qu'il allait projeter sur son copain un filet de cordelettes multicolores, comme on pouvait le lire sur le contenant. L'autre aurait la tête empêtrée dans une sorte de toile d'araignée. Il ignorait cependant qu'il allait en jaillir une mort affreuse.

Il était posté derrière une des trois portes françaises du hall principal du collège. Il vit ce trou du cul de Richards ranger sa bicyclette au stationnement, comme tous les matins depuis la fonte des neiges, tout en défripant son pantalon et son veston frappé aux armes de Lord Elgin.

« Si tu changeais tes habitudes de temps en temps, Richards, tu ne serais pas une proie aussi facile. »

Ignorant sa mort prochaine, Richards noua sa cravate à rayures bleues qu'il avait tirée de son sac à dos. Assez grand pour contenir son ordinateur, le sac semblait démesuré sur la frêle charpente du rat de bibliothèque.

Dès que Richards mit un pied à l'intérieur du collège, McCorkingdale, le harceleur de service, lui bloqua le chemin et pressa le bouton de sa bombe aérosol.

– Je t'ai eu, Richards, je t'ai eu ! cria-t-il dans un rire de cordes vocales en mutation, à mi-chemin entre les grelots et la lime à bois.

Le triomphe fut de courte durée. Les ficelles multicolores que McCorkingdale s'attendait à voir gicler du vaporisateur-jouet et à couvrir son souffre-douleur furent remplacées par un vif jet d'air sous pression.

– Franchement, McCorkingdale, dit Richards, qui n'était jamais à court de réparties rapides (son seul moyen de défense), tu aurais pu trouver mieux que de me lancer du fixatif dans les yeux. Et il a une odeur de chiottes, en plus…

– Mais c'est écrit sur la bonbonne que des ficelles devaient être projetées pour aller s'enchevêtrer sur ta grosse tête d'orang-outang *bolé*… Un jouet amusant…

– Faut bien être fils de neurologue pour être aussi supertaré…

Sur ce, la victime courut à sa classe à l'étage, plus fière de son matin que son agresseur.

– En plus, j'ai un début d'allergie, chien sale de McCorkingdale ! Tes blagues, tu peux te les mettre où je pense !

Le cours de biologie traitait du système immunitaire et de la résistance aux maladies infectieuses. Il avait débuté depuis à peine quinze minutes quand le prof Galt tonna, à l'adresse d'un élève assis à l'arrière de la classe :

– Monsieur Richards, vous avez étudié en prévision d'un concours toute la nuit ou quoi ? Cessez de dormir sur votre pupitre !

Pas de réponse. La crinière rousse et bouclée de Richards ne bougea pas.

« Qu'est-ce qu'il a à paresser sans même tenir compte de ce que je dis ? » songea le professeur.

McCorkingdale crut bon intervenir pour disculper son ami et souffre-douleur préféré.

– Il a dit qu'il avait des allergies, m'sieur. Les pilules contre le rhume des foins, ça endort, qu'ils disent. On peut pas conduire une auto ou travailler avec une machine.

– Ça va, ça va, monsieur McCorkingdale. On a compris.

– J'ai mal à la tête, furent les seuls mots que baragouina Richards en ouvrant à peine la bouche.

McCorkingdale secoua son voisin pour la forme. Richards réussit à se soulever pour le fixer de ses yeux globuleux.

– Arrête, McCorkingdale, ou je te vomis dessus.

Rires gras aux quatre coins de la classe. Certain d'avoir été piégé, McCorkingdale se laissa retomber sur sa chaise. En retour, il essaya de vexer son voisin endormi en riant de sa faible constitution.

– Tu voulais me faire chier, hein, Richards ? Regarde-toi, pauvre cloche, t'es malade à longueur d'année ! C'est dans un sanatorium que tu devrais passer tes journées, pas dans une école de l'Ivy League !

– Ouais ! Dis-lui, Chuck ! renchérit un autre élève.

– D'abord, comment ton père, qui tient un dépanneur, a-t-il pu te payer des études avec nous ? Il a vendu votre cabane familiale ? Il aurait dû investir l'argent dans des médicaments pour te soigner le cerveau…

Avec son répertoire de sarcasmes, McCorkingdale savait trouver la faille dans la cuirasse de Richards. Une forte toux de Richards salua son tourmenteur, qui reçut un crachat teinté de sang sur la joue.

– Ouache, Richards ! râla McCorkingdale en passant la manche de sa veste sur son visage. T'es vraiment écœurant quand tu veux !

Il allait pousser Richards au bas de sa chaise quand le prof Galt s'approcha, sûr d'avoir affaire à une mise en scène des deux clowns de sa classe de bio.

– Imiter des malades des poumons dans un cours sur les maladies contagieuses, hein ? C'est bien pensé, vous deux, lança-t-il. Mais vous n'en faites pas un peu trop, Richards ?

Le spectacle qui suivit fit passer Galt de l'indignation amusée à l'horreur pure. Il vit Richards frissonner et claquer des dents. Sa peau devint blême, puis des filets rouges apparurent à la commissure de ses lèvres.

Richards toussait sans arrêt maintenant, une toux profonde à s'arracher les entrailles. Puis ce fut au tour du prof Galt et d'un autre enfant de sentir leurs poumons brûler comme du feu.

McCorkingdale crut un moment que tous s'étaient donné le mot pour lui faire peur. Si c'était le cas, ça marchait, car il se leva et recula vers la porte en grimaçant.

Il n'eut pas le temps de l'atteindre. D'abord ses jambes se dérobèrent sous lui, puis il tomba et s'ouvrit le front sur le bord d'un pupitre.

– J'étouffe, dit-il en sanglotant. Mon chien sale de Richards, si tu m'as lancé du poivre de Cayenne dans la face, t'es mort, à la récréation…

Il ne voyait plus rien. L'espace entre ses côtes semblait s'être rempli de l'acide chlorhydrique qu'il manipulait au labo de chimie.

À ce moment, la panique s'empara de la classe. Les élèves se ruèrent à l'extérieur et tombèrent sur la directrice qui passait justement dans le corridor.

Indignée, madame Cargill jeta un œil dans la pièce, incapable de comprendre le charabia des enfants qui criaient et pleurnichaient tous ensemble. Elle allait demander des comptes à Francis Galt quand elle aperçut les trois corps sur le sol.

Quelques minutes après que la directrice eut composé le 911, une équipe de techniciens affublés de combinaisons HAZMAT débarqua d'un fourgon banalisé dépêché depuis la base locale de l'armée canadienne.

— Ramassez le sang pour les hémocultures, jappa le superviseur des HAZMAT. Et empêchez tout le monde de sortir de cet immeuble. Il y a un potentiel de quarantaine.

À l'hôpital, les résultats semèrent la consternation.

— Vous avez vu ça ? Taux de globules blancs à vingt-cinq mille au millimètre cube, prédominance de polynucléaires neutrophiles. Expectorations genre « sirop de framboise » dans la bouche. Il y a déjà des taches sur les poumons, et la circulation sanguine est complètement bloquée. Mesdames, messieurs, c'est une affaire sérieuse.

Le médecin-chef savait que, dans la nature, la peste se transmet généralement par des puces entrées en contact avec des rats porteurs. Mais il ne remarqua ni morsures sur la peau, ni signes d'enflure, ni rougeurs.

— D'où sort cette saloperie ?

Il reprit, à l'adresse des urgentologues, en abandonnant sa prudence habituelle :

– Correction, tout le monde : ce n'est pas simplement une affaire sérieuse. C'est un véritable ouragan.

Chapitre 3

Circuit 1 du transport urbain d'OC Transpo, Basse-Ville d'Ottawa (Ontario)

4 juin, 8 h, deuxième attaque de mise en garde, 36 heures avant l'attaque finale

— Je suis le fléau de Dieu ! Je suis l'Antéchrist qui annonce la fin du monde !

Une sourde impression de triomphe fit frissonner Simu Zeklos. Décharné, l'homme se fondait dans la mer de fonctionnaires déferlant sur le centre-ville d'Ottawa, à l'heure de pointe matinale. Habillé comme un simple touriste dans un centre commercial (polo et pantalon de lin brun fauve pour ne pas attirer l'attention), il monta dans l'autobus de la ligne 1 d'OC Transpo après avoir accroché aux flancs du véhicule un vieux vélo à dix vitesses datant de bien avant les vélos hybrides.

Il avait emprunté le circuit 1 plusieurs fois auparavant, pour prendre ses repères et surtout pour vérifier la régularité de la routine de sa prochaine victime, qu'il appelait son « Ange de la mort ». « Fléau, fin du monde, Ange de la mort ».

— Tue-les, tue-les tous, se chuchota-t-il à lui-même en s'amusant à masquer, en appuyant son pouce sur la vitre, la tête des piétons que le bus croisait.

Ce jeu occupa Simu Zeklos jusqu'à ce qu'il arrive en vue des maisons cossues de New Edinburgh. Mais l'Académie LaSalle, au retour du bus sur la rue St. Patrick en direction du terminus Greenboro au sud, attira son attention. Bien que le terrain de soccer fût désert, les élèves s'agglutinaient sur les zones asphaltées autour de l'édifice.

— J'aurais pu choisir de les éradiquer, eux, murmura-t-il en faisant disparaître l'école de sa vue avec ses deux mains plaquées sur la vitre. Mais ici, on donne un programme d'art comme j'en ai suivi un à Budapest. De plus, l'autre école reçoit l'élite. C'est elle que je veux éliminer. L'élite dont fait partie le gouvernement russe.

Zeklos consulta la Rolex qui l'avait attendu dans un casier de l'aéroport international Pierre-Elliott-Trudeau durant quelques jours, en compagnie d'une liasse de billets de banque de vingt dollars. Ces billets ne seraient pas remarqués, contrairement aux coupures de cinquante et de cent dollars qui donnaient lieu à des vérifications de la part des commerçants pour repérer les contrefaçons. L'attendaient aussi une série de billets de bus aller-retour de la société de transport interurbain Voyageur, délivrés pour des dates différentes, de même que des plans de Kingston et d'Ottawa – dans ce dernier cas, plusieurs cercles concentriques tracés en rouge entouraient le Musée des beaux-arts du Canada sur la promenade Sussex.

— Arrivée au Centre Rideau dans dix-huit minutes à peu près, se dit le faux fonctionnaire. Mon petit ami va alors sortir.

Sur ce, il lança un coup d'œil furtif par-dessus ses doubles foyers à l'adolescent assis à ses côtés sur la dernière banquette au fond. Ce dernier portait une cravate bleue sous un veston rouge aux armes de la Ridgefield Academy of Ottawa.

— 8 h 05. J'ai encore du temps.

Aussi se plongea-t-il dans une dizaine de journaux extraits de sa serviette de cuir écornée, seul indice qu'il était un fonctionnaire hors du commun.

« Rien dans *Le Soleil* ni dans le *Whig-Standard*. Pourtant, ce sont les journaux locaux des villes où c'est arrivé. Ils devraient en parler. »

Sa déception fut de courte durée. Il se rappela une discussion qu'il avait eue avant de quitter la Russie orientale.

– Sachez que les autorités canadiennes ont établi des protocoles de gestion des catastrophes, lui avait dit un de ses patrons russes. Il est peu probable que les premiers cas à Kingston soient divulgués.

– On peut arranger une fuite dans les médias, avait-il rétorqué.

– Inutile, Simu, ou quelque soit votre vrai nom. Pas besoin de panique. Ce qui compte, c'est que les dirigeants, eux, aient la peur de leur vie. Histoire de les rendre coopératifs.

– De toute façon, avait ajouté un autre supérieur, nos agents dormants à Ottawa connaissent le chemin des salles de nouvelles, s'il le faut.

Le passager du long autobus articulé sourit à la vue d'un entrefilet dans un quotidien de Toronto.

« Ah ! Tout de même ! »

Épidémie de grippe dans un collège de Kingston
L'école privée Lord-Elgin ferme ses portes en raison de plusieurs cas d'influenza…

« Influenza, mon œil ! »
Il sauta quelques lignes pour reprendre sa lecture plus loin.

Fait étrange, les premières victimes se dénombrent toutes dans une seule classe, celle du professeur de biologie Francis Galt, qui a par ailleurs été incommodé lui aussi. Les autorités ont refusé l'accès des médias aux enfants et à leur famille, mais nous savons, grâce à des témoins oculaires, qu'ils présentaient tous de curieuses éruptions cutanées. Cela est d'autant plus surprenant qu'on est en période d'indice grippal zéro.

Zeklos inséra dans le journal la note d'un motel situé à la sortie sud-ouest de Kingston, où il avait séjourné sous un nom d'emprunt. Puis, il parcourut un tabloïd du Québec qu'il lut facilement: sa connaissance du français lui venait de son père roumain et de son obsession à en apprendre le plus possible sur tout ce qu'il touchait. En raison de cette manie, des amis l'avaient appelé «professeur Jeopardy», en référence à un célèbre jeu-questionnaire de la télé américaine. Aucun doute: la culture populaire s'exportait aux quatre vents, jusqu'aux confins du Kazakhstan et de l'Ouzbékistan dans ce cas-ci!

Le ministre Mercier n'a pas été vu à l'Assemblée nationale depuis la semaine dernière. Pourtant, il parraine un important projet de loi sur la conservation du patrimoine dont le gouvernement du Québec aurait aimé débattre avant la fin de la session parlementaire. On sait qu'il faisait partie des dignitaires invités au 24 Sussex, la résidence du premier ministre canadien à Ottawa, lors d'un gala donné en l'honneur du président russe Gregor Raspoutine. Une rumeur non confirmée voudrait qu'il ait été admis à un hôpital d'Ottawa à la suite d'un malaise dont on ignore la gravité, bien qu'on croie qu'il s'agit d'une mauvaise grippe, pourtant rare à cette période de l'année.

Que ce soit à son bureau de l'enceinte parlementaire, à celui de sa circonscription de Nicolet ou à sa résidence familiale de Sainte-Foy, personne n'a répondu aux appels de nos reporters.

« Voilà, on m'avait prévenu : on va chercher à étouffer l'affaire. Si les gens savaient ce que cache cette "mauvaise grippe"… En tout cas, le pire reste à venir. »

La coquetterie poussa Zeklos à glisser un dépliant touristique de l'Assemblée nationale entre les pages des nouvelles politiques. C'était devenu un rituel, un *modus operandi*. Tout comme ceux des tueurs en série, sauf qu'il était, lui, un tueur de masse. Il insistait sur la nuance.

– Pourquoi gardez-vous un souvenir de chacune de vos destinations ? lui avait demandé un de ses patrons.

– J'aime en apprendre le plus possible sur mes contrats, sur les cibles que je visite, sur ce que je trimballe comme colis dangereux, répondit-il avec ferveur, trop fier d'être le centre d'attention.

– Ce pourrait être dangereux de garder des souvenirs des lieux ayant été la cible d'attaques terroristes.

– C'est plus fort que moi. Tenez, par exemple, quand j'ai fait le mulet entre l'Amérique du Sud et la Floride, pour le cartel de Medellín, avec des sachets de drogue dans les intestins, je n'ai pas pu résister à l'envie d'étudier la liste des substances interdites à l'Annexe I de la Drug Enforcement Agency américaine – la DEA. Je pourrais vous les réciter par cœur, en ordre et en commençant par la fin ! J'ai même poussé le souci du détail à étudier la physiologie de mon système excréteur au cas où un de ces sachets crèverait. Vous savez que l'intestin grêle…

– Vos excentricités vous perdront, le coupa-t-on avec la gravité d'un prophète de la Bible.

« Je le souhaite, au fond, mes maîtres, se dit-il avec réalisme. Bah ! Du moment que je m'instruis ! »

Voilà pourquoi, avant d'être expédié en service commandé au Canada, plus précisément à Kingston et à Ottawa, il avait révisé la fiche Internet du pathogène qu'il livrerait dans ces deux villes, aux adresses indiquées par ses supérieurs.

DÉCLENCHEMENT
Infection directe par voie aérienne : gouttelettes de salive émises par la parole, par la toux ou par un éternuement.

PRONOSTIC
Mortelle dans 100 % des cas, car septicémie constante et plus intense que dans le cas de l'autre forme de la maladie.

Zeklos était assez sensible aux détails statistiques, un peu comme les enragés de baseball avec leurs moyennes au bâton compilées depuis les premiers circuits de Babe Ruth. S'il avait eu une bombe autour de la ceinture, il aurait comparé le nombre de victimes potentielles en fonction d'une explosion dans un cinéma ou dans un autocar. Dans le cas de l'arme qu'il transportait pour frapper Ottawa, il tentait d'estimer les taux de mortalité en se fiant à l'épidémie la plus récente : « Kurdistan, 1947-1952, cent quarante-trois cas mortels ».

« C'est ridiculement peu, songea-t-il. Sans doute parce que le foyer de la maladie s'est éteint de lui-même, interrompant le carnage. Mais si, comme je le prévois, le foyer reste sain, le rayonnement peut être exponentiel. »

Huit heures douze. Encore six minutes. Il évita de regarder de nouveau sa prochaine victime. Il la connaissait depuis son arrivée de Kingston. Sans doute le fils d'un haut fonctionnaire ou d'un politicien demeurant à New Edinburgh. Il descendait toujours à l'arrêt du pont Mackenzie-King, au sud du Centre Rideau, à 8 h 18. Le plus important, c'est que le jeune garçon de treize ans portait le veston d'une école privée.

Pendant qu'il l'épiait discrètement du coin de l'œil, des mots lui martelaient l'esprit comme chez tout obsédé : « le fléau de Dieu », « la pire des dix plaies d'Égypte », « la mort noire ». Ils venaient tous de son officier responsable en Russie.

« Tu es un cataclysme ambulant. »

Le fléau de Dieu.

« J'ai beau être blasé depuis que j'effectue ces contrats spéciaux, pensa Zeklos en plongeant les journaux dans sa serviette, je dois reconnaître que ce travail pourrait bien être le sommet de ma carrière. Et ma dernière mission... Il faut que ça compte ! »

Il avait étudié le circuit 1 sur Internet, comme il se doit. Il avait aussi appris un concept important : « Rack & Roll », le service de transport de bicyclettes sur les flancs de l'autocar.

Beechwood... Crichton... St. Patrick... puis Dalhousie, 8 h 17.

L'heure cruciale approchait.

« Un vaporisateur, récita-t-il comme une leçon apprise par cœur, un vaporisateur peut projeter des germes mortels aussi bien que la toux. Les scientifiques de l'île Vozrozhdeniye ont assurément fabriqué là un petit bijou de technologie. Malheureusement pour eux, ils n'ont pas pu en tirer profit. Moi, je vais en profiter tout de suite. *Show time !* »

Exactement 8 h 18. L'autobus était à l'heure à l'arrêt prévu.

Poussé par une énergie que Zeklos lui envia, l'enfant bondit du strapontin et débarqua par la sortie arrière. L'homme le vit détacher une bicyclette du support spécial de l'autobus.

« "Rack & Roll", "Rock & Roll"... On aime bien les jeux de mots en Occident. »

L'enfant s'affairait à son vélo. L'homme se leva à son tour et se lança à sa poursuite, mais avec une seconde de retard. La porte pliante se referma avant qu'il puisse mettre un pied sur la marche. Trop tard : le lourd véhicule démarra sur la voie réservée du pont Mackenzie-King, au-dessus du canal Rideau. « J'aurais pu tirer la sonnette et insister pour sortir, mais je risquais de me faire remarquer », songea-t-il.

Debout, il avait une bonne vue par la lunette arrière. Il se rendit compte que le garçon venait de découvrir la canette sous pression. Zeklos l'avait collée au tube horizontal du vélo de montagne de l'ado, en même temps qu'il accrochait sa propre bicyclette. Il esquissa un sourire de satisfaction quand sa victime empocha l'objet.

– Un aérosol avec une étiquette de jouet, un jouet qui propulse des filaments de toutes les couleurs, tout le monde connaît ça. Le petit ne va pas le jeter dans la première poubelle. Il va l'essayer et se contaminer lui-même. Mais espérons qu'il va se retenir jusqu'à son collège privé et l'essayer là-bas en contaminant des enfants de riches comme lui, fils d'ambassadeurs et de hauts fonctionnaires.

L'autobus franchit le canal où s'égayaient les premiers touristes de l'été, insouciants sur leur yacht, ignorant tout du sort terrible réservé à Ottawa.

« "Le fléau de Dieu" ! Pas mal comme titre, se dit-il avec un rictus. Mais comme je ne crois ni en Dieu ni au diable depuis le 26 avril 1986, à Tchernobyl, j'aime mieux me considérer comme le "FedEx de la mort". »

Il avait parcouru bien du chemin depuis cette date. Après la mort horrible de sa famille, épouse et filles rongées par les radiations, il n'avait eu qu'un but : faire payer les responsables du gouvernement.

Peu importait qu'il tue lui-même d'autres familles, du moment qu'il se vengeait.

Chapitre 4

Île Vozrozhdeniye, quatre mille kilomètres au sud-est de Moscou, mer d'Aral (Ouzbékistan)

Ancien centre d'essai d'armes biologiques du Laboratoire de recherches scientifiques appliquées du ministère de la Défense de l'ex-URSS

Un an avant l'attaque finale

Devant Simu Zeklos, deux cobras de deux mètres cinquante chacun bloquaient la seule sortie. Derrière lui se trouvait une charge de dynamite réglée à distance, prête à lui sauter dans le dos dans moins de trois minutes.

« Mon guide Kelisbai m'avait prévenu au sujet des vingt-cinq espèces de serpents venimeux infestant l'île. Ceux-là m'en veulent : ils sont dressés et leur capuchon est en pleine expansion. »

Zeklos se rappelait les yeux écarquillés de Kelisbai quand il lui avait expliqué ceci :

– Je ne voudrais pas tomber sur un cobra, patron. La morsure fait horriblement mal. Mais ce n'est pas le pire. En quelques secondes, ton sang coagule dans tes veines. Ton cœur, à force de pomper du sable rouge, finit par flancher et tu fais une syncope.

Zeklos avait ri quand le verdict de Kelisbai était tombé.

– Oui, patron, je ne te mens pas : en cinq minutes, tu es mort. Dans cette île maudite, tes microbes imaginaires ne représentent pas le plus grand danger. Ta peau peut devenir dure comme du marbre à cause du venin des serpents.

Zeklos s'esclaffa de nouveau à l'évocation des cobras, le rire grinçant de quelqu'un qui n'a plus toute sa raison. Quelqu'un qui n'a plus rien à perdre.

Le front en sueur, tant de peur qu'à cause de la chaleur nocturne, il jeta un regard consterné par-dessus son épaule.

« Quel imbécile je suis ! J'ai armé la bombe de l'extérieur et je n'ai pas apporté les commandes avec moi ! Pas moyen de l'arrêter. Je suis fait comme un rat. En fait, j'ai été stupide de revenir dans cette remise pour chercher ma chemise. »

Il avait une bonne raison de vouloir récupérer sa chemise.

Quelque temps auparavant, il l'avait retirée de la remise de tôle aussi torride qu'un four. Il avait alors attaché solidement le paquet d'explosifs à des armatures d'acier, qu'il voulait récupérer, afin de les déloger de leurs amarres en béton.

Il tâta la poche de sa chemise détrempée comme si elle sortait de la machine à laver. Il palpa avec satisfaction le rectangle de carton.

« Elle est bien là, la seule photo que j'ai gardée de ma famille. Pas question de la perdre dans l'explosion. J'ai déjà perdu ma famille : une fois, ça suffit. »

Sa femme et ses deux enfants faisaient partie des victimes de Tchernobyl. Cancer généralisé, leucémie, des saloperies. Dégoûté, il avait quitté l'enseignement. Incapable de se suicider lentement à la vodka, il avait décidé de se tuer rapidement en s'enrôlant dans la mafia de Perm, dans l'Oural.

Le parrain mafieux l'avait mis à l'épreuve en tant que chauffeur, courrier puis saboteur aux explosifs. Pour lui donner des vacances, il l'avait chargé du pillage de l'île, désertée depuis 1991 par les spécialistes en armements. Bon an, mal an, on en rapportait des tonnes de métaux destinés à la revente.

Mais Zeklos cherchait autre chose sur cette île damnée. Il espérait y trouver une arme aussi effroyable qu'un réacteur nucléaire en fusion pour se venger du gouvernement.

« Qu'est-ce que je dois faire ? » se demanda-t-il en reportant sur les cobras son regard effaré. Il devait constamment s'essuyer les yeux, car sa sueur l'irritait et l'aveuglait. Il supputa ses chances : nulles.

« Deux minutes avant le boum. Je pourrais foncer vers la sortie, mais ces serpents auraient le temps de me cracher leur venin au visage. »

Le hangar était nu après le passage des nombreux pillards venus de tous les coins de la Sibérie. Rien à lancer, aucune arme pour se frayer un chemin.

« Et cet innocent de Kelisbai qui est parti à l'autre extrémité du complexe ! »

En un éclair, il se rappela la gaieté de son guide kazakh lors de leur arrivée d'Aralsk.

– Hé, professeur ! avait hurlé Kelisbai. Où ils sont, tes microbes, hein, *akmak* [idiot] ? Je ne les vois pas !

À peine débarqué du quatre-quatre utilisé pour franchir les trente-cinq kilomètres de route sur la face nord de l'île, après une traversée de vingt kilomètres en bateau, Kelisbai s'était mis à danser dans les rues du centre de recherche abandonné. Le sable et la poussière avaient recouvert les lieux d'un linceul. On aurait pu se croire dans une ville fantôme du Far West ou du Yukon, n'eût été des véhicules militaires abandonnés, des vieilles éditions de Marx et de Lénine et des piles de revues médicales, par exemple le *British Medical Journal* et le *Journal of Infectious Diseases*.

– Et même s'il y en avait, de tes vilains microbes, professeur, la chaleur qu'il fait ici les aurait grillés depuis longtemps.

– Il fait près de quarante degrés, et ça risque de monter à soixante avant la fin de la journée, avait répondu celui qui se faisait appeler «professeur», un type dans la cinquantaine, maigre, à la force nerveuse et au crâne rectangulaire en forme de pain, complètement rasé sous son bonnet du Kazakhstan.

La chaleur, c'est justement à cause d'elle qu'on testait les armes biologiques dans le coin. Les Soviétiques comptaient sur le soleil pour faire frire les agents pathogènes et les empêcher de se répandre. Un dispositif de sécurité gratuit! En plus du reste…

Le reste, c'était l'isolement. Sise au milieu de la mer d'Aral, l'île était idéale pour la libération secrète de toxines dans l'air.

– Malheureusement, toi, tu t'en fous, Kelisbai, de même que les autres pilleurs à la petite semaine, mais la mer s'assèche. La mer d'Aral est une mer qui meurt.

– *Bok zheme!* [arrête de dire des bêtises]. Voyons, patron, comme si une mer pouvait s'assécher!

Habitué aux blasphèmes de son compagnon, Zeklos poursuivit sur sa lancée érudite.

– Une vraie catastrophe! Cette île, sur laquelle *men senin chechendi sikkim keledi* [je veux baiser ta mère], est passée de deux cents à deux mille kilomètres carrés en cinquante ans. Elle sera bientôt reliée au continent.

– *Senderdin sheshelerindi siktim* [moi, j'ai baisé toutes tes mères], balbutia Kelisbai.

– Les animaux vont fuir l'île et pourraient répandre des épidémies. Tu vois cette île fantôme? Eh bien, dans un avenir pas trop lointain, l'Ouzbékistan pourrait bien être une république fantôme! Mais certains ne le croient pas encore, comme ce type en camisole devant moi.

Kelisbai ne suivait pas tout ce qui sortait de la tête de ce véritable *National Geographic* ambulant.

— *Dolbaeb!* [tête de lard] Tiens, professeur, tu parles toujours d'épidémies, dit Kelisbai en prenant un air indigné. Il y a deux ans qu'on pille cette ancienne base pour ton parrain de Perm, patron, et on n'a rien trouvé de plus intéressant que des tuyaux rouillés et de l'équipement du temps de Brejnev.

Il cracha par terre le peu de salive qu'il lui restait et en rajouta :

— Remarque que ça nous rapporte le recyclage des tuyaux et des poutres de métal. On ne va pas se priver de cet argent parce qu'il y aurait de vilains microbes.

— Eh bien, moi, je te dis, Kelisbai, qu'on peut se faire beaucoup plus de kopecks si on déniche des armes biologiques! Beaucoup plus qu'en remorquant de vieux bouts de canalisations derrière ton bateau jusqu'à Aralsk.

L'argument financier devait servir à convaincre Kelisbai et son patron mafieux. Mais le dénommé « professeur », lui, ne s'intéressait pas à l'argent. Il avait un autre but.

— Tu arrives trop tard, professeur. Les Ouzbeks sont déjà venus avec les Américains, ils ont déterré les spores d'anthrax de l'URSS et ils les ont noyées dans d'autres produits chimiques.

— Ils ont procédé au grand nettoyage du printemps, le *mothball,* comme les Américains l'appellent, reconnut Zeklos tout en gardant un ton sceptique. C'est fait à l'aide d'hydro-chlorure de calcium, pour être plus précis. Ça remplace l'eau de Javel de ta grand-mère, Kelisbai.

Ils avaient vu la cuve de la bétonnière qui avait servi au malaxage des toxines et des décontaminants.

— C'est tout propre. Les gens ne pourront plus parler de « l'île d'anthrax », patron.

– On dira encore «l'île au Poison», tu peux parier tes deux couilles là-dessus, s'entêta le professeur. Parce qu'il doit y avoir des armes biologiques quelque part.

Les faits semblaient appuyer ce que disait le guide kazakh. Depuis trois jours, ils avaient inspecté labos et entrepôts, allant même jusqu'à l'ancienne ville de Kantubek, au nord. Rien ne portait le signe de *biohazard,* aussi effrayant qu'une tête de mort.

Revenant à la réalité, Simu Zeklos se demanda s'il préférait mourir déchiqueté par le plastic ou paralysé par le poison des cobras.

– Tu feras attention, Simu, lui avait-on dit en Russie avant son départ. Les serpents d'eau ont un venin plus puissant, mais le cobra t'en injecte davantage, il ne te lâche pas de ses crocs.

Plus qu'une minute avant l'explosion ; il hésitait encore. Il allait mourir. Il n'avait donc rien à perdre et se mit à parler aux serpents.

– Vous devez avoir votre nid par ici et vous le protégez, n'est-ce pas ? Vous ne voulez pas perdre votre famille comme moi, c'est ça ? Montrez-moi donc votre nid, ça va vous éloigner de la porte…

Il paraît que les serpents sont attirés par leur victime parce qu'ils sentent sa peur. Les cobras ne durent probablement plus la sentir chez Simu, car ils dégonflèrent leur capuchon et se couchèrent docilement pour ramper vers un coin de la petite construction, libérant le passage.

– Mais c'est qu'ils se foutent complètement de moi ! Ce n'est pourtant pas normal si j'ai envahi leur tanière, qui doit se trouver quelque part dans cet édifice.

Zeklos se surprit à les regarder s'éloigner sans chercher à sauver sa peau. Son instinct de conservation semblait s'être tu et il gardait les deux pieds immobiles, comme s'ils étaient figés dans le ciment.

Lentement mais sans hésitation, le couple de cobras croisa l'homme avant de se hisser sur une table faite de deux chevalets et d'une feuille de contreplaqué, placée dans un coin obscur.

Zeklos avait déjà remarqué cette table. Loin d'être un comptoir de travail pour scientifiques, elle était couverte de curieux objets. Des miches de pain rassis. Aux quatre coins de la table, des chandelles artisanales faites de suif animal, à moitié fondues.

« On dirait un autel avec des offrandes. D'autant plus qu'une croix de saint Antoine surplombe le tout. Mais qui viendrait célébrer des cérémonies religieuses dans ce trou à rats ? »

Les cobras louvoyèrent entre les restes d'un rituel secret. Puis, l'un deux fascina tellement Zeklos qu'il en oublia l'explosion imminente. En effet, le serpent entreprit l'ascension de la croix.

– Que va-t-il chercher sur cette croix ? On dirait vraiment qu'il est dompté pour prendre la place d'un crucifié.

Tout à ce spectacle étrange, Zeklos n'entendit rien lorsqu'une ombre se glissa derrière lui après être entrée par la porte abandonnée par les cobras. Une voix résonna dans le silence de mort propre à toute cette île.

– Des ophites, patron ! dit Kelisbai, qui avait vu la même chose que son patron et roulait des yeux effarés. Très mauvais, très mauvais. Partons d'ici, s'il te plaît !

– Des ophites, tu dis ?

Avant Tchernobyl, Zeklos avait été un érudit avide d'expliquer le monde. Il se souvint de l'histoire des religions avant et après la mort de Jésus-Christ.

– N'est-ce pas une de ces sectes qui adoraient les serpents ? Justement, ils tenaient leurs messes près des nids des reptiles pour qu'ils se joignent à leurs cérémonies religieuses après avoir été dressés.

– Regarde, patron. Ils ont disparu sous le plancher.

Simu Zeklos se prit à les suivre, insensible à l'explosion imminente.

« Qu'est-ce que je fais là ? se dit-il. Je pense encore à des cachettes d'armes biologiques alors que je vais mourir dans quelques secondes. Mon Dieu, je viens de m'en rendre compte : si je me suis arrangé pour être piégé, assis sur une bombe, c'est que je veux mourir ! J'ai sans cesse retourné cette idée dans ma tête depuis vingt ans, sans jamais avoir eu le courage de passer à l'acte… »

Il pensa que la mort le rapprocherait de sa femme et de ses deux filles. Elles n'avaient que douze et treize ans. Il pensa aussi qu'il devait mettre les armes à l'abri avant l'explosion.

– Tu es fou, patron, *dolbaeb* ! geignit Kelisbai en tirant Zeklos par la chemise. Moi, je sors d'ici !

Sans montrer le moindre intérêt pour sa vie ou pour celle de son guide, Simu Zeklos suivit l'itinéraire des cobras à leur descente de croix. Leur reptation les mena à une large fente dans le bois usé du plancher.

– Voilà le nid. Ce serait l'endroit rêvé pour cacher des armes. Personne n'oserait mettre le pied dans un nid de cobras.

Son cœur battait d'anticipation quand il aperçut quelque chose qui luisait doucement dans le clair-obscur. Il frappa du talon et l'ouverture s'agrandit au point où il put reconnaître les objets sous lui.

« On dirait… on dirait… »

Il cligna des yeux pour s'habituer à la pénombre.

« Il y a bien une douzaine de petits contenants pareils à des bombes aérosol. Il faut que je descende, mais il y a les cobras, et l'explosion qui va se produire dans… mon Dieu, dans à peine cinq secondes… Kelisbai avait raison : tu es fou, Simu Zeklos ! »

Quatre, trois, deux…

« Ah ! Revoir ma famille ! »

Le souffle de la déflagration arracha tout le parquet et Zeklos fut projeté dans la tranchée sous lui, puis se retrouva étendu, les bras en croix, sur l'étrange matériel caché là. À part une douleur au crâne, il était indemne. Une poutre d'acier l'avait raté de peu en s'affaissant et s'était plantée perpendiculairement dans le mur au-dessus de lui.

Il ne sut pas s'il devait s'en réjouir ou s'en attrister.

Avant de se remettre sur ses jambes, il releva la tête vers le fond de la cave. Du sable dans les yeux, il devina néanmoins une présence près de son visage. Ce n'était pas Kelisbai.

À mesure que les larmes lavaient ses globes oculaires, il identifia peu à peu cette présence.

« Un des cobras ! songea-t-il avec effroi. L'explosion m'a projeté en plein dans leur nid ! »

Il entendit alors la voix de Kelisbai. Elle venait des ruines du hangar au-dessus de lui.

– Patron ! Prof, où es-tu ?

« Tais-toi, pensa Zeklos, qui ne voulait pas proférer le moindre son, bouger le moindre muscle. Tu vas exciter cette bête qui tue. »

Craignant le crachat du reptile qui le rendrait aveugle et vulnérable, il ne put s'empêcher de le fixer, hypnotisé par le mouvement de balancier de la tête en forme de fer de lance. Les petits yeux froids le fixaient aussi.

« Tous mes muscles vont être paralysés par le venin neurotoxique, souffla Zeklos, dont le cerveau était excité par l'adrénaline. Après mes muscles, ce seront mes poumons. L'asphyxie devrait me tuer sans douleur. »

Il aurait dû être poussé par l'instinct de conservation et s'élancer hors du trou. Le cobra, lui, aurait dû être furieux après une telle décharge. Au contraire, ils étaient tous les deux très calmes, comme des compagnons dans la mort. La languette du serpent touchait presque la joue de l'homme. Le capuchon n'était pas gonflé pour l'attaque.

Ce qui se passa alors émerveilla Simu Zeklos. La gueule du serpent se rapprocha des lèvres de l'intrus et y déposa ce qui ne pouvait être qu'un baiser.

« Incroyable ! Le baiser du diable, le baiser de Judas ! » pensa le tâcheron de la mafia de Perm.

Il comprit autre chose : les serpents de cette ancienne fabrique de poison avaient été domptés à caresser les humains avec délicatesse. Des cobras respectueux, comme si ça se pouvait. « Les ophites dont parlait Kelisbai… Ils mêlent ces animaux à leur liturgie. En m'attirant au fond du hangar, ces bêtes ont dû me sauver la vie. Miracle par-dessus miracle : je tombe sur le trésor que je recherchais. »

Rassuré par ces cobras domptés aussi placides que des animaux de compagnie, il se laissa emporter par une frénésie soudaine. Il allongea le bras et saisit un des objets éparpillés par sa chute. Un vaporisateur. Il le fit rouler dans sa main. On pouvait y lire un seul mot en cyrillique, dessiné au pochoir : « Kirov ».

« Kirov, c'est une ville, non ? Il devait s'y trouver une autre fabrique d'armes. »

Pour répondre à cette question, il courut à la camionnette tout-terrain stationnée au sud d'un large entrepôt. La mécanique était à l'abri des vents dominants, charriant des tonnes de sable susceptible de s'infiltrer dans les parties les plus exposées.

« Voyons voir, où se trouve cette maudite liste ? »

Il tira de sous le siège du passager un rapport écorné qu'il avait découvert sous un exemplaire jauni de la revue *Sovietskaya Rossiya,* dans le bureau abandonné d'un scientifique.

« D'après ce que ça dit, Biopreparat, le programme soviétique d'armes biologiques, produisait de l'anthrax à Sverdlovsk. Sverdlovsk est devenu Iekaterinbourg… Ce n'est pas Kirov. »

Simu n'était plus instituteur, mais il avait gardé un goût marqué pour les connaissances générales, se documentant sur tout ce qu'il touchait au gré de ses contrats pour le grand patron. Ses collègues riaient de son souci maniaque des détails. Pour lui, scruter les détails infinis constituait son seul lien avec son passé et avec la vie, dans un constant duel avec ses pulsions de mort. Ils ne lui étaient pas inutiles.

« Voilà, j'ai bien sur la liste les noms des villes de Zagorsk et de Stepnogorsk, où l'on fabriquait des armes avec la tularémie, la brucellose, la variole, le botulisme, le typhus et l'encéphalite équine du Venezuela. Mais il me semble bien me souvenir d'une autre source de maladie empaquetée à Kirov et entreposée sur cette île où nous sommes. »

Pour se permettre de réfléchir, il retourna à la remise éventrée après avoir enfilé un respirateur déniché dans un labo. Attiré par le bruit, Kelisbai l'attendait avec une lueur de moquerie dans les yeux.

— Encore ton obsession des microbes, professeur ? lança-t-il en boutade tout en désignant à la fois les fioles éparses dans le cratère sous eux et le rapport de Biopreparat dans les mains de son compagnon.

— Tu ne devrais pas rester ici, Kelisbai. Ce sont des bombes aérosol en plastique contenant peut-être un produit mortel. L'explosion peut en avoir perforé quelques-unes.

— Pas de problème. Ton Kelisbai est solide comme un cheval.

– Justement, on tuait des chevaux, ici. Tu te souviens de cette grande bâtisse d'où émanait encore une odeur étrange d'éther ou de chlore ? C'est là qu'on observait et autopsiait les animaux exposés aux bacilles de recherche. Il y avait des chevaux parmi eux.

– Et des ânes, et des singes, et des rats, je sais. J'ai vu les cages encore empilées quelque part. Tu vas rire, « professeur Jeopardy », mais ça ne m'a pas foutu la trouille comme à toi.

– Je n'ai pas eu peur. Tu ne sais pas faire la différence entre la peur et la fascination ?

– Eh bien, moi, j'avoue que je l'ai eue, la trouille ! C'était dans le champ d'expérimentation à l'air libre, à quinze kilomètres au sud d'ici. Tu as entendu le silence qu'il y avait là ?

Simu hocha la tête pour montrer son accord.

– Un endroit maudit. Imagine, un désert avec des poteaux de téléphone portant des appareils de mesure et des piquets pour attacher les chevaux avant de leur faire respirer l'air contaminé de l'île.

Kelisbai se secoua pour revenir à son naturel insouciant.

– On part demain, professeur, et tes microbes ne nous auront pas bouffés.

Cependant, le lendemain matin, Kelisbai se sentit si mal qu'il ne put se lever après avoir dormi sur le sol de la tente. Il souffrait en permanence d'une toux sèche et déchirante. Simu nota avec horreur l'apparition d'un liquide rosâtre au coin des lèvres cuivrées de son guide. Lui qui dansait comme un diable il n'y a pas si longtemps était cloué à son grabat par des articulations douloureuses et par une fièvre de cheval.

Simu lui-même avait la nausée. Sa langue était épaisse comme une semelle de cuir.

Incapable de se mettre debout, il s'assoupit. Son sommeil fut agité. Il revit en rêve les masques rouges de carnaval qui avaient remplacé les visages radieux de sa femme et de ses filles.

Il fut certain qu'il allait les rejoindre bientôt. L'île au Poison allait faire deux autres victimes.

Quand les cauchemars le réveillèrent, il vit que Kelisbai avait cessé de respirer.

– Ça va être mon tour.

Du coup, Simu se rappela l'épidémie qui avait frappé les rives de la mer d'Aral en 1986, donc pas très loin de l'endroit où il se trouvait. Ce n'était ni l'anthrax ni la variole, mais un poison plus horrible. Presque aussi horrible que la lèpre radioactive des victimes de Tchernobyl.

« Pourtant, ç'aurait dû prendre plusieurs jours avant que Kelisbai présente ces symptômes. Les chercheurs soviétiques ont dû mettre au point une variété foudroyante ! »

D'une certaine façon, il envia la mort de son compagnon, la mort qu'il poursuivait plus ou moins consciemment sans que la dynamite et le venin des cobras lui rendent ce service. Mais il était loin d'envier la manière dont Kelisbai s'y était pris pour dire adieu à cette vie écœurante et absurde.

« Je sais maintenant quelle saloperie a été embouteillée dans les vaporisateurs que l'explosion a déterrés par hasard. Je sais quelle maladie on manipulait à Kirov. »

Il allait se rendormir et glisser peu à peu dans le coma. C'est alors que ses yeux mi-clos durent le trahir, car il crut voir bouger autour de lui. Il essaya de se soulever sur ses coudes, craignant avoir affaire aux cobras. Il retomba, exténué.

C'est alors qu'il sentit son torse relevé par des bras vigoureux.

« Qui est-ce ? pensa-t-il. Qui peut bien se trouver sur cette terre de désolation, à part d'autres fous comme moi et Kelisbai ? »

Il distinguait à peine les ombres se mouvant autour de lui comme des spectres. Il ne put dire si les paroles échangées par les nouveaux venus étaient en russe ou en un dialecte ouzbek. Il sentit le contact froid d'un objet sur son visage. L'amulette qu'il entrevit semblait représenter un serpent entortillé sur une croix.

Zeklos vit ensuite un gros bocal de verre rempli d'un liquide aux allures stagnantes et putrides. Quelqu'un dévissa le couvercle et lui en fit avaler quelques gorgées.

Zeklos remarqua à peine le goût amer. Avec ses dernières forces, il scruta le contenu du bocal. Il sursauta à la vue de cette fermentation gluante où se décomposaient peu à peu des cadavres de cobras et de scorpions.

Il put mettre un nom sur l'étrange breuvage. Même dans sa condition physique précaire, son esprit ne put résister à l'envie d'apprendre, d'analyser.

« On dirait bien que c'est du vin de serpents, tel qu'on l'appelle en Chine et en Asie du Sud-Est, se dit-il. Il est censé servir de remède, comme les hippocampes séchés, les amourettes d'ours et la poudre de corne de rhinocéros. Mais c'est de la foutaise. »

Sa tête retomba sur son sac de couchage. Même au seuil de la mort, son cerveau était encore obsédé par les détails.

« Si je me rappelle bien, le sang de serpent est dilué dans de l'alcool de riz. Le foie de la bête est particulièrement riche en fortifiants. Mais ce n'est pas un fortifiant qu'il me faudrait pour noyer ce maudit bacille que j'ai attrapé en même temps que ce pauvre Kelisbai. »

Par la suite, il entendit des chants. Sûr de rêver, il reconnut certains mots revenant en litanie : « serpent », « seigneur », « Judas » et « Caïn ».

« Les caïnites ophites dont Kelisbai avait si peur... Je suis tombé sur ces fichus adorateurs de serpents ! Ils ont dû m'empoisonner pour m'offrir en sacrifice à leurs dieux ! »

Zeklos se réveilla pourtant. Il n'était pas mort. Il gisait sur son lit de camp. Il faisait jour et, de nouveau, il crut avoir rêvé la mort de Kelisbai, les symptômes de la peste et la cérémonie des adorateurs du serpent.

Il fut pris d'un rire nerveux qui résonna dans le silence de l'île au Poison comme la crécelle annonçant l'arrivée des pestiférés au Moyen Âge.

« Un cauchemar, rien qu'un fichu cauchemar. Il faudra que je laisse tomber la vodka au coucher, sinon je vais vieillir avant le temps. »

Il se tourna vers la couchette de Kelisbai pour lui raconter son histoire. Mais son compagnon, lui, était bien mort. Du sang séché avait formé une croûte sur son visage, autour de sa bouche, et sur sa poitrine.

« La peste est bien passée par ici. Mais, moi ? »

Il comprit que les ophites l'avaient guéri avec leur potion.

« Je vous en dois une, les gars ! »

Il retourna dans la fosse aux cobras et remplit un sac de voyage d'une brassée de vaporisateurs fabriqués à Kirov.

Zeklos fit claquer sa langue en signe de satisfaction béate. Tout allait pour le mieux : pour ces vaporisateurs, il tirerait de son patron de Perm une rançon de roi n'ayant rien à voir avoir les maigres dollars récoltés à l'aide des habituels tuyaux oxydés ; de plus, il hériterait de la part de son guide Kelisbai qui s'était gentiment désisté après avoir testé le contenu létal des vaporisateurs et… il détournerait un ou deux desdits vaporisateurs pour son usage personnel. Sa vengeance serait terrible.

Chapitre 5

Colline du parlement, Ottawa (Ontario)

3 juin, 21 h 55, un peu plus de 60 heures avant l'attaque finale

— Voilà, il est près de 22 h. Je propose de lever la séance du comité, non sans avoir remercié les membres et les témoins pour leur excellent travail. Nous nous réunirons demain, à 17 h, dans la salle des Chemins de fer.

William Strickland, président du Comité mixte de la rénovation des édifices parlementaires, composé de députés et de sénateurs, venait de parler. Il glissa quelques mots rapides à la greffière du comité chargée de la logistique de la réunion. D'un signe de la tête, il salua de loin les interprètes pour leur travail rendu difficile par les orateurs au débit rapide et enflammé. Puis, il se dirigea avec une hâte non contenue vers la table des témoins, à l'autre extrémité de la salle, en face de lui.

Là l'attendait un homme à la peau du visage très pâle, presque transparente. Il avait dû être blond dans sa jeunesse. Maintenant, à soixante-dix ans passés, sa barbe d'aristocrate en collier et ses cheveux touffus, semés de mèches rebelles, étaient devenus blancs comme neige. Même légèrement voûté, il dépassait le sénateur Strickland.

– De nouveau, merci d'être venu, maître Plantagenêt! lança Strickland après s'être assuré qu'ils étaient seuls.

Il embrassa alors le visiteur sur la bouche. Une coutume millénaire.

– Merci à toi pour certaines pièces de collection que tu exhibes dans ton bureau, rétorqua le dénommé Plantagenêt d'une voix râpeuse. Je vais me servir de l'arbalète et du trépan lors de la foire médiévale d'Old Chelsea.

– Notre participation à la foire est pour bientôt, en effet. Les gens seront loin de se douter que nous sommes de vrais chevaliers d'un ordre ancien et non de simples nostalgiques d'une époque révolue.

Plantagenêt appuya son index dressé sur ses lèvres.

– Il faudra te taire, n'est-ce pas, frère William ? Depuis Philippe le Bel et l'assassinat collectif des Templiers, nous vivons dans la clandestinité.

– Je me demande pourquoi, seigneur. On ne tue plus les Templiers.

– Que le ciel t'entende ! laissa tomber le vieillard de façon dramatique.

Plantagenêt voulut détendre l'atmosphère qu'il avait contribué à rendre désagréable.

– Tu m'as convoqué pour assister à ton comité. Je n'avais pas le choix. Quand on est convoqué par le Parlement, il faut s'exécuter, sinon c'est un crime de haute trahison contre le pays.

Le choix des mots et le sourire étaient ironiques. Celui que Strickland avait appelé «maître» se savait au-dessus des conventions du monde.

Strickland ferma les yeux et pinça les lèvres pour montrer qu'il s'excusait ou qu'il dégustait l'importance de cette rencontre discrète.

– Je t'ai convoqué, maître, parce que j'ai peut-être découvert le plus grand secret qui soit depuis le début de l'humanité.

– Je vois.

– Tu vas m'aider à trouver la solution.

– Mais je ne suis pas certain qu'un ancien prof d'histoire comme moi puisse t'aider, ajouta-t-il, plus sérieusement.

– Merci à toi, maître, dit Strickland.

– Tu as bien fait de me prévenir et surtout, surtout, de n'avoir rien dit pendant la réunion.

– Jamais, tu n'y songes pas ! C'est trop grave. Ce pourrait bien être ce que nous avons cru perdu dans l'incendie du parlement, en 1916.

– Oui, oui, souffla Plantagenêt, les yeux tout à coup rêveurs. Nous l'avons cru perdu tant de fois. D'abord, lors du naufrage de l'*Empress of Ireland*. Il est reparu deux ans plus tard par je ne sais quel sortilège, puis l'ennemi a mis le feu au parlement dans le but exprès d'en priver le monde.

Les deux hommes récitèrent la suite comme une prière faite à voix haute.

– Ce que l'eau n'aurait pas réussi à faire en 1914 lors du naufrage…, commença Strickland.

– … le feu semblerait avoir eu le dernier mot en 1916 à Ottawa, poursuivit Plantagenêt. Le gouvernement a cru à tort qu'une cigarette jetée par mégarde dans une corbeille à papier de la salle de lecture avait provoqué l'incendie du parlement. Plusieurs personnes, dont un député, ont péri parce que la Chambre siégeait en soirée, à ce moment-là.

– Ce n'est rien comparativement aux neuf cents passagers de l'*Empress*. La vie humaine ne compte pas. Nous savons, nous, que les deux catastrophes étaient intentionnelles, provoquées par la secte maudite de nos ennemis.

À cette mention, Strickland grelotta jusque dans ses entrailles.

— Le passé se réveille. On croyait l'avoir enterré pour de bon.

— Néanmoins, reprit Plantagenêt, anxieux, tout indique qu'ils ne sont toujours pas parvenus à leurs fins, si ce que tu vas me montrer est bien ce que l'on pense.

— Aucun doute, trancha le sénateur. Le chef des travaux, Rusinski, m'a bien décrit sa découverte. Une croix présentait quatre pattes évasées de longueur égale. Il m'a parlé aussi de caractères burinés dans la pierre. On va aller lire cela.

— La croix des Templiers, le signe, en effet. Imagine, frère William, le trajet sacré qui a été suivi : après l'eau et le feu, quelqu'un aura finalement caché cette croix dans la pierre de l'édifice où nous nous trouvons, construit sur les cendres du premier, incendié en 1916.

— Jusqu'à ce que les travaux de réfection s'y butent par hasard il y a deux jours.

— Viens, seigneur ! dit Strickland en trépignant d'impatience.

— Oui, vite ! acquiesça Plantagenêt, qui parut fébrile à son tour.

Ils quittèrent l'aile réservée au Sénat, mais sans quitter l'édifice du Centre. Au lieu de cela, ils empruntèrent le corridor sud longeant la façade et menant à la Chambre des communes. Ils pouvaient entendre leurs pas répercutés en écho par les vieux murs. À part cela, le silence dans ces lieux désertés. La Chambre ne siégeait plus en soirée depuis des années. Les travaux étaient maintenant ajournés à 18 h 30.

— Où allons-nous ?

— La tour ! répondit simplement Strickland.

— Ce n'est pas la direction de la tour, protesta Plantagenêt en serrant instinctivement les armes anciennes qu'il transportait dans son sac.

La méfiance habitait les gènes de ses frères et sœurs depuis des siècles.

— Avant d'aller en haut de la tour où un miracle s'est produit, maître, je vais vous montrer ce qui a porté Rusinski à entreprendre la recherche du trésor sous le couvert de la restauration des édifices du parlement. Des indices dans l'architecture…

Le sénateur désigna un des murs.

— Vous savez ce que c'est ?

— Oui, évidemment. Le mur est revêtu de calcaire fossilisé provenant de Tyndall, au Manitoba. Rien de nouveau là-dedans.

— D'accord, mais pourquoi avoir choisi justement ce matériau lors de la reconstruction, après l'incendie de 1916 ?

— Si je me rappelle bien, un des architectes, John A. Pearson, croyait que le léger crépi de la pierre à chaux allait rendre moins austère le style gothique de l'édifice.

— Si tel avait été le cas, si le souci était de donner de la vie au gothique, Pearson aurait conservé la pierre rouge de Postdam autour des fenêtres du nouvel édifice, comme dans l'ancien. Mais elle a disparu. Seuls les édifices ouest et est l'ont conservée.

— Alors, pourquoi a-t-on utilisé le calcaire de Tyndall ?

— Pour les motifs incrustés par la nature.

Quelque peu impatienté par ce détour, Plantagenêt se pencha tout de même pour examiner les taches sur le calcaire.

— Tu me montres un fossile dessiné là, frère ?

— Pas n'importe quel fossile, seigneur. La coquille d'un nautile datant de l'ère primaire.

— Que je suis bête, William. Bien sûr ! Nous savons, nous, que le nautile représente la géométrie parfaite. C'est pourquoi Léonard de Vinci a donné la forme du nautile au casque de

Scipion l'Africain qu'il a peint. Il incarne la géométrie sacrée, tout comme l'homme de Vitruve dessiné par Léonard.

– Et la géométrie sacrée est la manifestation de Dieu dans l'architecture. L'édifice du Centre est donc consacré.

– Un lieu secret où trouver Dieu.

– Exactement. Le nautile sur ce mur a attiré Rusinski et l'a mené à une plus grande découverte. Là-haut.

Les deux hommes retournèrent derrière eux. Leurs pas étaient devenus graves, solennels, parce qu'ils avaient l'impression de faire un pèlerinage.

C'était le cas de Plantagenêt, en tout cas. Il se rappelait son pèlerinage à Saint-Jacques-de-Compostelle, en Espagne. Là aussi, la rencontre du pèlerin avec Dieu et Sa perfection était symbolisée par une coquille. Qui aurait cru que le coquillage péché dans l'océan Atlantique près de là, la coquille Saint-Jacques, appartenait au monde de la spiritualité, comme le nautile de Léonard de Vinci? Sans le savoir, les gourmets mangeaient comme entrée au restaurant un véritable symbole de Dieu.

Ils arrivèrent enfin dans le grand hall. Malgré sa hâte de connaître la raison d'une telle fébrilité chez ses frères Strickland et Rusinski, Plantagenêt leva les yeux vers l'ascenseur de l'étage qu'ils devaient atteindre. Son regard s'attarda sur la frise autour du foyer. Il se rappelait qu'une équipe d'artisans dirigée par la sculpteure du Parlement avait mis beaucoup de temps à compléter cette frise représentant l'histoire du Canada.

Puis le seigneur Plantagenêt s'arrêta devant la colonne gravée commémorant la naissance du dominion canadien, en juillet 1867. À ses pieds, sur le plancher de marbre, apparaissaient des cercles concentriques, quatre en tout. Il avait toujours résisté à son intuition qui lui disait qu'il y avait là un labyrinthe caché. Cette figure se trouvait à la croisée du transept de bien des églises, notamment à la cathédrale de Chartres. Ces cercles devaient mener à Dieu, à la façon des stations du chemin de croix. Mais le labyrinthe était le portail, le *worm hole* dirait-on aujourd'hui, ayant précédé la croix et Jésus-Christ, pour accéder à un autre monde.

– Vous venez, maître ?

Strickland était plus loin, à la porte d'un petit ascenseur situé à l'étage, près de l'entrée de la chambre du Souvenir. Il l'attendait. Tiré de ses rêves d'historien, Plantagenêt ne put s'empêcher de s'y replonger en le rejoignant.

– Quel que soit le symbolisme politique plus récent de ce plancher, William, il est fascinant de retrouver l'Antiquité dans ces cercles. D'abord les quatre éléments, précurseurs du tableau chimique de Mendeleïev. La terre à l'extérieur ; à l'intérieur, l'air et le soleil de feu avec ses pointes acérées, et enfin, au centre, cette ligne en zigzag ressemblant à un serpent.

Par déférence autant que par conviction, Strickland acquiesça.

– Certains diront que le serpent de la mer devant nous rend compte de la devise *A mari usque ad mare*, selon laquelle le pays s'étend d'un océan à l'autre. Mais tout comme l'architecte du parlement, nous savons nous aussi que, dans l'Antiquité, la mer entourait le monde et qu'elle montait, droite dans le ciel, comme une colonne. Image difficile à concevoir aujourd'hui. Mais dans un monde considéré comme étant plat, c'était la seule façon de communiquer avec l'au-delà.

Strickland écoutait toujours.

– De plus, reprit Plantagenêt, les réminiscences grecques abondent dans l'architecture d'Ottawa. Prends seulement l'édifice de la Banque de Montréal, en face du parlement. Il a été construit en 1930, sur le modèle d'un temple grec. Sur son pourtour, les figures de cercles et de carrés entremêlés abondent, rappelant que la géométrie est à la base de tout dans les vieilles religions. L'édifice est ceinturé d'étoiles de David, qui sont présentes dans les œuvres maçonniques anciennes en Europe.

En s'enfonçant dans leur passion commune, les deux hommes prirent un premier ascenseur du foyer d'accueil des visiteurs, au rez-de-chaussée, jusqu'à l'étage. Là, ils se dirigèrent d'un pas rapide vers l'entrée de la tour de la Paix. Autre ascenseur, plus étroit celui-là, que les groupes des visites guidées utilisaient jusqu'au belvédère, cent mètres au-dessus du parvis le plus célèbre du pays. « Le sort du monde moderne est peut-être entre nos mains », pensa Tristan Plantagenêt.

La lassitude se mêlait chez lui à la fascination. Il avait trop d'expérience pour se laisser aller à l'exubérance qu'avait dû ressentir Howard Carter quand il avait mis au jour la tombe de Toutankhamon, en Égypte, en 1922.

– Ne trouves-tu pas délicieux, demanda-t-il à Strickland, que le monde moderne, comme tu dis, soit dans les mains de l'Ancien Monde ?

Les deux avaient entre soixante-dix et soixante-quinze ans. Mais à leurs yeux, l'expression « Ancien Monde » ne les désignait pas du tout.

– « Le sort du monde », ne put s'empêcher de répéter le sénateur Strickland sans regarder les cloches, seul spectacle visible à travers la porte vitrée de l'ascenseur.

Les cinquante cloches du carillon occupant l'intérieur de la tour ne les intéressaient pas du tout ce soir-là.

– Chut ! Silence, William ! éclata Plantagenêt. Tu entends ?

Les deux tendirent l'oreille. Seul le mécanisme bien huilé de l'ascenseur meublait le silence lourd régnant autour d'eux.

– J'avais cru…

Plantagenêt regretta de ne pas avoir emprunté l'escalier. Il était si facile pour leurs ennemis de sectionner les câbles de l'ascenseur. Ils étaient partout. La sécurité de la Chambre ne pouvait pas empêcher les esprits du passé de franchir les murs de grès. Lui et Strickland couraient un grave danger.

L'angoisse avait remplacé l'exaltation et empêchait de respirer. Pourtant, ils étaient seuls depuis qu'ils avaient franchi la guérite du garde de sécurité, à l'entrée de la tour.

Les seuls humains, mais…

Tristan Plantagenêt savait qu'il ne croiserait pas le garde en bleu de la Chambre posté à l'intérieur du belvédère lors des heures d'ouverture au public.

Strickland et lui étaient sans défense. Il ne fallait pas s'attarder. Mais malgré le risque couru, la découverte était trop spectaculaire pour ne pas y jeter un coup d'œil. «Je n'ai pas pu apporter mon pistolet à cause des détecteurs de métal installés à l'entrée depuis le 11 septembre et la campagne en Afghanistan, récapitula-t-il. On me l'aurait confisqué et le sénateur n'aurait rien pu faire. D'ailleurs, ni lui ni moi ne voulons attirer l'attention, et encore moins voir les services de sécurité vérifier mon identité.»

Pour se rassurer, il soupesa le grand sac de velours qui ne l'avait pas quitté depuis le bureau de Strickland, dans l'aile est, jusqu'à la salle de comité. L'objet qui s'y trouvait était encombrant et lourd. Ses larges aspérités étaient visibles à travers le tissu, qu'elles étiraient pour lui donner vaguement la forme d'un crucifix. Plantagenêt savait que cet objet pouvait s'avérer une arme mortelle au besoin. «Ça, j'ai pu l'apporter, car ça se trouvait déjà dans l'édifice, pensa-t-il, à moitié soulagé. Cette précaution ne sera pas superflue si je tombe dans un piège. Je ne me fie pas complètement à William. Il ne serait pas le premier à avoir trahi la cause.»

– La rambarde en haut de la tour ne donne plus sur le vide comme dans les années 1960, expliqua Strickland quand ils mirent pied dans le poste d'observation destiné aux touristes. Cette satanée fenêtre de plexiglas nous sépare de l'air libre.

– Je sais. Depuis les suicides du sommet des clochers de Notre-Dame de Paris, on a cru bon protéger les visiteurs contre eux-mêmes dans cette cage panoramique.

– Il faut pourtant aller dehors… derrière cette fichue fenêtre, dit Strickland en se tournant vers son compagnon.

La méfiance de Plantagenêt le fit protester.

– Tu es fou, Strickland! Tu n'as pas l'intention?… À cette hauteur!…

Il imaginait le gouffre noir s'ouvrant derrière la paroi transparente. Le vertige lui donnait déjà la nausée. Au loin, les nombreuses lumières de la ville, signes de vie et de présence amie, n'offraient pourtant guère de réconfort.

C'est alors qu'il réentendit le bruit, bien distinctement cette fois. On aurait dit des coups de marteau sur la pierre.

– Tu entends? interrogea-t-il.

– Non. Quoi donc?

– On dirait qu'on cogne sur le mur.

– Je n'entends rien.

Plantagenêt prêta l'oreille. Le bruit avait cessé.

– J'aurais juré…

– S'il y a vraiment du bruit, maître, c'est que des ouvriers font des heures supplémentaires.

– À cette heure?

– Oui, en effet, ce serait étonnant. Mais il n'y a pas d'autre explication plausible.

Strickland tenait tant à voir l'inscription dont avait parlé Rusinski qu'il oublia aussitôt les propos de Plantagenêt. Après avoir ausculté la large fenêtre de sa main boudinée, il sortit une grosse clé de la poche de son complet trois pièces et l'inséra dans une serrure. Un pan de plexiglas glissa, révélant une ouverture donnant sur des ténèbres menaçantes. Alerte malgré son âge et son embonpoint, Strickland ne se fit pas prier pour escalader la rambarde de pierre noircie par le temps. Il pointa une jambe dans l'ouverture.

— Il y a un échafaudage, expliqua-t-il.

Plantagenêt s'en voulut de ne pas y avoir pensé. En arrivant à la séance de comité, il n'avait pu que remarquer les immenses toiles blanches cousues entre elles afin de couvrir, de bas en haut, la face orientale de la tour.

« La restauration, pensa-t-il. Les ouvriers travaillent à l'abri. C'est comme un drap passé sur un meuble dans une maison abandonnée. »

Il savait qu'un tel chantier pouvait durer des années. Cela conférait aux édifices une tout autre allure. La tour ressemblait à un fantôme gigantesque dépassant en hauteur les tours de bureaux du centre-ville, un fantôme qui aurait émergé de la fosse opaque de la rivière et qui aurait escaladé la falaise pour détruire la capitale.

— L'équipe de restauration a installé des passerelles partout, confirma Strickland en prenant pied sur un plancher de madriers. C'est d'ailleurs le conservateur en chef des travaux qui a découvert *la chose*. Il m'a prévenu parce que mon comité des édifices parlementaires doit autoriser la moindre opération.

— Quelqu'un d'autre le sait ? l'interrogea Plantagenêt, hésitant encore à se glisser par l'ouverture.

— Seulement Rusinski.

— Lui ?

— Oui, Rusinski, le conservateur de Patrimoine Canada qui supervise la restauration. Il a travaillé sur le décryptage du texte depuis sa découverte, il y a deux jours. Il n'est pas sorti de chez lui.

— Rusinski et nous deux savons. C'est tout ? insista Plantagenêt. Des membres du comité ?

— Non, la nouvelle est trop récente.

— Rusinski et toi êtes donc les seuls à savoir ?

— Tout à fait, seigneur. Ça reste entre nous, gardiens de la Compagnie.

— De pauvres gardiens qui ont perdu ce qu'ils avaient pour mission de préserver comme la prunelle de leurs yeux.

— Mais, voilà ! Maintenant, on va peut-être savoir ce qu'on garde exactement.

Avant de franchir la baie vitrée ouverte, Plantagenêt tendit son sac à Strickland. Enfin, il descendit à son tour sur l'échafaudage. Son exaltation était telle qu'il en oublia de respirer.

Strickland s'éloigna le long de la passerelle faite de madriers déposés sur la structure métallique. À voir ses gestes mal assurés, Plantagenêt sut que son compagnon était victime de la même ivresse que lui-même. Fébrile, il surveilla Strickland en train d'inspecter la paroi. Tamisée par la toile épaisse, la lumière des projecteurs de l'esplanade braqués sur la construction leur permettait de voir où ils mettaient les pieds. Cette clarté diffuse conférait au site l'atmosphère d'une chapelle.

Un courant d'air s'engouffra par une couture rompue. Plantagenêt se retourna en vitesse.

— Tu as entendu, William ?

Une sueur froide avait couvert le front et le dos du visiteur. Strickland ne répondit pas : il lui semblait aussi avoir entendu le bruit, le même que dans l'ascenseur.

— Vertubleu ! Je veux bien me faire couper la tête comme saint Denis si ce que j'entends ne provient pas d'un marteau.

– Moi aussi, je l'entends depuis tantôt. J'avais donc raison. Il y a quelqu'un ici qui ne devrait pas y être.

Strickland se signa en vitesse. Les deux hommes savaient que, s'ils étaient tombés sur le secret détenu par la Compagnie depuis des siècles, ils étaient dorénavant en danger de mort.

L'ennemi invisible n'avait jamais reculé devant l'extermination de masse pour éviter que ce secret soit révélé au monde.

Tout à coup, les chocs cessèrent. Un lourd silence leur succéda. Pour se rassurer, Plantagenêt serra le sac qui contenait une arbalète. Une arme ancienne, mais une arme tout de même. Il allait concourir avec elle au festival médiéval d'Old Chelsea dans quelques jours. Elle devait être en bon état. Il allait la sortir de son sac quand il sentit les éclaboussures d'un liquide chaud lui frapper le visage. Il s'essuya et vit sur sa main que le liquide était rouge et visqueux.

– William ?

Le marteau qu'ils avaient entendu se leva et retomba. Mais ce n'était pas pour frapper la pierre.

Chapitre 6

Site balisé par les bouées du HMS Essex, au nord-est de Rimouski (province de Québec, Canada)

*Épave de l'*Empress of Ireland, *à trente mètres de profondeur, dans le golfe du Saint-Laurent*

24 juillet 1914

Le scaphandrier connut une mort atroce.

La descente vers l'épave s'était pourtant déroulée sans histoire. Les bottines de plomb et la lourde plaque de métal sur sa poitrine l'avaient amené à hauteur de l'*Empress* en moins d'une minute. Les coups de la pompe à air, un régulier *pah… pah… pah*, lui rappelaient qu'il n'était pas seul au monde en pénétrant dans cet univers glauque et silencieux. Il se sentait bien. Certes, la combinaison et les gants de caoutchouc auraient assuré une température du corps plus agréable dans les mers chaudes des Antilles. Dans le golfe, près du point de congélation même en été, l'homme était engourdi et ses gestes manquaient d'assurance. Heureusement, il n'avait pas à exécuter des tâches demandant beaucoup de précision pour remplir sa mission. D'ailleurs, il était d'un naturel porté à laisser aller son imagination, ce qui aurait nui à sa concentration.

Par exemple, le cœur battant, il revit les manchettes des journaux sur la collision des deux navires pendant la nuit du 28 au 29 mai 1914. L'un titrait : « *Another* Titanic *Disaster* ». Le *Toronto World*, quant à lui, avait publié une édition spéciale qui s'était vendue à cent mille exemplaires : « *900 People Drowned As They Slept* ».

« Tous ces pauvres chrétiens sur l'*Empress*, tous ces égarés poursuivant l'"Erreur" sur cette terre maudite, pensa-t-il avec passion. Ils ont connu le sort réservé aux créatures de ce monde absurde.

Il se remémora les corps des noyés étendus pêle-mêle au milieu des cageots et des filets de pêche, dans la remise à charbon sur les quais de Rimouski.

À cinquante ans, il avait déjà eu l'occasion de voir bien des dépouilles horribles. Il y avait d'abord eu des compagnons atteints du mal des caissons lors de la construction des piliers immergés du pont de Brooklyn. La pression emplissait les veines des ouvriers de bulles d'azote qui se déposaient ensuite dans les articulations. Les bras et les jambes se tordaient en des poses grotesques. Il avait aussi repêché un ou deux cadavres aux yeux sortis de la tête et aux joues mangées par des crabes après le naufrage d'un voilier au large de Lunenbourg, en Nouvelle-Écosse.

« Je vais en voir d'autres aujourd'hui, songea-t-il en essayant de voir sous lui alors que l'eau noire ne laissait passer aucune lumière à plus de un mètre cinquante. Beaucoup de passagers sont restés au fond. Il ne faut pas que je m'énerve en les voyant gonflés et noirs comme un poêle. »

L'*Empress of Ireland* n'avait pas relâché toutes ses victimes. Des douzaines de personnes étaient restées prisonnières de leur cabine, où la mort les avait surprises dans leur sommeil, à 2 h du matin. Le cargo norvégien était sorti de nulle part pour éperonner le paquebot. Enfin, tout le monde allait croire à l'accident bête, à l'erreur humaine, mais lui savait que Caïn, le maître qu'il servait avec son chef, était encore vivant et s'acharnait à détruire la création stupide d'un dieu stupide.

Il aurait voulu voir la balafre sur son front moite, la marque de Caïn, signe de reconnaissance de sa secte des caïnites, pour lui redonner du courage. Impossible avec le lourd survêtement de plongeur. Pour chasser ses mots d'ordre exaltés et la torpeur causée par le froid, il chercha à assurer sa technique.

« Il faut surtout que je garde mon équilibre, s'ordonna-t-il à lui-même en tirant le mou du tuyau d'air en caoutchouc qui le rattachait au petit caboteur à la surface, affrété par ses frères et rebaptisé la *Géhenne*. C'est plein de foutus courants par ici. Si mon filin de sécurité se prend là-dedans, je vais être secoué. Dans ce cas, l'air risque de gonfler mes jambes comme une baudruche et de me faire passer cul par-dessus tête. Me voilà une tortue renversée sur sa carapace, sans la moindre chance de me remettre sur mes pieds. »

En mettant pied sur le pont déjà rendu glissant par la vase, il s'aperçut que l'épave reposait sur son flanc tribord, à un angle d'environ quarante-cinq degrés. Contrairement au *Titanic*, qui avait coulé deux ans plus tôt, la coque de l'*Empress* était demeurée intacte, en un morceau, sauf pour les deux cheminées qui gisaient quelque part sur le fond d'argile. « Dire qu'elle a coulé seulement quinze minutes après que la proue du *Storstad* lui eut ouvert une brèche de quatre mètres sur huit ! À croire qu'il y a une malédiction ! Enfin, l'accident s'est produit à l'arrière. Moi, je dois explorer l'avant, près de la première cheminée. C'est là que doivent se trouver le bureau du commissaire de bord et les colis précieux que nous recherchons. »

Officiellement, il faisait partie du contingent de scaphandriers chargé de récupérer la précieuse cargaison, soit deux cent douze lingots d'argent valant un million de dollars. Avec les autres, il avait consulté un plan de l'*Empress of Britain,* le frère jumeau de l'*Empress of Ireland.* Il savait donc qu'il avait une bonne distance à parcourir avant d'atteindre l'écoutille la plus proche. Il en profita pour faire le point. «Je dois trouver ce fichu coffret et le faire disparaître avant que quelqu'un d'autre ne le remonte. C'est ma vraie mission. Pour ne pas alerter la Marine royale, la *Géhenne* a dû perdre du temps à remonter des bons du Trésor et trois cents sacs de poste à acheminer au Dead Letter Office, à Ottawa.

L'homme ignorait le contenu exact du coffret. Il n'en connaissait que l'apparence. Un intermédiaire à Québec lui avait montré le dessin d'une boîte métallique au couvercle concave portant un curieux insigne.

– On dirait des cercles, avait-il remarqué.

– Si tu ne trouves pas le coffret, c'est qu'il se trouve dans le coffre-fort du commissaire de bord, lui avait-on dit sans autre explication. Tu ne pourras pas l'ouvrir dans l'épave. Il faudra donc tout faire exploser jusqu'à destruction complète. Comme l'équipe de la compagnie maritime chargée de récupérer la marchandise utilise de la dynamite pour élargir les écoutilles, il te sera facile de provoquer un accident.

Arrivé devant l'écoutille, il vit les deux cordons ombilicaux d'un autre plongeur descendu par l'ouverture. «Personne d'autre ne devait entrer là, pensa le nouveau venu. C'est quelqu'un de l'autre bateau. Il risque de voir le trésor : il n'y a pas à hésiter.»

Une impulsion incontrôlable lui fit rabattre le couvercle et happer le boyau d'air de celui qui le précédait. À genoux sur l'écoutille pour la maintenir fermée, il attendit patiemment que la mort par asphyxie fasse son œuvre sous lui.

À cinq ans, il avait tenu la tête de sa petite sœur sous l'eau de la rivière Saint-Jean jusqu'à ce qu'elle ne se débatte plus. Juste pour vivre l'expérience de la mort.

Il entendit cogner sur le métal comme il avait entendu les rugissements de Mathilda déformés par le liquide qui s'engouffrait dans sa gorge et dans ses bronches. Ils lui avaient semblé sonner comme l'ululement d'un hibou, la nuit.

« On croira à un accident », conclut-il en rouvrant l'écoutille.

Il savait que dans le monde où il vivait soumis à des forces occultes, il n'y avait jamais d'accidents, seulement des apparences d'accident. Le naufrage de l'*Empress* en était la preuve.

Les yeux du scaphandrier qu'il avait piégé l'accueillirent dans le bureau du commissaire de bord. Des yeux écarquillés par la panique.

Des yeux fixes, sans vie.

« À moi tout le boulot, comme d'habitude, railla-t-il en repoussant le cadavre qui lui bloquait la route. Pousse-toi si tu n'aides pas. »

Il eut beau fouiller les armoires, ouvrir des sacs contenant des pièces de monnaie faisant partie de la collection d'un riche passager, il ne trouva pas le coffret.

Il s'épuisa à essayer d'ouvrir le coffre-fort, d'abord avec ses doigts, puis avec son pied-de-biche.

« Impossible ! Il faut donc que je fasse tout sauter pour que personne d'autre n'ouvre ce coffre. »

Il revint sur le pont. Il parcourut les lieux d'un regard circulaire afin de retrouver le filet contenant les bâtons de dynamite utilisés par son équipe.

C'est alors que le destin s'opposa à lui et à ses mystérieux patrons.

Délogé par des courants furieux provoqués par la rencontre des eaux chaudes et froides dans le golfe, l'*Empress* bougea comme le font parfois les épaves. L'immense structure couchée de biais depuis deux mois se redressa soudainement, presque à l'horizontale. Emporté par son poids, le scaphandrier fut précipité vers le bastingage bâbord, qu'il franchit.

– Caïn et Judas, aidez-moi !

La surprise l'avait emporté sur la peur. Il savait qu'il n'avait rien à craindre. Une descente de cent mètres risquait d'être fatale, mais l'*Empress* gisait à une profondeur bien moindre. Une fois au fond, il n'aurait qu'à agripper le filin, à le tirer selon un code convenu afin que ses comparses le remontent sur le pont de l'épave.

C'était sans compter la soif de vengeance des fantômes du paquebot qui, à ce stade, avaient sans doute réalisé devoir leur mort aux caïnites ayant infiltré l'équipage du *Storstad*. La collision avait été préméditée au départ pour ensevelir le coffret dans un linceul liquide. Mais les Templiers pouvaient se glisser à leur tour parmi les scaphandriers de l'*Essex*. Il fallait plonger pour les devancer.

Ainsi donc, lors de la chute, le tube à air fut traîné le long de la lisse sur une distance de dix mètres. Une plaque ou un boulon ébréché dut l'entailler, car l'eau s'y engouffra. Le caïnite ne s'en aperçut pas tout de suite. Les casques de l'époque étaient équipés d'une valve de sécurité pour assurer l'étanchéité en cas de rupture. Le corps parvenu au bout du filin fut projeté contre la coque du navire. Pas assez violent pour assommer l'homme protégé par le globe de laiton, le choc endommagea le joint d'une autre valve, celle retenant l'air dans le casque. Le scaphandre se mit à expulser son air tout en restant imperméable. Les eaux du golfe n'ayant pu noyer l'intrus, leur poids profita du vide créé dans le vêtement de plongée pour comprimer le corps de l'infortuné.

Le caïnite sentit venir sa dernière heure. Il révisa en hâte les fondements de la foi de ses frères :

« Judas, toi le vrai saint et le vrai disciple, interviens pour moi devant ton vrai Dieu. Caïn, je t'ai adoré dans cette vie misérable, reçois-moi dans la vraie vie, celle après la mort, celle que tu as offerte à ton frère Abel dans ta grande bonté et que je vais enfin connaître à mon tour. »

Dans un réflexe désespéré, il tira bien le filin une ou deux fois. Il sombra aussitôt dans l'inconscience provoquée par le sang forcé vers le cerveau, comme tout le reste de sa carcasse.

Il était déjà mort quand ses poumons éclatèrent, suivis des globes oculaires.

Les marins de la *Géhenne* hissèrent un scaphandre aplati comme une galette. Il n'y restait plus rien.

– Où est-il passé ? se demandèrent-ils en ne remarquant aucune brèche dans le scaphandre qui aurait pu laisser échapper un homme de quatre-vingt-cinq kilos.

Seul le casque sphérique avait conservé sa forme originale. Une fois déboulonné de la pèlerine, il dégorgea d'un coup quatre-vingt-cinq kilos de matières organiques composées du cerveau explosé, de la peau arrachée, des os écrasés et des organes en bouillie, tous comprimés vers le haut.

Tout ce qui avait constitué l'homme de un mètre soixante-dix était confiné dans le casque devenu une marmite de sorcière.

Chapitre 7

Édifice Morguard, 181 Queen Street, Ottawa

Siège de Radio-Canada et de la Direction des publications parlementaires de la Chambre des communes

3 juin, 22 h 27, un peu plus de 68 heures avant l'attaque finale

– Près de 22 h 30 ! se dit Quentin DeFoix en repliant son cellulaire. Là-bas, il est…

Il consulta la série de grosses horloges commerciales occupant tout un pan de mur. Comme dans une salle de rédaction, elles étaient réglées à l'heure des fuseaux horaires qui découpent le pays en couloirs depuis Terre-Neuve-et-Labrador jusqu'à l'île de Vancouver. Les employés du Centre de documentation de la Chambre des communes devaient joindre leurs correspondants dans toutes les régions du pays afin d'officialiser les informations contenues dans les publications parlementaires.

Quentin repéra l'horloge correspondant au Yukon.

– Là-bas, il est 19 h 30. Elle ne sera pas couchée. En bonne archéologue, elle est sans doute dans la tente labo en train d'étudier les trouvailles. Alors, pourquoi ne répond-elle pas ?

Quentin connaissait la réponse. Robin l'évitait.

Le huitième étage, occupé par le bureau des agents d'information de la Chambre, était presque vide à cette heure. Néanmoins, un des postes de télé en circuit fermé, montés aux angles des pièces pour que les employés puissent suivre en direct les travaux de la Chambre, était toujours allumé. À cette heure, l'écran affichait un simple avis de la chaîne parlementaire CPAC annonçant la reprise de la séance le lendemain, à 10 h.

Il préférait être seul. Il était de très mauvaise humeur et ne voulait pas se montrer ainsi en public. Il ne parlerait qu'à son amie.

— Je pense qu'on devrait profiter de mon voyage de fouilles pour faire le point, lui avait affirmé Robin le matin même.

À l'autre bout du pays, elle commençait à montrer des signes d'impatience après trois appels consécutifs de son petit ami d'Ottawa, dont un qui l'avait réveillée.

— Tu resteras combien de temps au Yukon ? avait demandé Quentin.

— Au moins jusqu'aux froids.

— Je pourrais aller te visiter quand la Chambre suspendra ses travaux pour l'été, à la fin de juin.

Lui-même avait déjà passé six mois à Whitehorse.

Assis sur les bancs d'école depuis plus de vingt années consécutives, il avait eu besoin de bouger après l'obtention de son doctorat en histoire. Tout le monde parlait du boom pétrolier dans l'Ouest. Il fit du stop jusqu'en Colombie-Britannique avant de se faire engager sur un convoi de remorques remontant vers le nord.

Il travailla dans un casse-croûte au Yukon, où beaucoup de yuppies désabusés et stressés de Toronto cherchaient à se créer une nouvelle vie. Il redescendit par la vallée du Mackenzie, se noircit les mains dans les sables bitumineux. Lui, le pacifiste, passa du temps dans l'armée, à la base de Wainwright, après s'être décidé sur un simple coup de tête.

L'encadrement qu'il y trouva lui procura un agréable répit par rapport aux responsabilités de sa propre vie. Un répit, seulement. Et il éprouvait un puissant besoin d'aller à l'aventure. Il était trop souvent conscient que son existence manquait de sel. À défaut de toucher aux drogues dures, il se voyait bivouaquer à longueur d'année au camp de base du mont Everest, comme tous les fous de la grimpe, esclaves des sensations fortes.

Finalement, il n'avait pas signé son contrat à Wainwright. Tout engagement dans sa vie ne devait à vrai dire jamais dépasser plus d'une année. Maximum.

Revenu à la case départ à Ottawa, il se voyait déjà retourner au Yukon pour enseigner. Il préparerait des pot-au-feu à la Guinness pour accueillir Robin à la fin de ses journées de fouilles.

Robin, la pragmatique, contraria ses rêves de façon non équivoque.

— Toi, venir ici ? Non, Quentin, on en a déjà parlé. S'éloigner nous fera du bien.

Quentin savait que ces mots portaient le sens pour un amoureux éconduit.

« S'éloigner » sonnait comme un adieu.

— Tu n'es pas amoureuse de ton directeur de thèse, j'espère ? se résolut-il à lui lancer. C'est lui qui dirige le chantier, non ? Donny, c'est son nom, n'est-ce pas ?

Robin ne mordit pas à l'hameçon.

— Je dois te quitter, Quentin : un nouveau site à quadriller, et tu sais comme je n'aime pas cette étape-là, alors n'en remets pas.

— Par là-bas, il fait clair vingt-quatre heures par jour en ce moment, qu'est-ce qui presse autant ?

Robin n'entra pas dans le jeu. Après avoir baragouiné quelques excuses, elle referma son cellulaire.

Quentin était déprimé depuis le matin. À 21 h, il quitta son appartement devenu étouffant.

Comment se jeter dans le travail si, justement, la Chambre était à la veille de lever la séance ? Il trouverait bien un projet. Pour cela, il lui fallait le bureau. L'air du bureau.

Malheureusement, il n'avait pas pu s'empêcher d'appeler à l'autre bout du pays.

Il pouvait parfois être obsédé. C'était une qualité pour monter en grade : il fallait voir son travail dans ses céréales du petit-déjeuner.

En amour, pas sûr que ce soit une qualité, par contre.

Sa superviseure lui avait confié qu'on ne mène pas la vie des autres. Elle parlait de gestion, mais Quentin avait appliqué ces propos à sa relation avec Robin Forbes, une archéologue au caractère indépendant.

« On ne change pas les autres, seulement soi-même », avait-il lu quelque part.

Au lieu d'aller à la taverne du Marché By où il décompressait quand il était étudiant, il se surprit à vouloir travailler jusqu'à s'abrutir, à lire le *Journal des débats* à un rythme d'enfer et à analyser tous les discours, comme son mandat le stipulait. Mais le faire en pleine nuit ne faisait pas partie de ses attributions. Pour cela, il y avait les traducteurs : ceux-ci s'attelaient à la tâche à la fin de la séance en Chambre, vers 19 h, et devaient avoir fini à 3 h pour que le compte rendu écrit des débats de la journée, appelé le *Hansard,* soit publié et distribué dans les bureaux des députés le plus tôt possible.

Bien décidé à faire avancer le travail, il fixa l'écran plat de vingt et un pouces de son ordinateur devant lui. Il se surprit à dessiner des lettres stylisées sur son bloc-notes : R… O… B…

« Qu'est-ce que j'ai à écrire son nom ? Je n'ai pas fait ça dans mes cahiers depuis mon premier amour, à quinze ans ! »

Sa mauvaise conscience ne le lâcha pas.

« Lis, lis donc les débats en Chambre, tenta-t-il de se convaincre. Commence par cette question d'un député de l'opposition, qui paraît intéressante. »

DÉBATS DES COMMUNES, 4 JUIN
Période réservée aux questions orales

Monsieur Dyson Dreher (circonscription de Toronto-Yonge) :
Monsieur le président, le ministre de la Sécurité publique devrait savoir que le terrorisme pourrait être une réalité de tous les jours au Canada. Tout le monde sait que la GRC vient de démanteler un réseau à Toronto grâce à l'interception sur Internet de commandes de nitrate d'ammonium. Le ministre niera-t-il ce que tout le monde sait ?

L'hon. Robert-Ulric de Callières (ministre de la Sécurité publique et de la Protection civile) :
Vous comprendrez qu'on ne puisse pas donner les détails de notre stratégie antiterroriste, mais je puis assurer mon collègue que toutes les dispositions sont prises en collaboration avec nos alliés...

Des voix :
Oh ! Oh !

Quentin sourit. Il savait que les « Oh ! Oh ! » étaient une sorte de code chez les rédacteurs des débats. Ils s'en servaient au lieu de rapporter les quolibets échangés d'un côté à l'autre de la Chambre lorsque l'atmosphère s'échauffait. Même le premier ministre Trudeau avait été censuré de cette façon quand il avait lancé en pleine assemblée le fameux mot de quatre lettres. Ç'avait été la première fois dans les annales du Parlement.

Monsieur Dyson Dreher (circonscription de Toronto-Yonge):
Monsieur le président, qui sait? Ce Parlement même pourrait être la cible d'attaques biologiques. Nierez-vous que le gouvernement, en accord avec les États-Unis et le Royaume-Uni, a caché au public la véritable cause de l'épidémie de SRAS il y a quelques années?

Des voix:
Oh! Oh!

L'hon. Robert-Ulric de Callières (ministre de la Sécurité publique et de la Protection civile):
Monsieur le président, l'honorable député de Toronto-Yonge semble être certain que nous sommes menacés. Qu'il ose divulguer ses sources si elles sont fiables, ce dont je doute. Qu'il dépose ses documents. Je vois en face de moi le député qui fait non de la tête. Monsieur le président, il est clair que l'opposition ne cherche qu'à répandre la peur dans la population avec toutes sortes d'allégations sans fondement.

Des voix:
Déposez vos documents!

Le président:
À l'ordre!

Après avoir lu ces quelques paragraphes, Quentin ferma les yeux pour mieux analyser l'échange entre le ministre et le député.

« Le député Dreher est-il en train d'inventer une histoire reposant sur une théorie du complot à l'américaine ? se demanda-t-il. A-t-il vraiment des raisons de croire ce qu'il avance ? Ou est-ce une stratégie pour dénigrer le gouvernement ? »

Il avait l'habitude des tactiques des partis de l'opposition.

« D'ailleurs, c'est leur rôle de critiquer le gouvernement. C'est leur rôle inscrit dans la Constitution. Rien de mieux pour gagner des points auprès du public et des médias que d'accuser le gouvernement de ne pas surveiller les terroristes. »

Quentin savait que, en cette période post-11 septembre, tous les pays effectuaient des simulations d'attaques pour vérifier le degré de préparation de leurs forces armées. L'entraînement stratégique avait pris divers noms au Canada : l'opération « Ardent Sentry », menée simultanément à Ottawa et à Toronto, en 2006 ; l'opération « Narwhal », en 2005, à Yellowknife, et l'opération « Pacific Watch », en 2004, à Vancouver.

Il ne se creusa plus la tête avec ses questions. Il indexa les propos de messieurs Dreher et De Callières pour que des chercheurs puissent les retrouver facilement le lendemain, voire dans cent ans. Il résuma l'essentiel du texte en tapant les mots « sécurité publique », « terroristes » et « armes biologiques ».

Regardant de nouveau son écran, Quentin allait lire la prochaine question orale après celle de Dyson Dreher quand la petite enveloppe annonçant la réception d'un courriel s'afficha.

Il cliqua pour le consulter sans retard, au cas où ce serait Robin.

Ce n'était pas Robin. Cette déception fut aussitôt noyée dans une profonde fascination.

Le courriel devant lui était extraordinaire.

« On en reçoit un seul comme ça dans toute sa vie, et encore, il faut être chanceux ! »

Chapitre 8

De l'édifice Morguard à la tour de la Paix, Ottawa

3 juin, 23 h, 67 heures 30 minutes avant l'attaque finale

Le courriel provenait du bureau du sénateur Strickland, dans l'édifice du Centre. Il avait été envoyé à 22 h 30.

Découverte sensationnelle !
Besoin d'un historien de ta trempe.
Rejoins-moi tout de suite en haut de la tour de la Paix.

« Strickland ? William Strickland, du Comité des édifices parlementaires ? Je sais que j'ai fait des recherches pour lui dans notre base de données et dans celle des archives du Canada… Mais je ne le connais pas personnellement, pas plus que lui ne me connaît, d'ailleurs. Pourtant, il est tombé juste, en parlant de mes études en histoire. »

Il se rappelait avoir échangé des courriels, quelques jours auparavant, avec une collaboratrice du sénateur.

Bonjour, monsieur DeFoix,
Nous avons reçu le pourriel ci-joint, et le sénateur aimerait avoir votre opinion sur son contenu. Quelque chose vous semble-t-il étrange, répétitif ou incorrect ? Est-ce que je peux espérer une

réponse rapide de votre part, soit avant la prochaine séance du Comité du patrimoine, le 5 juin?
Merci à l'avance.
Janette Dupras

Il avait cliqué sur la pièce jointe. Il s'agissait en effet d'un message publicitaire non sollicité, version Internet du télémarketing téléphonique.

Club d'amateurs des chevaliers puklq, Old Chelsea, 6 juin
Pour les détails, cliquez ici Club spécial

« D'habitude, on demande aux indexeurs comme moi de retrouver des sujets qui ont été débattus en Chambre. Cette requête est différente : elle n'entre pas dans le cadre professionnel. Et je sais que, dans sa vie privée, le sénateur est un obsédé du Moyen Âge, comme moi.»

À partir du lien hypertexte, il put visionner un clip de trois minutes avec bande audio. Le tout consistait en un assemblage d'extraits de films de Hollywood de divers degrés de qualité et couvrant toutes les époques. Leur dénominateur commun : il s'agissait uniquement de scènes de batailles.

Quentin reconnut la prise de Jérusalem par Saladin dans le film récent *Kingdom of Heaven*, qu'il avait vu avec Robin sur DVD. Il reconnut aussi les autres extraits, car il vivait littéralement de film en film. Pensant que le sénateur Strickland voulait une classification, il lui fit parvenir son analyse.

S'agit-il des répétitions que vous mentionnez?
Dans l'ordre :
1) deux films différents sur Robin des Bois, un film romantique avec Kevin Costner et une comédie parodique avec Cary Elwes ;
2) deux films poétiques ou merveilleux (Bergman et Cocteau) ;

3) deux films avec la célèbre scène de la foule déchaînée au pied des tours de Notre-Dame de Paris et d'un Quasimodo gesticulant, joué au cinéma muet par l'acteur caméléon Lon Chaney et, au parlant, en noir et blanc, par Charles Laughton en 1939.
Cela répond-il à vos questions ?

Il se demanda si les extraits qu'il n'avait pas reconnus n'étaient pas des productions d'amateurs, puisqu'il croyait posséder une mémoire encyclopédique du cinéma professionnel.

Il reçut aussitôt une réponse qui tourna au dialogue.

Strickland : Qu'en est-il des symboles religieux ?
Quentin :   La cathédrale gothique de Paris avec sa série de rois de Judée sur le fronton, Jérusalem lors des croisades passant successivement aux mains des chrétiens (1099-1187, 1229-1244) et des Sarrasins (638, 1187).
Strickland : Rien de spécial ?
Quentin :   Je ne vois pas. Expliquez « spécial ».
Strickland : Des symboles des Templiers ?
Quentin :   Les croix pattées sur l'uniforme des croisés, c'est-à-dire des croix aux extrémités évasées.
Strickland : Des symboles diaboliques ?
Quentin :   Que voulez-vous dire ?
Strickland : Alchimie, ésotérisme, sectes religieuses hérétiques, etc. ?

Cet échange électronique se poursuivit en prenant une tournure étrange.

Strickland : *These spams are a pain in...*
Quentin :   Tout à fait d'accord. Le logiciel de blocage de pourriels peut laisser passer des choses. Il va bloquer une série de termes, ceux qu'on est susceptible de voir le plus souvent dans les sujets de ces envois. Mais il faut avouer que celui-ci, « Club d'amateurs

des chevaliers », ne pouvait pas avoir été prévu dans un filtre.

Strickland : Je vous remercie.

« Dis donc, j'ai plongé dans ce pourriel au point où j'en souhaiterais d'autres du même genre, s'était dit Quentin. Je ne serais pas surpris que cette publicité soit truffée de messages subliminaux destinés à me donner le goût de me joindre au club. Le subliminal a envahi le Web après avoir longtemps été utilisé dans les pubs des revues et à la télé. »

Quentin avait fini par passer le clip une dizaine de fois, sans remarquer qu'il pouvait intéresser le collectionneur d'armes médiévales qu'était Strickland. Ce dernier devait en savoir autant que lui. Enfin, il s'attarda à chercher des bourdes ou des anachronismes, par exemple un homme des cavernes portant une Rolex, ou encore une femme perdant sa cigarette ou ayant une coiffure différente d'un plan à l'autre.

Pour en être sûr, il relut le nouveau courriel qu'il venait de recevoir.

Découverte sensationnelle !
Besoin d'un historien de ta trempe.
Rejoins-moi tout de suite en haut de la tour de la Paix.

« J'ai l'habitude de ces messages urgents : à la Chambre, tout tourne à cent à l'heure. Mais je n'ai jamais rencontré Strickland, encore moins parlé avec lui de mes études, alors comment sait-il pour mon doctorat en histoire ? Ça fait maintenant deux fois qu'il communique avec moi à ce sujet ! »

Il se serait posé d'autres questions s'il avait su que le sénateur Strickland était déjà mort quand le courriel avait été expédié. Son mystérieux correspondant avait déjà appelé à son appartement pour apprendre, sur le répondeur, qu'il était au travail, à l'édifice Morguard. Quentin avait laissé ses coordonnées au cas où Robin aurait voulu le joindre.

À défaut des promesses d'amour de Robin, Quentin sauta sur l'occasion pour tenter de trouver un nouveau sens à sa vie. Il sentait que la journée avait été assez dramatique comme ça, qu'un vide douloureux s'était creusé dans sa poitrine et qu'il valait mieux le combler le plus vite possible.

Strickland ferait l'affaire. Il cherchait d'ailleurs à établir des contacts au Sénat, l'autre employeur de la colline, au cas où, à la suite d'un autre accès de bougeotte, il s'aviserait de dénicher un emploi ailleurs qu'à la Chambre.

– Une carrière à « l'autre endroit », comme les députés appellent le Sénat, murmura-t-il sur un ton mi-figue, mi-raisin.

Puis il ajouta, en faisant allusion à la décoration qui symbolisait et différenciait les deux chambres :

– De toute façon, je préfère la couleur écarlate du Sénat à la couleur verte de la Chambre, alors… pourquoi pas ? !

Il mit une dizaine de minutes pour franchir la distance de son bureau à l'édifice du Centre, puis deux autres minutes pour faire authentifier sa carte d'employé par le gardien et pour faire venir l'ascenseur de la tour de la Paix. « Quelqu'un est en haut puisque l'ascenseur descend me chercher… »

Le foyer sous la tour était faiblement éclairé. Comme la Chambre avait levé la séance à 18 h 30, tout était calme. Si des députés s'étaient attardés, ils sortiraient par la porte ouest plutôt que par l'accès sous la tour. Quant aux employés des journaux travaillant au sous-sol, ils avaient terminé les procès-verbaux de la séance du jour quelques heures auparavant.

Parfois, un claquement de porte, venant de loin, du bureau du président au nord de la Chambre et de ceux du premier ministre et de l'opposition à l'étage, résonnait sur les parois de calcaire. À cette heure, dans ce vieil édifice gothique aux couloirs sombres, tout prenait un air menaçant.

Quentin n'y venait jamais le jour, et encore moins à cette heure. Son imagination, nourrie de films à suspense, se mit à lui jouer des tours. En face de lui, dans la pénombre, il pouvait deviner la forme du sarcophage du Soldat inconnu dans la chapelle du Souvenir. Aux quatre coins de la tombe, les anges dorés, sculptés en position de prière, luisaient doucement. Il lui sembla un court instant qu'ils avaient bougé. Les églises lui faisaient aussi cet effet depuis son enfance.

Il se secoua. D'ailleurs, les portes de l'ascenseur venaient de s'ouvrir. La cabine était vide. Il monta à bord.

– Monsieur le sénateur? appela-t-il une fois rendu au belvédère.

Il en fit le tour sans découvrir âme qui vive. Il vérifia la porte nord menant à l'horloge et au pignon vert-de-gris où flottait le pavillon unifolié rouge : elle était verrouillée.

« C'est pourtant bien ici qu'il m'a demandé de le rejoindre. Le sénateur est connu comme un modèle de ponctualité lors des séances de comité. Alors… »

Soudain, un détail attira son attention. Un des panneaux vitrés permettant aux touristes d'admirer la ville était entrebâillé à l'angle sud-est.

« Tiens, c'est plutôt étrange qu'on ait ouvert un carreau. Il mène aux échafaudages. Peut-être les ouvriers l'ont-ils oublié? Pourtant, ils ont leur propre escalier à l'extérieur et n'ont pas à entrer pour redescendre. »

Inconscient du danger, il réagit comme le maniaque des détails qu'il était.

Il passa la tête par l'ouverture. Une petite ampoule éclairait la façade et les échafaudages protégés par une toile blanche sur toute la hauteur de la tour.

Cela lui permit de remarquer un objet qui n'aurait pas dû se trouver sur la passerelle sous lui.

– Monsieur le sénateur ? lança-t-il.

Il venait d'apercevoir ce qui devait être un de ces grands sacs en velours noir avec lesquels on protège de précieuses pièces de collection.

– Monsieur ? C'est Quentin DeFoix. Êtes-vous là ?

Pas de réponse. « Il y a quelque chose qui cloche, songea-t-il. Je vais prévenir le garde à la sortie de l'ascenseur. »

Il aurait dû écouter la voix de la raison. Mais il entendit un grognement venant d'en bas. Il écouta sans que ce geignement se répète. « C'est bien la plainte de quelqu'un. Le sénateur est cardiaque. Et s'il avait eu un infarctus ? À cette hauteur, s'il a enjambé la balustrade… il aurait pu avoir un malaise. »

Il connaissait les méthodes de secourisme en cas de crise cardiaque. Il se dit qu'il valait mieux intervenir le plus vite possible. Aussi prit-il son courage à deux mains pour glisser une jambe, puis l'autre, par l'ouverture. À cause de la toile, il ne pouvait voir ni le sol ni les toits des autres édifices de la colline parlementaire, ce qui réduisit l'impression de vertige.

« "W. W. S." : les initiales sur le sac sont bien celles du sénateur », s'aperçut-il une fois debout sur les planches de l'échafaudage.

Il défit les cordons : le sac était vide. « Il n'y a rien d'autre ici. Ai-je bien entendu ? »

C'est alors que son attention fut attirée par le mur extérieur de la tour, devant lui. « Une pierre a été retirée. Il y a un trou béant dans la paroi, remarqua-t-il. Sans doute le travail des ouvriers. Elle devait être endommagée et on l'a retirée pour la restaurer. »

Au fond du trou, la surface n'était pas lisse. Elle était couverte d'aspérités et de creux.

N'écoutant que sa curiosité, il plongea la main dans l'orifice obscur. Ce n'était pas tous les jours qu'on pouvait toucher au passé! «Dire que cette pierre a été insérée là à la fin des années 1910…»

Le cœur battant, il parcourut l'espace des doigts, mais en vain. Le trésor imaginé ne se trouvait pas là. Ou il ne s'y trouvait plus… Sa main se referma sur des éclats de pierre. «On dirait qu'on a cassé la surface du roc. On a fait disparaître quelque chose qui y était gravé. Ça me rappelle qu'en Égypte les noms des pharaons détestés ont été rayés des bas-reliefs à coups de marteau et leurs statues, dévisagées après leur mort. Mais ici, qu'est-ce qui était assez détesté pour qu'on le détruise? Était-ce la découverte dont le sénateur Strickland m'a parlé? Dans ce cas, il n'en reste que de la poussière.»

Sa frustration le poussa à inspecter les échafaudages autour de lui, comme s'il était pris dans une toile d'araignée. Cette fois-ci, il fut plus chanceux. Quelques mètres plus loin, il aperçut une pierre descellée, posée sur le madrier à ses pieds. «Voilà la pierre manquante observa-t-il. Elle a la même taille que le trou, mais elle n'en a pas la profondeur.»

En effet, la pièce détachée du mur n'aurait pas pu remplir la totalité de l'ouverture. Ce n'était qu'une mince plaque. «Les pierres autour sont pourtant plus épaisses. C'est comme si celle-ci cachait quelque chose derrière.»

Il soupesa la mince plaque avec précaution, certain qu'il tenait là quelque chose de semblable aux panneaux escamotables menant à des passages secrets dans bien des châteaux.

Confirmant son intuition, la pierre révéla autre chose. Malgré la pauvre lumière, il remarqua un signe à sa surface. C'était une croix dont les quatre branches étaient de la même longueur. «Cela n'a rien à voir avec le grain naturel de la pierre. On dirait une gravure. C'est la croix pattée, celle dont les extrémités s'élargissent. Qui sait si ce symbole n'est pas lié au contenu de cette niche dissimulée dans le mur depuis la reconstruction de la tour, amorcée en 1916 ? »

Quentin fut tiré de sa fascination par un léger déplacement d'air derrière lui. Se souvenant de la plainte entendue plus tôt, il se retourna vivement, s'attendant à se retrouver face à face avec le sénateur Strickland.

La passerelle était vide. Au lieu d'un soulagement, il ressentit une anxiété soudaine. Sa raison vola à son secours : « Voyons, je ne vais quand même pas croire que cette pierre retenait un fantôme captif depuis cent ans ! Depuis la profanation de la tombe de Toutankhamon par Carter, on croit à toutes sortes de malédictions provoquées par des fouilles archéologiques, à commencer par des maladies mortelles transmises par des microbes prisonniers des espaces clos depuis des millénaires. Mais une telle malédiction à Ottawa, c'est ridicule. »

Une certaine amertume accompagnait toujours le constat selon lequel ils étaient nés trop tard, lui et sa ville, pour qu'on y trouve des artéfacts vieux de quelques centaines d'années. Plusieurs Guinness avalées au pub du Centre Rideau noyaient habituellement cette déception.

Il regagna l'intérieur du belvédère. Avant de redescendre, il appuya le nez contre la baie vitrée et scruta la paroi sous lui. Tout d'abord, il ne vit rien. Ses yeux s'habituant au mélange de lumière et d'ombre causé par les angles saillants de la structure, il aperçut alors une forme humaine.

Dans sa chute, un corps s'était empalé sur une gargouille représentant un petit diable assis en train de jouer de la viole. Le monstre de pierre médiéval au coin sud-est, dépassant de la toile déployée par les ouvriers de Patrimoine Canada, était doté d'oreilles disproportionnées et pointues, capables d'embrocher une poitrine humaine.

– Sénateur Strickland ? dit-il instinctivement, comme s'il pouvait être entendu. On dirait bien que c'est lui : même tête chauve.

Il allait reprendre l'ascenseur pour prévenir les gardes en faction dans le hall de la Confédération quand il entendit un léger grincement derrière lui, comme une porte ou une fenêtre qui s'ouvre.

Puis quelque chose s'imposa à ses sens en éveil. Les parois de la tour auraient dû dégager l'odeur acide de solvants commerciaux ou d'un quelconque composé chimique servant à détacher la croûte noire déposée sur la pierre par la pollution de l'air, à la façon d'une acné. C'était plutôt un lourd parfum de fleur, tellement dense que Quentin eut l'impression que sa langue devenait pâteuse. Le parfum sembla prendre la consistance d'une poudre au contact de ses papilles. Il perçut ensuite un arrière-goût piquant, comme du citron, qui venait diluer le parfum floral.

Il voulut se retourner pour chercher la source du courant d'air parfumé. Il n'en eut pas le temps. Déjà, deux mains puissantes lui entouraient le cou, comprimant sa trachée. Robin était l'aventurière dans leur couple, adepte de voyages et de techniques de défense. Quentin avait fait un séjour dans l'armée à sa sortie de l'école secondaire. Mais il s'y était tellement ennuyé qu'il avait vite décidé de poursuivre ses études universitaires en histoire.

Il pensa à projeter un coude vers l'arrière. Mal assuré, le coup frappa le mou d'une épaule et non la mâchoire ou le plexus solaire de son agresseur, qui n'en fut pas ébranlé. Quentin se sentit alors soulevé de terre, puis tiré. « On veut me précipiter en bas ! » réalisa-t-il.

Il tomba d'abord sur le plancher grillagé de l'échafaudage. L'étau autour de son cou se relâcha. Jetant un coup d'œil furtif derrière lui, il put entrapercevoir son assaillant, un individu dont la tête était recouverte d'un masque en forme de bec d'oiseau, et le reste du corps, par une sorte d'imper en caoutchouc. Cette apparition lui parut si farfelue qu'il la mit d'abord sur le compte du saisissement ressenti à la découverte du cadavre.

Ce qui suivit n'eut rien d'une hallucination. Quentin se sentit agressé de nouveau. Il devait maintenant y avoir deux hommes dans son dos : l'un poussant des deux mains sa tête vers le bas, l'autre appliquant une curieuse prise. En effet, ses deux bras furent tirés vers l'arrière puis soulevés au-dessus de sa tête. Quentin cria de douleur comme si ses humérus allaient s'arracher des omoplates. Il tomba à genoux, un voile rouge devant les yeux.

Il ne comprit pas que son cerveau commençait à manquer d'oxygène. Il ne comprit pas qu'il était en train de mourir. Sans savoir pourquoi.

Était-ce pour la même raison que le sénateur Strickland ?

Chapitre 9

De la tour de la Paix au bureau du sénateur Strickland, dans l'aile est de l'édifice du Centre

4 juin, 0 h 11, un peu plus de 70 heures avant l'attaque finale

Quentin se réveilla étendu sur une civière. Au-dessus de lui, il reconnut les lamelles dorées caractéristiques du plafond du belvédère de la tour de la Paix. «J'étais dehors et me revoilà dans l'édifice», constata-t-il, presque comme dans un rêve.

Un réflexe lui fit prendre une profonde inspiration.

Il ne retrouva pas l'odeur de fleur et de citron. Cela le rassura.

Un reflux amer au fond de sa gorge lui donnait la nausée. Des secousses électriques causées par la douleur parcouraient tout son corps. Malgré le collier de maintien qui lui ceignait le cou, il réussit à tourner la tête et vit l'autre civière. Il reconnut la figure poupine du sénateur Strickland. Celui-ci avait perdu ses lunettes et ses petits yeux myopes le fixaient intensément. Quentin sursauta.

Il voulut lui parler, l'assurer qu'il avait répondu à son message le plus vite possible, quand il s'aperçut que les yeux du parlementaire ne cillaient plus. C'est alors qu'il remarqua la couche noirâtre sur le front et sur les joues du vieil homme.

– Mon Dieu ! Du sang ? Il est tombé de l'échafaudage et sa chute a été stoppée par la gargouille, dit-il à haute voix.

– La gargouille aurait tout aussi bien pu le sauver, dit quelqu'un en l'entendant. Mais elle lui a traversé le ventre…

– Le ventre… mais pas la tête ? Pourtant, j'ai bien vu que la tête était ensanglantée !

Encore sous le choc, le cerveau de Quentin assimilait les détails lentement, un à un. Il mit encore un moment avant que son attention ne se porte sur le sommet du crâne dégarni de Strickland.

– On… on dirait dit une grosse araignée, une tarentule, juchée sur son crâne.

Il n'était pas le seul à se poser des questions. Des officiels désignaient ce curieux chapeau et discutaient nerveusement. Pendant ce temps, un photographe légiste mittraillait la scène.

– Non, ce n'est pas une araignée, balbutia Quentin, ce qui fit se retourner les agents de sécurité. On dirait…

Penché au-dessus de lui, un gardien en chemise bleu ciel tendit l'oreille, puis lança :

– Il est réveillé, agente Vale. Il parle.

– Qu'est-ce qu'il dit ? l'interrogea la femme en civil, qui accourut entre les deux civières, remplissant complètement le champ de vision de Quentin avec son visage.

Et vu de près, qu'il était beau, ce visage ! Cheveux de jais, bouche charnue, yeux verts perçants, pommettes hautes et saillantes. Il lui rappela vaguement l'Italie, le fit rêver à des origines sud-américaines ou peut-être encore autochtones.

Mais les circonstances eurent vite raison de la fascination de Quentin, qui chercha à chasser le visage.

– Laissez-moi voir ! eut-il l'impression de crier avec mauvaise humeur.

Il observa de nouveau le cadavre du sénateur. À un autre moment, le jeune recherchiste se serait détourné violemment avec un haut-le-cœur. Mais si un mort pouvait faire exception, c'était bien celui-là. Ce mort portait une signature propre à enflammer le féru d'histoire qu'il était.

— C'est bien ce que je pensais, conclut-il.

— Quoi ?

— Un trépan.

— Un quoi ?

— Oui, sur sa tête : un trépan. Un des rares appareils de médecine du Moyen Âge.

— Ah bon ? grogna la dénommée Vale.

— En perçant un orifice dans l'os du crâne, on parvenait à réduire la pression dans le cerveau.

— J'aurais pensé à un instrument de torture.

L'objet ressemblait à un vilebrequin. Toujours enfoncée dans l'os du crâne, la vis avait bloqué l'outil en position verticale. Ce couvre-chef grotesque donnait au mort un air vaguement bouffon.

Quentin sourit faiblement, comme un prof indulgent devant l'ignorance de ses étudiants de première année de bac. Le travail des muscles de ses joues réveilla sa migraine.

— Vous avez pris le trépan pour un instrument de torture ? eut-il la force d'ajouter. C'était pour guérir les gens. Un jour, on pensera peut-être la même chose de nos scalpels ou de nos lavements barytés !

***

— Il aurait vraiment fallu que vous alliez à l'hôpital, dit l'agente Vale, qui marchait aux côtés de Quentin.

— Ça va ! Ça va ! Je peux en prendre ! rétorqua le jeune homme avec orgueil, même s'il n'allait pas avouer qu'il avait les jambes molles et un mal de tête carabiné.

Tout plutôt que le retour à la routine du métro-boulot-dodo ! L'histoire du trépan le fascinait. Un fou de Moyen Âge comme Strickland tué par un artéfact du Moyen Âge…

— Vous avez été très chanceux, déclara Kristen Vale avec empathie. Vous auriez pu subir le même sort que le sénateur Strickland.

— Les agents de sécurité sont arrivés juste à temps ?

— Tout à fait. Un appel anonyme reçu à nos bureaux de l'autre côté de la rue. Comme quoi on avait tué quelqu'un en haut de la tour. Et qu'une deuxième agression était en cours.

— Merci à qui de droit.

— Malheureusement, le coupable avait fui.

— Comment a-t-il pu éviter les postes de garde ?

— En empruntant l'escalier des ouvriers. Ils montent et descendent sur les échafaudages à l'extérieur de la tour. Des centaines de mètres d'échafaudages recouverts d'un cocon blanc. Avec la bonne clé, on y accède discrètement.

— Qui peut m'en vouloir ? Je ne vois aucun motif, je mène une vie plutôt monotone. Je n'ai même pas l'occasion de me faire des ennemis. Je laisse ça aux députés.

— J'ai des réponses pour le qui et le pourquoi de l'agression. Vous avez interrompu le meurtrier, qui a dû prendre peur en vous voyant déjà comme témoin à charge lors de son procès.

— Mais je n'ai rien vu.

— On a un suspect ; c'est une simple question de temps avant qu'on ne l'arrête.

— Qui ?

— Une connaissance du sénateur qui l'aurait accompagné jusqu'au belvédère. Il portait un sac qui pouvait contenir une arme. Mais si c'était ce trépan, il aurait dû faire sonner le détecteur de métal à l'entrée de l'édifice du Centre. Depuis le 11 septembre, il y en a à l'entrée de tous les édifices de la colline, comme dans les aéroports.

Quentin réfléchit :

— Je crois savoir d'où il vient ! s'écria-t-il d'un ton triomphant. Si j'ai raison, il n'aurait pas eu à franchir les barrages de sécurité !

Il entraîna la policière vers les locaux du Sénat, dans l'aile est de l'édifice du Centre.

Décidément, l'artéfact du Moyen Âge fascinait Quentin. Il était partagé entre le goût de fuir ces lieux devenus dangereux pour lui et une curiosité incontrôlable causée par sa passion pour l'histoire.

Il imagina Robin qui satisfaisait sa propre passion au Yukon, malgré l'isolement et les animaux sauvages, loups et grizzlys, et malgré leur amour abandonné derrière elle…

Tout à coup, Ottawa devenait aussi intéressant que des fouilles au Yukon pour découvrir des indices du passage des premiers habitants de l'Amérique en provenance des steppes mongoles, qui avaient traversé le détroit de Béring au temps de Kublai Khan. C'était un juste retour des choses que sa vie à lui s'animât elle aussi.

— Voilà, c'est ici ! annonça Quentin, devenu guide après avoir retiré son collier cervical.

Revenus au rez-de-chaussée, ils avaient traversé l'édifice du Centre.

L'indexeur avait précédé l'agente Vale dans le bureau du sénateur Strickland. Situé au nord, on y jouissait d'une vue imprenable sur l'Outaouais et sur les collines de la Gatineau. Mais à cette heure – 2 h, le matin du 4 juin –, il n'y avait que des scintillements dans le quartier du Vieux-Hull endormi.

– C'est bien ce que je pensais, déclara Quentin avec une solennité involontaire.

Il désigna une armoire vitrée occupant un pan entier du bureau. À l'intérieur : masse d'armes, dagues, piques, cuirasse luisante.

– Collectionneur, le sénateur, en déduisit la jeune femme. Comment le saviez-vous ? Vous vous connaissiez ?

– Non, pas personnellement. J'avais visité son bureau avec d'autres employés lors d'une journée portes ouvertes comme il s'en tient deux fois par année. J'étais tombé en amour avec sa vitrine.

– En effet, vous semblez avoir raison. Il y a un espace vide.

– Il y a deux places vides, en fait. Voyez les plaques : une arbalète et le fameux trépan manquent à l'appel !

– Vous voulez dire qu'on aurait tué le sénateur avec ses propres vieilleries de musée ?

Quentin était tout à fait réveillé. Ses découvertes le grisaient malgré la peur de mourir bêtement, sans savoir pourquoi, et malgré la douleur qui lui sciait les épaules.

Vale le vit se masser le haut des bras.

– Vous avez des crampes ? lui demanda-t-elle.

– Les articulations.

– Le traumatisme de l'attaque… Vous auriez dû aller à l'hôpital.

– Non, on m'a aidé à faire un faux mouvement, disons. Pendant que quelqu'un m'enfonçait la tête entre les jambes, un autre me tirait les bras au-dessus de la tête, mais attention, par l'arrière, s'il vous plaît ! J'ai failli vomir à cause de la douleur.

– Ils étaient donc deux. Vous êtes certain de ce que vous dites ?

– Oui, oui.

– Les bras au-dessus de la tête ? Vous en êtes sûr ?

— Sûr et certain. Pourquoi ? Ça semble vous intriguer.

— C'est que ça me rappelle quelque chose.

Vale eut l'air de se plonger dans ses pensées avant de reprendre :

— Cette prise a été célèbre dans les milieux de l'espionnage pendant la guerre froide. On l'a même appelée la prise « aile de poulet ».

— Je peux vous dire que ça n'a rien à voir avec le Moyen Âge, en tout cas.

— On ne sait jamais, mais si vous le dites… C'est comme ça, en tout cas, que les agents du KGB immobilisaient les espions surpris en flagrant délit près d'un *dead drop*, d'une cache à documents, au parc Gorki.

— Que vient faire le KGB là-dedans ?

— Peut-être que d'anciens membres se souviennent de leur formation. Tout ce qu'on peut dire, c'est qu'il y a deux *modus operandi* superposés dans cet attentat : les signatures à caractère médiéval et, tout à coup, cette attaque à la russe.

Pourtant, l'époque des croisades était révolue depuis bien longtemps, et la guerre clandestine menée par le KGB et par la CIA avait pris fin en 1990.

Enfin, c'est ce que pouvaient penser la plupart des gens.

Après avoir examiné les armes anciennes, Kristen Vale porta son attention sur Quentin. Celui-ci eut l'impression de passer à l'inspection, comme lors de l'appel à la base militaire de Wainwright. La jeune femme put confirmer en pensée les renseignements reçus sur Quentin. Malgré qu'il fût passé à un cheveu de la mort, malgré la découverte traumatisante d'un cadavre, il gardait l'esprit clair. Plutôt que de s'évader vers un monde plus serein, il s'engageait visiblement de tout son être, comme la recrue militaire qu'il avait déjà été avant de se lasser de la discipline.

L'enthousiasme du jeune homme confirmait en effet le bref dossier établi sur Quentin DeFoix entre 23 h et 2 h. Vale avait appelé les services de sécurité.

– J'ai un employé du nom de Quentin DeFoix. Carte verte à moitié effacée. Vous pouvez authentifier ?

– Problème avec ces cartes. On les remplace par des blanches, protégées par un meilleur laminage.

– Q-u-e-n… J'épelle, ce n'est pas un nom courant.

– Ça va. Je le connais. Il salue les gardes et envoie des blagues par courriel. Gentil pour un de ces moines travaillant à l'indexation. Un de nos gars qui a plus lu que les autres a commencé à l'appeler « Quentin Durward » parce qu'il aime les épées et tout ça. Oui, Quentin Durward serait le héros d'un bouquin dans lequel l'histoire se passe à l'époque des chevaliers.

– Walter Scott.

– … Euh ?

– Un héros de roman de Walter Scott.

Vale avait été une ado de gymnase et d'aréna. Elle se souvenait cependant de ses lectures scolaires obligatoires. Comme on se souvient toute sa vie d'un premier chagrin d'amour.

Puis elle avait appelé quelqu'un au secrétariat de la base militaire de Wainwright, en Alberta.

– Pouvez-vous m'envoyer son dossier par courriel ?

Le préposé au secrétariat dut réveiller le commandant. L'énoncé du titre et des états de service de Kristen Vale à la GRC calma l'officier, qui promit de rappeler. La vérification du statut de la jeune femme prit peu de temps : quelques pages s'affichèrent rapidement sur son BlackBerry.

« Sa photo de soldat. Il est encore aujourd'hui un adepte du crâne rasé. Plutôt séduisant à sa façon, pensa Vale. Ah ! les fiches du psy de la Défense nationale. »

Le major de la base de Wainwright n'avait pas mis long-temps à cerner sa recrue : type intelligent, voire surdoué, candidat idéal pour des études universitaires gratuites afin de devenir officier, mais peu motivé par la carrière militaire. Goût du risque, tolérance à la douleur au-dessus de la moyenne. Intéressé surtout à se spécialiser. Porté sur l'histoire, celle du Canada, l'histoire générale aussi. Davantage fasciné par les armes du Moyen Âge que par celles utilisées au sein des Forces armées canadiennes. Grande attirance pour les défis.

— Pas mal au courant, le major, constata Vale. Quiconque a tué Strickland avec une arme du Moyen Âge n'aurait donc pas pu faire mieux pour attirer l'attention de l'indexeur.

Elle remarqua que Quentin était devenu fébrile. S'il n'avait pas gesticulé en parlant, on aurait pu voir ses mains trembler. « Normal lorsque, comme lui, on vient d'échapper à la mort. Le corps pompe de l'adrénaline. Le crescendo de sensations fortes va bientôt être suivi d'un épuisement général. »

Comme il semblait tout à fait éveillé, l'esprit alerte, Vale n'eut pas le choix d'obtenir d'autres renseignements à chaud.

— Récapitulons : vous n'avez rien remarqué à part cette prise du KGB ? Quelque chose d'autre ?

— Non. Ou plutôt, oui. Enfin, non, catégoriquement non…

— Oui ou non ?

— C'est que… J'ai dû imaginer des choses. J'ai cru voir un oiseau parmi mes agresseurs, un oiseau portant un tablier de caoutchouc. Laissez tomber.

— D'accord. Que faisiez-vous en haut de la tour à cette heure ?

— Le sénateur m'avait invité à le rejoindre. Il disait avoir quelque chose à me montrer.

— Vous avez une idée de ce que c'était ?

— Non, pas la moindre. Il était mort quand je suis arrivé.

– Pourquoi en aurait-on voulu au sénateur ?

– Tout ce que je sais, c'est qu'il présidait le Comité du patrimoine du Sénat. Le seul sujet d'étude de ce comité était la rénovation des édifices en cours en ce moment.

– Ça ne doit pas être le comité le plus *hot*.

– En effet, rien de politique. Pas de secrets d'État comme aux Comités de la défense nationale ou de la sécurité publique, où on siège souvent à huis clos. Surtout quand on convoque des agents comme vous, madame Vale, pour leur faire avouer leurs mauvais coups.

– J'imagine qu'on doit parler des pierres d'architecture à ce comité ? En passant, il y en avait une de détachée au-dessus de l'échafaudage où on vous a trouvé. Vous étiez au courant ?

– Oui. Il se peut que la polisseuse des restaurateurs ait arraché le ciment des joints.

– Qui le saurait ?

– Le conservateur en chef, le docteur Rusinski. Mais attendez… Le message du sénateur Strickland mentionnait une « découverte sensationnelle » en haut de la tour. C'était peut-être sous cette pierre ?

– Nous allons appeler le docteur Rusinski. Pour le moment…

La vibration de son cellulaire empêcha Vale de terminer. Elle ne fit qu'écouter un rapport avant de revenir à Quentin.

– Le service de sécurité est formel : le sénateur Strickland est monté à la tour vers 22 h, après une séance de comité. Il était accompagné d'un homme qui portait un sac pouvant contenir plus que des documents, un trépan, par exemple.

– C'est qui ?

– Vous connaissez peut-être cet homme ? Il s'appelle Tristan Plantagenêt.

Quentin sursauta. Ce nom le ramena un an en arrière.

– Tristan Plantagenêt ? Bien sûr. Il a dirigé mon mémoire de maîtrise sur l'histoire d'Ottawa, puis ma thèse de doctorat sur les effets de la mort noire au Moyen Âge. Je ne peux pas croire que c'est un meurtrier.

Vale ne répondit pas. Elle avait noté un détail qui l'intriguait.

– La mort noire ? dit-elle en écho.

– Oui, une épidémie a causé une hécatombe en Europe au milieu du XIVe siècle.

– Une épidémie de quoi ?

– Une épidémie de peste, laissa tomber le docteur en histoire.

Il savait que le mot « peste » n'était plus aussi effrayant de nos jours. VIH, sida, SRAS, grippe aviaire, grippe porcine, Ebola : tout cela était beaucoup plus d'actualité. Il ne s'attendait donc pas à une réaction de la part de la policière. Aussi fut-il surpris de constater le trouble de Kristen Vale.

– La peste ? *Jesus* !

Elle faillit s'étrangler. Elle récupéra son BlackBerry dans la poche intérieure de la veste de son tailleur et le consulta.

Elle avait entendu parler de la peste, pour la première fois de sa vie, le jour précédent. C'était dans une note de service de la Division A du Service de la police criminelle de la GRC, à Ottawa, qui avait été transmise aux diverses agences de sécurité en ville et dans les pays alliés.

DE : CCSSN
À : SSRBCP
Pour votre information : reçu le 3 juin à 13 h

DOCUMENT CLASSIFIÉ GRC CAN/RU/USA/AUS
STRICTEMENT CONFIDENTIEL

SUJET : *Cas de peste*
TEXTE : *DISSÉMINATION ET EXTRACTION DE*
L'INFORMATION PAR LE DESTINATEUR

SECRET
REL. RCMP

Eu égard au partage d'information qui est de mise dans le cadre du Comité de coordination des services de sécurité nationale (CCSSN), un avis d'alerte jaune est en vigueur quant à divers cas de peste signalés à Kingston et à Ottawa.
Sujet à confirmation : possibilité d'attaque terroriste
Classé hautement confidentiel
Consigne pour tout agent de communication : parler de pandémie de grippe ou, de préférence, nier les faits.

Vale avait aussitôt songé aux liens possibles entre ce message et l'état de santé de Grady. Mais il n'y avait aucun rapport, bien sûr. Grady n'avait pas les symptômes manifestés par les collégiens et le professeur de Kingston. Cependant, il pouvait mourir, lui aussi.

Depuis les événements de la tour de la Paix, Quentin voyait en Vale une lieutenante de la GRC ou encore une agente en civil des services de sécurité du Parlement. Il y en avait à toutes les portes en permanence, pour appuyer les gardes en uniforme. Mais au contraire de ces derniers, les agents en civil portaient une arme sous leur veston.

Cependant, si Quentin avait pu apercevoir l'écran du BlackBerry, il aurait su à qui il avait affaire en la personne de Kristen Vale. Le message affiché était adressé au service de sécurité du Conseil privé, le plus puissant et le plus craint dans le nid d'intrigues qu'est Ottawa, bien au-delà du Service canadien du renseignement de sécurité (SCRS), du Centre de la sécurité des télécommunications (CST) ou de la Défense nationale.

Kristen Vale regarda avec insistance le jeune homme s'éloigner sur sa bicyclette. Elle avait son cellulaire à l'oreille.

– Quentin DeFoix vient de quitter la colline parlementaire, dit-elle en s'éloignant des autres policiers attirés au Parlement par le meurtre. Il sera chez lui dans dix minutes max. Vous avez fait le nécessaire pour son appartement?

– [...]

– C'est ce que je voulais. Une affaire vite faite, sans avoir à percer des trous dans les murs ni à dévisser le téléphone ou la lampe. Le Smart Dust est un senseur fait de faisceaux de lumière de silicone qui se répandent dans l'air et balayent les lieux pour indiquer tout mouvement humain ainsi que le spectre de chaleur dégagée.

– [...]

– Vous en doutez? C'est vrai que c'est un gadget qui sort de la recherche et du développement de Berkeley. Mais il faut vivre avec son temps. Vous allez voir, les particules que vous avez libérées dans l'air de l'appartement vont transmettre des données pendant des jours.

– [...]

– Bravo pour votre vitesse d'exécution. Il ne faut pas perdre ce type de vue, pour sa sécurité et pour notre plus grand bien. Je ne voudrais pas qu'il fasse l'objet d'un autre attentat. Protégez-le comme la prunelle de vos yeux, jusqu'à nouvel ordre.

Elle consulta sa montre.

– Ce qui compte, c'est que son appartement soit quadrillé au cours des prochaines heures, le temps qu'il récupère. Ensuite, j'irai le chercher et je resterai sur ses semelles. Il sait plus de choses. L'attaque a peut-être provoqué une amnésie partielle, ça va lui revenir.

Elle expira bruyamment pour se relaxer. Elle regagna le hall sous la tour de la Paix, où se tenait un caucus d'enquêteurs. Elle n'allait pas dormir cette nuit. Peut-être demain.

– Il y a une distributrice ? demanda-t-elle à un garde. Une distributrice avec des canettes d'énergisant ? Ça fait plus *cool* que le café !

Désaltérée, elle composa sur son cellulaire le numéro du docteur Plantagenêt à sa demeure du quartier Glebe. Personne ne répondit. Après dix sonneries, elle raccrocha, sûre à ce moment que Plantagenêt n'avait pas de répondeur.

Ensuite, elle appela le docteur Rusinski. De nouveau, pas de réponse. Mais cette fois-ci, un message enregistré se fit entendre après quatre sonneries. À la grande surprise de l'agente, la voix ne confirma pas qu'elle avait joint la résidence de Rusinski. On ne lui proposait même pas de laisser ses coordonnées.

En fait, Kristen Vale ne comprit rien au charabia du message. Elle l'aurait pris pour un mot d'esprit d'intellectuel ou pour une plaisanterie d'étudiant attardé n'eussent été les circonstances : « *Gavocciolo é i mortalis. I am Rusinski's and Strickland's becchini. Se lou meritavo !* »

La communication fut interrompue.

« Était-ce Rusinski ? Avec ce nom originaire de l'Europe de l'Est, on se serait attendu à du russe ou à du polonais, se dit-elle. Ça me semble plutôt être de l'espagnol ou de l'italien. »

C'est alors qu'elle comprit la logique des événements récents.

« Les langues étrangères, sans doute européennes, l'arme du crime issue du Moyen Âge européen, une victime collectionnant ces mêmes armes, un témoin ayant fait son doctorat en histoire… On dirait que ce Quentin DeFoix ne peut pas être plus dans son élément. Il n'est pas mêlé à ça par hasard. "Il n'y a pas de fumée sans feu", dirait mon ancien patron de la GRC, Preston Willis. Moi, je dis que DeFoix est plongé dans les emmerdes jusqu'au cou. Plus que ça, tu meurs. »

Chapitre 10

Appartement de la rue Charlotte, Ottawa

4 juin, 18 h 30, 3e attaque de mise en garde, 48 heures avant l'attaque finale

Quentin DeFoix quitta son bureau à la Chambre des communes un peu plus tard que d'habitude.

Sa superviseure, qui savait au sujet du départ de Robin, interpella l'amoureux malchanceux en le voyant sortir de l'ascenseur du hall, au rez-de-chaussée.

– Tu es sûr que ça va, Quent ?

– Oh ! Oh ! répondit-il avec une grimace qui laissait sous-entendre tout le contraire.

– Hé ! Elle va te revenir, ta Robin ! ajouta l'autre, jamais à court d'énergie pour consoler ses employés dont la vie privée chancelait de façon régulière. Elle est au Yukon pour un stage, seulement pour un stage.

« Je sais : on pourrait même dire qu'elle fait un stage d'une journée ! pensa Quentin avec dépit en enfourchant son vélo de montagne. Sauf qu'à Whitehorse, les journées durent six mois ! »

D'après lui, il jouait de malchance chronique. Abandonné par Robin, il avait ensuite été largué par Kristen Vale. Il aurait aimé en savoir plus sur l'agression de la tour, mais les services de sécurité n'avaient pas voulu lui révéler les dessous de cette affaire.

« Est-ce que je suis un *nerd*, un rat de bibliothèque ? » se répétait-il dans sa tête.

Quentin habitait un vieil immeuble de brique de la rue Charlotte, fini à la peinture à l'huile. Situé à l'extrémité est de l'ancien quartier huppé de la Côte-de-Sable en voie de rénovation, son appartement bordait la rivière Rideau. Le charme vieillot de l'édifice attirait toujours les étudiants désargentés, mais notre diplômé en histoire commençait à trouver un peu trop lourde la ressemblance avec Londres pendant le blitz, en 1940. Le vieux bâtiment tranchait avec les condos ultramodernes le séparant de l'ambassade de Russie, un bloc bleu-gris d'allure sévère qui dominait le parc Strathcona en contrebas.

« Est-ce que je suis un *nerd* ? »

Quentin aurait aussi bien pu se dire : « Être ou ne pas être ? » La pire chose à Ottawa, c'était de ne pas être au courant. Malheureusement, il ne pouvait qu'avouer son ignorance au sujet des mobiles derrière la mort de Strickland. Pour se consoler, il se remémora une histoire qu'on lui avait confiée à une époque pas si lointaine, avant la *glasnost*, au sujet de l'ambassade d'URSS, sa voisine.

Dans les cocktails et les réceptions politiques, Quentin aimait rappeler la frénésie qui s'était emparée des diplomates de l'ancienne URSS lors de la construction des condos. Les pauvres Soviétiques craignaient que les bétonnières ne déversent des pelletées de micros dans les fondations de ces nouveaux immeubles.

Chat échaudé craint l'eau froide, se moquait-il alors devant ses collègues. Le KGB n'avait pas oublié que les équipes d'ouvriers ayant érigé les condos avaient été infiltrées par des agents du

Centre de la sécurité des télécommunications du Canada pour installer des dispositifs d'espionnage. Une fuite avait révélé l'affaire et tout avait été retiré.

Un jour, son anecdote était parvenue à l'oreille d'une employée des Affaires étrangères. Elle avait regardé son cocktail, puis Quentin, en renchérissant d'un air blasé :

– Écoutez, ce n'est pas surprenant que ça arrive à Ottawa. On est proche de Washington, après tout, et en plus, ces temps-ci, il règne une paranoïa majeure entre Moscou et Washington au sujet des ambassades.

– La guerre des ambassades, avait approuvé Quentin, un lecteur avide. Le président Ronald Reagan avait menacé de démolir l'ambassade américaine en URSS parce qu'il y avait autant de micros dans les murs que dans les stocks d'équipement entreposés au siège moscovite du KGB, place Dzerjinski.

La fonctionnaire des Affaires étrangères, du « Département » comme on l'appelait, n'avait pas montré qu'elle était impressionnée. Elle avait continué comme si ces révélations allaient de soi :

– Et il paraît que les Soviétiques ont rétorqué en disant que le tunnel rempli d'agents équipés d'écouteurs sous leur nouvelle ambassade à Washington n'était rien comparativement à l'utilisation, par l'entrepreneur local, d'une peinture spéciale capable de relayer les sons.

En se rappelant ces détails, Quentin était loin de se douter que c'était lui qui faisait maintenant l'objet d'une surveillance.

Ses pensées avaient pris un cours plus léger alors qu'il pédalait. Mais en approchant de son immeuble, des détails liés à Robin le frappèrent. La porte vermoulue entrebâillée qui grinçait et qui faisait rire Robin, le portique exigu où ils s'embrassaient et se déboutonnaient par défi en espérant être surpris, l'encombrement de bicyclettes sans roue avant enchaînées à la rampe d'escalier, parmi lesquelles l'hybride de Robin brillait maintenant par son absence.

Par acquit de conscience, il tendit l'oreille devant la porte de son appartement. Pas de musique du CD de U2 qui la faisait *triper* avec sa foi en l'humanité, tout comme celle de John Lennon. Il se décida à entrer.

Les restes de son déjeuner sur la table chromée ancrèrent sa certitude d'être complètement seul au monde. Il vérifia aussitôt son répondeur, qui n'affichait aucun nouveau message. Pas de Robin. Avec toutes ces heures de clarté dans l'hémisphère boréal et en tenant compte du décalage horaire, elle pouvait encore travailler sur le terrain pendant des heures.

Il alluma la télé où passait un film d'horreur des années 1950. Le cri de la victime d'une énorme araignée le glaça. À un autre moment, il aurait été enchanté de voir ce film de série B en noir et blanc. Mais il avait l'impression que Robin était cette araignée en train de lui vriller le crâne.

Fourbu, il se jeta tout habillé sur le matelas étendu par terre. Il eut la chance de s'endormir aussitôt.

Il fit le même rêve que la nuit précédente, encore étourdi par l'agression survenue sur la tour. Il tombait dans un gouffre au fond duquel bouillonnait une eau tourmentée par des remous. Il ne se noyait pas. Dans la scène suivante, il parcourait un livre à couverture rigide dans un marécage ou sur le lit d'une rivière asséchée. Une impression d'absurdité subsista tout au long du rêve plutôt que la frayeur du cauchemar. Sur la berge, un point noir grossissait jusqu'à devenir une silhouette aux traits imprécis. Une femme, sans aucun doute, à cause de la longue robe anthracite. S'en dégageaient sécurité et triomphalisme. Seul l'enchaînement rapide d'événements récents dans sa vie allait l'empêcher d'analyser ces images récurrentes.

Pendant ce temps, un autre cauchemar prenait forme dans la réalité. Sans que le dormeur s'aperçût, des présences s'animèrent dans l'appartement. Elles ne pouvaient pas être perçues par les senseurs disposés à l'insu du locataire par les services secrets, car elles étaient trop légères. Elles étaient arrivées là quelques jours auparavant, juste après la recherche qu'il avait faite pour le sénateur Strickland.

Déversés sous la forme d'œufs microscopiques par la fenêtre ouverte près de l'escalier d'urgence, puis gobés par l'aspirateur, les œufs s'étaient métamorphosés en larves. Celles-ci s'étaient nourries de la peau morte et des chiures de mouches et d'araignées qui ne manquaient pas dans ces vieux appartements, constituant une grande partie de la poussière accumulée dans le sac de l'aspirateur.

Une fois devenues des puces, les petites créatures ressentirent le besoin d'une nourriture plus substantielle. Le sang d'un mammifère, par exemple. C'est alors que leurs capteurs, pareils à ceux des moustiques, perçurent le souffle d'un corps saturé de dioxyde de carbone. En suivant l'odeur, elles remontèrent le boyau de l'aspirateur et sortirent dans l'armoire à balai. Elles étaient des milliers, comme on en voit attaquer des cases sans fondations sous les tropiques. Un commando se déplaça en avant-garde vers la cuisine, franchit le passage mitoyen, puis déboucha dans la chambre à coucher.

Malgré leurs deux gros yeux, les puces n'enregistraient que de faibles éclairs de lumière. En plus de capter les émanations respiratoires, elles se fièrent aux vibrations de la respiration de l'homme endormi, transmises par le plancher.

Parvenues au pied du matelas, elles n'hésitèrent pas à s'arc-bouter sur leurs longues pattes velues. Celles-ci étaient assez puissantes pour permettre aux puces d'exécuter un saut d'une vingtaine de centimètres. Certaines atterrirent sur le bras gauche de Quentin, d'autres, sur son torse nu, d'où elles migrèrent vers les aisselles et le ventre.

En quelques secondes, leur bouche se mit à l'œuvre. Deux fonctions s'enchaînèrent : la succion du sang chaud qui gonflait leur abdomen et la régurgitation d'une salive empêchant la coagulation. Comme chez les moustiques, encore une fois.

À cause de cette régurgitation dans les plaies, le sujet parasité allait d'abord souffrir de démangeaisons. Puis apparaîtraient des pustules si ces puces avaient préalablement sucé le sang d'un rat infecté. Ensuite, la mort.

Chapitre 11

En route vers New Edinburgh, secteur nord-est d'Ottawa

5 juin, 5 h 13, un peu plus de 37 heures avant l'attaque finale

— Il y a du nouveau. J'ai besoin de vous, fit la voix de Kristen Vale.

Le cellulaire venait de réveiller Quentin. Il avait l'impression de ne pas avoir dormi plus de dix minutes. L'horloge sur son portable qu'il avait oublié d'éteindre lui indiqua qu'il était à peine 5 h 15 du matin.

Il avait peu et mal dormi. Il avait d'abord eu un sommeil agité. Un cauchemar lui avait rappelé le cadavre du sénateur Strickland. Ensuite, une énorme tarentule s'était installée sur sa tête, l'enserrant de ses huit pattes velues. Les pattes s'étaient changées en trépan, dont la vis sans fin avait foré son crâne.

Enfin, la chaleur estivale l'avait fait suer abondamment sous ses draps.

« La chaleur ? Pourtant, il fait à peine vingt degrés ! »

C'est alors qu'il sursauta. Dans son miroir des toilettes, il présentait le teint cadavérique d'un vampire.

« C'est pire qu'après mes nuits à la taverne ! »

En se lavant les mains, il étendit les bras. Ceux-ci étaient couverts de petits cercles rougeâtres.

«J'en avais déjà hier matin, mais pas autant que ce matin. Je fais peur!»

La question «Est-ce que j'ai l'air du *nerd* que j'étais au bac?» reprenait toute son importance à la vue du désastre de son physique.

«Il faudra que je demande au concierge de réparer la moustiquaire de la cuisine. Évidemment, les maringouins viennent des berges de la rivière, tout près. Ils semblent s'être régalés à mes dépens.»

Il ne trouva pas étrange de découvrir des piqûres sous ses vêtements, les longs dards effilés des moustiques pouvant traverser le polyester de sa chemise d'été.

Ressuscité par une omelette arrosée de café fort, il passa une chemise à manches longues. Inconsciemment, il se protégeait contre d'autres attaques. Puis il descendit. Kristen Vale l'attendait déjà dans une voiture officielle de la GRC, une Chevrolet blanche, comme celles qu'il voyait tous les jours sillonner la colline en face de la rue Metcalfe et près de la porte des députés, à l'ouest de l'édifice du Centre.

La policière remarqua sa pâleur. Elle l'attribua aux événements traumatisants remontant à deux nuits.

— Vous n'êtes pas membre du service de sécurité du sergent d'armes? l'interrogea Quentin, surpris. Alors, vous êtes de la GRC?

La policière chargée de l'enquête occupait le siège du passager à l'avant de la puissante voiture conduite par un agent en uniforme. Elle se tourna vers Quentin, assis à l'arrière. Elle souriait, ce qui laissait supposer qu'elle n'allait pas répondre sérieusement à la question.

— À vous de déduire à quel service j'appartiens. Vous connaissez la procédure parlementaire? demanda-t-elle simplement.

– Euh! un peu, bégaya Quentin, décontenancé. Je travaille sur les débats de la Chambre. J'ai donc ma part de cas de procédure à indexer, mais les meilleurs dans ce domaine sont les greffiers de la DRB.

– La DRB?

– La Direction des recherches pour le Bureau. Elle conseille le président de la Chambre quand il s'agit de prendre des décisions sur la bonne marche des travaux parlementaires… Comme des avocats, quoi.

– La sécurité dans la cité parlementaire est du ressort de plusieurs agences, dit Vale en revenant à la question sur son travail, mais un meurtre, ce n'est pas courant. La DRB pourrait-elle confirmer si ça s'est déjà produit?

– Oui.

– En fait, je me suis renseignée et ça ne s'est jamais produit depuis 1867. La police a bien eu à arrêter deux députés dans le passé, Louis Riel et Fred Rose, mais pour des activités à l'extérieur d'Ottawa.

Vale ne s'intéressait ni à la procédure parlementaire ni à l'histoire, aussi mit-elle fin à ses explications sur ces propos énigmatiques pour Quentin.

– Alors, vous êtes de la GRC? redemanda-t-il, entêté comme un détective.

– Si je suis de la GRC? À votre avis, si j'enquête sur le meurtre de la tour, qu'est-ce que ça signifie? Laissez-moi vous aider. Je vous pose une colle : la Division A de la GRC à Ottawa s'en tient normalement à patrouiller à l'extérieur des édifices et n'entre pas à l'intérieur. Un corps accroché à une gargouille de la tour de la Paix, est-ce à l'intérieur ou à l'extérieur?

L'indexeur préféra éviter le sujet à son tour. Ça semblait d'ailleurs être le but de la jeune femme.

– Où allons-nous?

La voiture avait traversé la rivière Rideau vers l'est. Elle poussa sur Beechwood. Quentin supposa qu'ils allaient dans le quartier de Rockcliffe Park ou de New Edinburgh, équivalents de Westmount ou des Hamptons à Ottawa.

— Nous filons chez Stanislas Rusinski, répondit Vale de façon laconique. Il demeure au « Burgh ».

— Le responsable des travaux de restauration ? Vous l'avez joint ? Il a pu vous dire ce qu'il a transmis au sénateur Strickland qui l'a tant énervé ?

— ... et qui a pu entraîner sa mort et presque la vôtre ? compléta Vale. Oui, en quelque sorte. Voilà pourquoi on a besoin de vous.

— Besoin de moi ? Je ne connais pas Rusinski. Plantagenêt, oui, mais pas le restaurateur.

Vale cliqua sur l'ordinateur monté sur une console pivotante fixée entre elle et le conducteur. En étirant le cou, Quentin put détailler l'écran. Il fut frappé d'y voir sa propre photo en couleurs.

— Un dossier qu'on a constitué en hâte la nuit dernière, expliqua Vale en voyant son étonnement. La photo vient de votre carte d'identité de la colline. Un tas d'autres renseignements datent de votre séjour dans l'armée, dont votre profil génétique.

Quentin fit la grimace.

— Qu'est-ce que vous faites de la Loi sur la protection des renseignements personnels ? jeta l'indexeur, sachant que le sujet des dossiers privés était hautement politique et très controversé.

— Et la Loi sur l'accès à l'information ? lui renvoya Kristen Vale comme un revers brossé au tennis.

Elle dressa son gros majeur droit vers un taxi qui venait de les couper.

– Désolée. Le plus intéressant pour nous, c'est que vous avez un doctorat en histoire médiévale. D'après le département d'histoire de votre université, vous êtes *la* sommité internationale dans ce domaine. Curieux que vous n'enseigniez pas, nous a-t-on dit.

– Pas ma tasse de thé, l'enseignement, bredouilla Quentin, comme s'il avait eu à se convaincre lui-même maintes fois auparavant.

– Pourtant, à ce qu'on m'a dit, on peut facilement aller se chercher un salaire dans les six chiffres, à l'université.

– D'abord, il faut avoir la permanence et, pour cela, il faut publier à tout prix.

– Vous ne vouliez pas écrire, c'est ça ? Avec les recherches à la bibliothèque et tout, ce n'est pas plus compliqué qu'au bureau des indexeurs, non ? Vous lisez à longueur de journée au bureau des indexeurs, je me trompe ?

– On lit les délibérations des députés. Ce n'est pas comme lire un roman de Kathy Reichs ou de John Farrow. N'empêche que les travaux de la Chambre peuvent être aussi échevelés qu'un polar, surtout lorsque quelqu'un croit avoir mis au jour une histoire de pots-de-vin et que d'autres croient que ces faussetés ont pour but de les discréditer.

– Enfin, grâce à votre doctorat, vous êtes le type rêvé pour nous aider à déchiffrer ce qu'on a trouvé chez Rusinski. Vous êtes sûr que vous ne savez pas pourquoi on vous a fait monter en haut de la tour de la Paix ?

Quentin secoua la tête. Au lieu de répondre, il posa une question :

– Déchiffrer quelque chose chez Rusinski ? Lui, il ne peut pas le faire ? Il est mieux placé que moi !

– Non, il est mort, et de façon bizarre. Très bizarre.

Chapitre 12

Stanley Street, New Edinburgh (Ontario)

5 juin, 5 h 51, un peu moins de 37 heures avant l'attaque finale

Des voitures de la police d'Ottawa encombraient déjà l'allée menant à la maison de Stanislas Rusinski. Au lieu de se garer en double file sur la rue étroite, à côté d'autres retardataires parmi les policiers municipaux, Vale continua sans s'arrêter.

— Les gens du « Burgh » ne mettent même pas leurs sacs-poubelles sur le trottoir pour ne pas déparer le décor, dit-elle en guise d'explication. Il ne faudrait pas en plus qu'on leur bloque le passage dans la rue. Le maire en entendrait parler.

Comme pour appuyer les craintes de Vale, un homme dans la soixantaine, tirant sur la laisse de deux boxers, passa devant les voitures garées pêle-mêle en lançant des regards assassins vers les policiers. Pour lui, c'était sans doute de la pollution.

Après s'être stationnés dans une rue transversale, Kristen Vale et Quentin revinrent vers la résidence de Rusinski. Cela leur permit de mieux détailler la maison.

— Quelle horreur ! se plaignit Vale en saluant la sentinelle en uniforme à l'entrée. J'aime encore mieux le nid à feu où je suis née, au-dessus de la boutique des disciples d'Emmaüs, rue Wellington Est !

La demeure était une construction moderne, voire excentrique, en pin Douglas de la Colombie-Britannique. On aurait dit des boîtes vitrées superposées de façon fantaisiste, qui rappelaient Habitat 67, véritable sculpture architecturale érigée à l'occasion de l'Exposition universelle de Montréal, en 1967. Une moitié de la façade s'avançait vers la rue, tandis que l'autre s'enfonçait comme s'il se fut agi d'un logis séparé à l'arrière.

– On dirait un jeu de Lego.

Les blocs asymétriques étaient cernés de massifs en fleurs. Vale s'y engagea en faisant remarquer :

– Des voisins ont dit qu'il fertilisait ses *irisis clementis* une fleur à la fois avec des Q-Tips.

– Il faisait la même chose au Parlement, je suppose, dit Quentin. Je veux dire, il devait lécher les murs pierre par pierre pour leur donner une deuxième jeunesse.

– Mais ici, l'architecture n'est pas gothique. C'est même considéré comme inacceptable dans le « Burgh ». Certains anciens lèvent le nez devant ça et se sont plaints au conseil municipal de ce qu'ils appellent la « yuppisation » sauvage de leur quartier.

Quentin se rappela la réaction du promeneur aux boxers. Rusinski devait être considéré comme une verrue sur une peau de pêche. Si le restaurateur attirait en plus la police, les voisins devaient avoir épuisé le peu de patience qu'il leur restait.

Quentin nota un détail étrange sur la façade. Un élément de décoration jurait, même avec le style criard de la résidence.

– Regardez, agente Vale. Ne me dites pas que c'est une des extravagances de la « yuppisation » ! dit Quentin en désignant la porte principale.

Ils avaient devant eux le premier signe que quelque chose de grave s'était passé dans ces lieux. Une grande croix rouge avait été badigeonnée de bas en haut, le long du montant, entre les carreaux vitrés.

– Les voisins frustrés ont-ils jeté un sort sur la maison? ajouta-t-il. Vous croyez que c'est du sang?

– C'est du sang. Le luminol est formel.

– Ah ouais? *No shit!* Pas… pas celui de Rusinski?

– Non, le proprio a tout son sang, même si son hémoglobine a été contaminée, comme vous allez le voir. On a vérifié: ça correspond à l'ADN du sénateur Strickland.

– On a vrillé la tête du sénateur et récolté son sang pour faire ça…

– Bien des cultes ont eu pour rite de peindre les portes…

– C'est vrai.

Sur le coup, Quentin ne pensa pas à faire le rapprochement avec la croix de la tour. La croix grossière de la maison, sans doute tracée avec les doigts, avait pourtant les pattes à peu près égales et évasées à leur extrémité. Mais le sang avait coulé jusqu'au bas de la porte et déformé le symbole remontant au Moyen Âge.

Une fois passé le large battant vitré de la véranda, un désordre total régnait. Mais ce n'était pas le désordre maniaque d'un célibataire: les tiroirs et les rayons de la bibliothèque avaient été vidés sur le plancher.

On avait cherché quelque chose. Mais l'avait-on trouvé?

– En passant, dit Vale à l'adresse de Quentin en saluant des collègues, il semble que le coup du trépan sur le sénateur soit plus qu'une mise en scène pour amateurs de films d'horreur.

– Que voulez-vous dire?

– Il se peut que le meurtrier ait voulu faire disparaître un minuscule tatouage sur le crâne nu de Strickland.

– Un tatouage à cet endroit?

– Oui. Assez petit pour que personne ne le remarque, sans doute.

– Comment le savez-vous ?

– Il en est resté quelque chose. Après avoir épongé le sang et fait luire le crâne comme une boule de billard, le médecin légiste a cru lire le chiffre 6. Vous, l'expert du Moyen Âge, ça vous dit quelque chose, le chiffre 6, possiblement précédé d'autres chiffres ?

– Je ne sais pas. Ce qui vient à l'idée de tout le monde, c'est la série 6-6-6.

– Une série ? Oui, ce serait possible. Mais pourquoi 6-6-6 ?

– C'est la marque de la Bête dans le Livre des Révélations, à la fin du Nouveau Testament.

– Ah oui ! Je me souviens : le petit Damien dans le film *The Omen* portait ce symbole sur son cuir chevelu. Mais n'était-il pas ?…

– Le diable, oui. On associe la Bête et la série 6-6-6 à Lucifer depuis toujours.

– Quel rapport avec la collection d'artéfacts médiévaux du sénateur ?

– Je ne vois pas le rapport au premier coup d'œil. Le nombre 666 n'était pas particulièrement populaire au Moyen Âge. Tout comme le diable. La mort était plutôt vue comme une bouffonne prenant la forme de squelettes.

– Des squelettes avec une faux ?

Quentin la regarda avec insistance, tout surpris de cette déduction.

– Tout à fait, comment le savez-vous ?

Vale sourit et se déplaça latéralement de quelques pas. Elle avait masqué une gravure encadrée sur le mur, au pied de l'escalier.

Il s'approcha pour mieux voir. Il reconnut sur une affiche achetée au Musée des beaux-arts une gravure du dessinateur allemand Holbein représentant justement un squelette recouvert d'une cape et portant une faux sur l'épaule.

— Un macchabée épinglé sur le mur, c'est assez particulier comme décoration de maison, remarqua la femme.

— Les maniaques voient leur passion dans leur soupe, expliqua Quentin en parcourant l'affiche du doigt, comme s'il s'agissait d'un précieux artéfact que des archéologues auraient exhumé d'un site de fouilles.

Lui-même avait des goûts particuliers. Des gravures montrant les grandes périodes de l'histoire, de l'âge de bronze à l'an deux mille, avaient recouvert les murs de sa chambre chez ses parents. De crainte de paraître idiot aux yeux de la policière, il préféra retourner à la description anthropologique des mœurs du Moyen Âge. C'était moins compromettant.

— Remarquez, agente, que dans les représentations médiévales de la mort, un squelette se faufile derrière le pauvre vivant. Celui-ci, surpris, se retourne et croise alors le regard de la mort qui l'hypnotise. Puis, la mort l'invite en prononçant ces mots : « Venez *tost* et me regardez ».

— Qu'est-ce que ça veut dire ? « Venez porter un toast » ou « Venez vous faire cuire une toast » ou quoi encore ?

— Non, pas un toast. « Venez *tost* et me regardez », c'est la formule d'invitation employée par la mort. C'est du vieux français. Dès qu'il y a contact visuel, même furtif, la mort considère que l'invitation est acceptée.

— Du vieux français ? répéta Vale en se rappelant le message du répondeur de Rusinski qu'elle avait rapproché de l'italien. Pas réjouissant.

— Les gens avaient peur à cette époque, mais ils n'étaient pas horrifiés. Le squelette était un peu vu comme le dentiste aujourd'hui. Un rendez-vous désagréable, peut-être, mais devant lequel on est fataliste et ironique.

— Donc, pas de diable ? Rusinski ne ferait pas partie d'une secte satanique comme le tatouage de Strickland semble le laisser penser ? Il faudra vérifier son cuir chevelu.

— Non. Pas de diable. C'est étonnant comme on se fait une mauvaise idée du Moyen Âge. Ils n'étaient pas si obscurs qu'on le dit, les *Dark Ages,* et certainement plus amusants qu'on le croit. C'est seulement à la Renaissance qu'on s'est mis à voir le diable dans sa soupe. Par exemple, le poète Ronsard, au XVIe siècle, associe la mort à Satan, et vous savez pourquoi ?

Vale secoua la tête.

— Parce qu'à la Renaissance, à partir des années 1500, les religieux acquièrent plus de pouvoir sur le peuple. La mort est la mort par le péché, ce qui était tout à fait inconnu auparavant. Enfin, on écoutait moins les sermons et on rigolait davantage.

— Dites donc, j'ai bien fait de vous inviter, Quentin DeFoix. Vous allez me déchiffrer tous ces symboles entourant la tour de la Paix et la maison de Rusinski. Si on a affaire à un tueur en série, ça pourrait être important de comprendre sa signature.

Sans manquer une seule parole de l'ancien étudiant, Vale s'était engagée dans l'escalier. C'est après quelques pas à sa suite que Quentin fut assailli par une curieuse odeur. Il l'attribua d'abord aux corolles végétales enveloppant la maison dans un écrin multicolore.

Vale lui remit un masque chirurgical qu'il enfila, non sans hésitation. Les explications de Vale le décidèrent finalement.

— Ce n'est pas pour l'odeur, déclara-t-elle. Il vaut mieux se protéger du bacille. Un spécialiste des maladies extrême-orientales a tout de même confirmé qu'il n'y avait pas de risque de contagion aérienne.

Lorsqu'ils débouchèrent sur un étage à structure ouverte, l'odeur devint plus intense, écœurante.

– La chambre principale, dit Vale.

Alors que les pièces du bas regorgeaient de soleil, la pénombre d'un sépulcre rendait la chambre principale étouffante. De lourdes draperies aux mêmes motifs que les tapisseries anciennes voilaient toutes les fenêtres.

– Attention où vous mettez les pieds ! l'avertit Vale.

Les pupilles encore contractées par la lumière intense, Quentin allait trébucher sur des canettes de bière jonchant l'épaisse moquette bouclée de laine de mouton.

Des gens du bureau du coroner butinaient encore autour du lit à baldaquin situé au centre de la chambre. Kristen Vale dut tirer Quentin par la manche pour qu'il ose s'approcher d'un spectacle qui le glaça.

– L'ex-docteur Rusinski, souffla-t-elle sur un ton neutre.

Ce que Quentin avait pris pour un corps glissé sous les draps lui apparut, une fois rendu plus près, tel un gros cocon blanc. Il cligna des paupières pour mieux focaliser. Il dut se rendre à l'évidence.

– On dirait une momie enveloppée, pensa-t-il tout haut en avalant avec peine. Je rêve ou quoi ? C'est une autre pièce de collection ? dit-il en pensant à la section égyptologique du British Museum.

– Vous ne rêvez pas et ce n'est pas un artéfact, lui assura sa compagne. On a constaté que le drap a été arraché du lit pour emmailloter le corps.

On aurait pu couper l'odeur au couteau. Il ne s'y habituait pas. Ce qu'il vit en s'approchant réussit pourtant à le distraire d'un haut-le-cœur à deux doigts de la régurgitation.

– C'est Rusinski, chuchota-t-il.

Il avait reconnu le visage parcheminé dépassant du drap au bout d'une poitrine creuse aux côtes saillantes. Le nez long et crochu émergeait d'une barbe de plusieurs jours. Mais ce qui frappait le plus, c'était la langue noire et enflée, étendue à la vue de tous, sur la lèvre inférieure.

– Il est mort depuis au moins vingt-quatre heures, déclara une technicienne de l'équipe des scènes de crime.

– De quoi ? demanda Quentin.

– Quelle est la cause de la mort ? l'interrogea Vale à son tour devant les hésitations de la CSI à parler devant un civil.

La CSI désignait de larges taches noires sur le sternum et autour des seins.

– Il paraît qu'il a eu chaud, comme dans une fournaise, et ce, malgré l'air conditionné, continua la CSI, vaguement troublée.

– Peut-être Rusinski l'a-t-il fait exprès ? proposa Vale. Il devait savoir que le fait de se couvrir pour suer peut faire baisser la fièvre. Ma mère faisait ça avec nous.

Quentin resta songeur un moment avant de secouer la tête.

– C'est comme si on l'avait préparé à l'ensevelissement. La coutume perpétuée depuis le Christ jusqu'au Moyen Âge voulait qu'on enterre les morts dans un linceul.

Le médiéviste en lui se réveillait. En fait, tous ces indices n'auraient pas pu le passionner davantage. Il n'écoutait plus quand Vale en rajouta afin de poursuivre son raisonnement :

– Les funérailles en mer se sont faites ainsi jusqu'à aujourd'hui, dit-elle.

– Et ce n'est pas le plus étrange, intervint l'experte légiste.

– Que veux-tu dire, Deirdre ?

– Le drap n'est pas seulement enroulé, serré autour de lui. On l'a refermé avec de gros points de suture de bas en haut.

– On l'a attaché, conclut Vale. On l'a cousu dans ses draps. Une drôle d'idée, mais il faut dire que les tueurs en série ne manquent pas d'imagination.

– Il s'est attaché lui-même, la corrigea Deirdre en grimaçant. La main droite du mort porte encore l'aiguille et les écorchures de ce travail.

– Il semble que la mort de Rusinski ait été mise en scène comme celle du sénateur Strickland, laissa tomber Quentin. Dans les deux cas, ça nous renvoie au Moyen Âge.

– J'avais donc raison : on patauge dans votre domaine de spécialisation. J'ai vraiment bien fait de vous emmener ici.

Distraite un moment par la mise en scène, Kristen Vale s'attacha à un détail du visage du cadavre. Les yeux. Ils n'étaient pas révulsés, mais ils louchaient curieusement.

« L'effet de la mort, je suppose. »

Ce froid regard de poisson accapara son attention jusqu'à ce qu'elle trouve une explication. Si le regard n'était pas droit, c'est qu'il semblait être dirigé vers un coin de la chambre, à la droite du lit. Vale suivit une ligne imaginaire jusqu'au plafond. C'est alors qu'elle aperçut la trappe. Chaque maison, ancienne ou moderne, en avait une.

– Le grenier.

Kristen Vale avait dû réfléchir à voix haute, car Quentin réagit :

– Le grenier ?

– Oui. On dirait que Rusinski est mort en regardant la trappe du grenier.

– Vous croyez que c'est une indication qu'il nous a laissée ?

– J'ai bien envie de vérifier.

L'agente fédérale trouva un petit escabeau de métal dans la cuisine. Elle l'installa sous la trappe et grimpa dessus. Elle repoussa le panneau et se hissa dans le grenier. À cause de l'architecture cubique de la maison, elle n'y trouva pas la charpente habituelle. Mais de la mousse isolante recouvrait le plancher. Vale marcha donc sur ce tapis après avoir allumé sa lampe de poche pas plus grosse qu'un stylo.

– Faites attention, entendit-elle en provenance de la chambre sous elle.

C'était Quentin. Il avait ressenti une soudaine angoisse au souvenir de son ascension nocturne en haut de la tour de la Paix.

– Ça va ! s'écria-t-elle. À part les filaments d'isolant qui me raclent la gorge, il n'y a rien, ici.

Il y avait pourtant autre chose qui l'attendait. Deux choses, en fait.

La puanteur des chairs ravagées par la maladie était tellement forte que son odorat était anesthésié. Mais peu à peu, elle détecta une autre odeur dans le grenier.

– On dirait un parfum, songea-t-elle. C'est un parfum de fleur, mais ce n'est pas la même chose qu'avec le corps de Rusinski. Il y a un fond de citron. Oui, de citron.

– Et alors ? lança Quentin.

– Ça sent le parfum. À la fois épais et piquant. On dirait du citron.

À ces mots, le cœur de Quentin bondit presque hors de sa cage thoracique.

– Mon Dieu ! C'est exactement ce que j'ai senti avant d'être attaqué au sommet de la tour. Faites attention !

Kristen Vale dégaina son semi-automatique. Elle scruta la semi-pénombre, mais ne décela aucune présence humaine. Le nouveau détail l'incita néanmoins à inspecter plus attentivement les lieux.

C'est alors qu'elle faillit buter contre un obstacle. Elle se pencha, s'attendant à découvrir un autre cadavre. Au lieu de cela, enfoncée dans l'isolant, une boîte de carton d'épicerie débordait de bouteilles. Certaines étaient étalées autour, comme si quelqu'un avait fouillé au fond de la boîte.

– Qu'est-ce que ça vient faire ici ?

– Quoi donc ? cria Quentin.

– Des bouteilles ou, plutôt, des fioles.

– Des fioles de quoi ?

– Pour autant que je puisse en juger, elles sont pleines. Les étiquettes… C'est étonnant…

– Quoi ?

– C'est du parfum, toutes sortes de parfums. Un vrai comptoir de cosmétiques comme on en voit dans les parfumeries.

Les petites bouteilles de verre étaient bien fermées. L'odeur de fleur et de citron ne venait pas de là. Accroupie, Vale déposa son arme et se mit à décharger la boîte à deux mains. Elle dut se résigner : cette cachette recelait des parfums de marques connues. Chanel, Ungaro, Laroche. Elle dénombra aussi plusieurs concoctions artisanales et des fioles de végétaux aromatiques étiquetées à la main : fleurs d'oranger, écorce de bouleau, tubercules de chêne…

« Quelle drôle d'idée de mettre ça ici ! La quantité est aussi surprenante. Et ce sont en majorité des parfums pour femmes. Rusinski nous cacherait-il des goûts particuliers ? »

Elle se résolut à descendre en emportant la boîte. Le labo de la GRC s'occuperait de cela.

En bas, Deirdre poursuivait son travail sur la scène du crime.

– Où est DeFoix ?

– Descendu, répondit Deirdre. Il a dit que les taches du corps et le linceul lui ont donné une idée.

Après avoir confié la boîte à un policier, Vale alla retrouver Quentin au rez-de-chaussée.

Elle fut surprise de le voir assis devant l'ordinateur portatif de Rusinski, ouvert sur un bureau d'acajou. Il approcha d'abord son nez des touches du clavier.

– Maintenant qu'on est loin de la chambre, je peux sentir autre chose.

– Le parfum de fleur et de citron qui était dans le grenier ?

– Et sur la tour de la Paix. Oui, c'est ça.

– C'est ce qui vous attirait ici ?

– Non. J'ai cru voir en arrivant… *Yes ! Yes !* s'écria-t-il soudain.

L'écran était allumé. Sous une reproduction du même squelette de Holbein que celui accroché au mur de l'escalier, quelqu'un avait tapé un texte bref.

Gavocciolo é i mortalis
I am Rusinski's and Strickland's becchini
Se lou meritavo !

Quentin lut le message à haute voix, ce qui fit réagir Vale.

– Encore ça ? s'exclama-t-elle.

– Quoi ? dit Quentin, croyant avoir fait une erreur.

– Le répondeur automatique m'a accueillie de la même façon, la nuit dernière, déclara Vale en lisant le texte par-dessus l'épaule de Quentin. Vous y comprenez quelque chose ?

– Je pense que oui, mais ce sont plusieurs langues mélangées. Italien, anglais, provençal. Des langues utilisées au XIVe siècle… Il faut que je vérifie.

Autre surprise pour Vale : son compagnon venait de saisir ces quelques lignes sur son BlackBerry.

– Robin ne prenait pas mes appels de détresse ces derniers temps, mais je pense qu'elle va sauter sur celui-ci !

La curiosité de chercheuse dut en effet l'emporter chez l'archéologue. À genoux dans les lichens du Yukon, elle déposa sa truelle pour confirmer aussitôt la théorie de Quentin.

Ce dernier se tourna alors vers Vale en affichant un immense sourire.

— Mon, hum, amie Robin se spécialise dans les cultures autochtones nord-américaines. Elle a néanmoins suivi le même cours que moi sur les écrits sociologiques des années 1300.

— Et alors ? s'impatienta Vale devant cette rigueur toute scientifique.

— *Gavocciolo* et *becchini,* c'est de l'italien. Or, Boccace, dans son *Décaméron,* a décrit une épidémie mortelle à l'aide de ces mots. *Gavocciolo* désigne les pustules sur la peau, et *becchini,* les ramasseurs de corps et les fossoyeurs.

— Celui qui a écrit ça se veut donc le fossoyeur de nos deux victimes, Strickland et Rusinski.

Quentin tapa une autre question sur son ordinateur de poche. Du moment qu'il ne parlait pas de leur relation, Robin répondait du tac au tac.

— Robin est sûre que les victimes d'épidémie, sentant leur fin proche, sans espoir de guérison, se glissaient dans un linceul et le refermaient elles-mêmes avec des points de suture. Il fallait être bien seul et désespéré.

— Vous parlez d'une épidémie. De quoi s'agit-il ?

— Je parle des épidémies de peste qui ont dépeuplé l'Europe de l'Ouest, à défaut de remède, au début des années 1300 et au milieu des années 1500. La maladie d'alors provoquait les mêmes taches noires que celles de Rusinski, des taches qui avaient d'abord été des pustules et, avant cela, des démangeaisons rougeâtres.

– La… la peste ? bredouilla Vale, qui avait en tête l'alerte jaune déclenchée par la GRC et par le SCRS. Ainsi donc, elle serait bien propagée par des tueurs, par des terroristes !

En tremblant, Quentin souleva la manche de sa chemise.

– Anciennement, c'était transmis aux puces par les rats et aux humains par les puces qui pullulaient dans les logis insalubres.

– À propos de puces, vous semblez avoir été mordu, remarqua l'employée du coroner, Deirdre, en désignant le cou de Quentin.

– C'est vrai, acquiesça Vale, on dirait que vous vous êtes roulé dans de l'herbe à poux. Vous savez ce qui vous a fait ça ? Ça ne ressemble pas à des marques de strangulation. Vous en aviez déjà quelques-unes hier.

Avec frénésie, Quentin releva ses vêtements pour vérifier l'hypothèse de la policière. Il y en avait partout. Sur son abdomen, sur ses jambes…

– C'est peut-être une réaction à votre agression sur la tour, dit Vale pour atténuer la terrible déduction qu'ils faisaient tous, sans rien dire.

La CSI s'était approchée pour examiner la peau du jeune indexeur.

– Ce sont bien des marques de morsure.

– Mais comment ? se plaignit Quentin. Pourquoi moi ?

Il se rappela alors son sommeil agité des deux dernières nuits. Des démangeaisons avaient suivi.

Se rendant à l'évidence, Quentin passa du constat apeuré à la dénégation cynique.

– Je n'ai jamais vu une puce de ma vie, sauf une puce électronique d'ordinateur, et me voilà, à mon tour, à l'article de la mort à cause de ces damnés insectes !

– Je vous emmène à l'hôpital, décréta Kristen Vale. Mais auparavant, je vais voir si Rusinski a reçu des courriels derniè-rement, et de la part de qui…

Il n'y avait que deux courriels dans la boîte de réception. Si Rusinski avait été contacté, les messages avaient été effacés, sauf ces deux-là. Il y avait d'abord le message sarcastique en trois langues qui devait se révéler une sentence de mort. Puis il y en avait un autre, une publicité pour un club de chevaliers. La policière remarqua qu'une fois le message reçu, Rusinski l'avait expédié au bureau de Strickland, au début du mois de juin.

– Un pourriel, réalisa Kristen.

– Un pourriel vous dites ? Faites voir…

Quentin reconnut le pourriel, le même qu'il avait reçu.

Club d'amateurs des chevaliers puklq, Old Chelsea, 6 juin
Pour les détails cliquez ici Club spécial

– C'est donc Rusinski qui avait expédié ce pourriel.

– Des extraits de films américains, constata Kristen Vale. Qu'est-ce que ça veut dire ?

– Seulement que Rusinski était un adepte du Moyen Âge.

– On va essayer de remonter à celui qui l'a envoyé à Rusinski. Pour le moment, vite, à l'urgence !

Quand ils sortirent, Quentin considéra longuement la croix rouge badigeonnée sur la porte qui les avait accueillis auparavant. Ce qu'ils avaient découvert à l'intérieur lui permit d'établir un lien entre ce curieux graffiti et la cause de la mort de Rusinski.

– La peste ! clama-t-il, la gorge serrée. Oui : je veux dire qu'anciennement on désignait les foyers d'infection avec une croix sur la porte, pour prévenir les vivants de ne pas franchir le seuil s'ils ne voulaient pas descendre à leur tour dans le royaume de l'enfer.

— Les coupables veulent vraiment nous ramener dans le passé. Mais pourquoi ces mises en scène ? J'ai vu des tueurs en série utiliser toutes sortes de signatures sur les scènes de crime, mais celle-ci est la plus bizarre.

Chapitre 13

Hôpital militaire d'Ottawa, Alta Vista Drive

5 juin, 8 h 07, moins de 34 heures 30 minutes avant l'attaque finale

Un policier militaire était en faction derrière une barricade improvisée à l'aide de chevalets. En battant des bras, il enjoignit à la voiture banalisée de Kristen Vale de ne pas poursuivre son chemin vers la réception.

— Qu'est-ce que ça signifie ? s'inquiéta Quentin.

— Tout va bien, répondit la conductrice. On nous dirige vers l'arrière. Ce sont les mesures d'urgence. On en avait parlé après les cas du collège privé, mais je ne savais pas qu'elles étaient déjà en vigueur.

Sans attendre l'ambulance, Kristen Vale avait elle-même conduit Quentin depuis la maison de Rusinski jusqu'à l'hôpital.

— Pour aller plus vite, avait-elle expliqué. La rapidité de l'intervention peut être importante.

Elle connaissait l'endroit grâce à un autre avis reçu sur son BlackBerry. Les services de sécurité y avaient emmené les garçons infectés de l'école privée d'Ottawa dans la matinée. Le trajet de New Edinburgh jusqu'au sud de l'autoroute, qui durait vingt minutes en temps normal, aurait pu en prendre le double à l'heure d'ouverture des bureaux. La promenade qui traversait le quartier Vanier du nord au sud était congestionnée par les automobilistes québécois.

L'auto de la GRC avait foncé sur l'accotement, grimpant sur les trottoirs et sur les pelouses publiques bordant la rivière Rideau. Kristen Vale brûla les feux rouges après avoir actionné la sirène.

Derrière l'aile principale de l'hôpital des Forces canadiennes, ils virent que deux tentes avaient été montées. Réservée aux services d'urgence, la plus petite était désignée par la pancarte « Triage – Contrôle des admissions ».

Près de la plus grande, une ambulance de teinte vert pomme déchargeait sa cargaison : un malade sur une civière.

– Je ne suis pas le seul à avoir été piqué, dit Quentin pour se rassurer.

– Des écoliers, grogna Vale en esquissant une grimace. Ils n'ont pas été piqués. La transmission a été faite avec un vaporisateur. L'attaque a eu lieu hier matin et des cas se déclarent encore parmi les enfants.

De loin, les techniciens ambulanciers avaient l'air de mouches géantes à cause du tube de leur respirateur, qui ressemblait à une trompe.

– Des masques anti-CBRE, expliqua Vale. Oui, tout le monde ici porte des scaphandres contre la pollution chimique, biologique, radiologique et environnementale. Je crois que les choses se sont envenimées depuis hier.

Elle avait prononcé cette dernière phrase d'une voix étranglée.

À l'Académie de la GRC à Regina, on les préparait à tout type d'attentat terroriste. Elle avait visionné des vidéos des attaques au gaz sarin à Tokyo.

Puis, avant de quitter la GRC pour le Bureau du Conseil privé, la brigade spéciale du premier ministre, elle avait filé un concierge dans les bureaux de Patrimoine Canada alors qu'il contaminait le buffet à salades et les photocopieurs avec des spores d'anthrax. Cette fois-là, ils étaient arrivés à temps. Ce n'était plus le cas.

Le fait que des vies soient sacrifiées à Ottawa, dans sa propre ville, constituait le pire des scénarios.

— Vous pensez qu'il y a pandémie ? l'interrogea Quentin, la voix éraillée par l'anxiété.

— Il ne devait plus y avoir de place dans la salle de quarantaine à l'intérieur. Quand une épidémie fait rage, les mesures de sécurité préconisent l'érection d'hôpitaux temporaires, des tampons, des *cold zones* dans notre jargon, pour ne pas contaminer des établissements hospitaliers en entier.

L'agente avait raison. Au triage, on les dirigea vers la tente de traitement.

Quentin avait été prostré durant tout le trajet, lui qui était déjà porté à ressentir de l'anxiété en écoutant les nouvelles portant sur l'Irak, sur l'Afrique ou sur la violence dans les rues. Des images mentales de pustules et de souffrances horribles avaient obscurci sa raison, voûté ses épaules.

Quand, en séminaire de doctorat, il avait lu Boccace et les commentateurs de la peste médiévale, il n'aurait jamais cru que ce fléau le frapperait un jour. Il avait été tenté de communiquer de nouveau avec Robin pour l'émouvoir avec sa mort annoncée. C'est alors que Kristen chercha à le rassurer.

— Calmez-vous, la peste se soigne bien de nos jours. De toute façon, qui vous dit que vous êtes atteint ? Des piqûres d'insectes ne suffisent pas à établir un diagnostic.

Elle savait qu'elle avait à moitié tort. Les jeunes fréquentant l'école privée d'Ottawa se portaient à merveille au départ de la maison vers 8 h et ils étaient morts quelques heures plus tard, sans que les progrès de la médecine aient pu leur venir en aide.

Quentin dut comprendre qu'elle bluffait, car il laissa tomber son propre arrêt de mort.

– Vous savez ce qu'on disait lors de l'épidémie de 1548? « Vous enterrez au souper les amis avec qui vous avez mangé à midi. »

– Charmante citation, mais ça reste une simple citation, répliqua la jeune femme avec un geste de la main pour chasser une mouche invisible. Mon chef à la GRC, Preston Willis, disait que la partie n'est pas finie tant qu'elle n'est pas finie. Ça venait d'un *coach* de baseball, je pense.

– Vous avez raison.

En son for intérieur, la tête froide de la professionnelle n'était pas si froide que ça.

– Ce n'est pas possible. Les gens ne peuvent pas tomber comme des mouches sans qu'on puisse faire quoi que ce soit. On est en Amérique !

Pourtant, elle mesurait la vulnérabilité des sociétés modernes devant le danger des armes bactériologiques. Si le foyer de contamination était mouvant, Ottawa risquait de devenir une ville fantôme avant qu'on ne puisse le découvrir et le neutraliser.

En entrant sous la tente, nos deux arrivants ne furent pas réconfortés. Ils eurent l'impression de mettre les pieds dans un monde extraterrestre. Le nylon de la tente était doublé d'une seconde pellicule de plastique à pression négative. Ils eurent à passer d'un compartiment hermétique à un autre en franchissant de nombreuses portes de sécurité, elles-mêmes doublées d'autres portes et de sas. Des conduites circulaires recyclaient l'air. On aurait dit des tubes respiratoires alimentant les alvéoles d'un poumon monstrueux.

Le médecin responsable les accueillit en combinaison protectrice Dupont Tychem jaune de niveau A, utilisée lors d'événements IDLH (*Immediately Dangerous to Life and Health* – Risque élevé de mort ou de maladie).

– Major Cloutier, se présenta-t-il à travers sa visière.

– De la science-fiction, dit Quentin avec un humour grinçant d'universitaire en regardant autour de lui, ahuri, alors que c'est la peste du Moyen Âge qui est en cause. La Noirceur contre la Lumière. Qui l'emportera ?

– Vous dites ? demanda le médecin-chef des Forces armées, qui ne comprenait pas.

– C'est… c'est vraiment une épidémie de peste ? le coupa Vale, écrasée par une telle perspective.

– Oui, la peste, *Yersinia pestis,* du nom du médecin de l'Institut Pasteur, Alexandre Yersin, qui a isolé le bacille à Hong-Kong, en 1894. On n'a rien pu faire pour les cas de transmission aérienne, expliqua le scientifique à l'intention de l'agente.

En disant cela, il désignait plusieurs sacs fermés, alignés dans une petite pièce faisant office de morgue.

– Les élèves de l'école privée ? demanda Vale.

– Oui, malheureusement.

Le major fit un signe discret vers la cloison du sas de plastique devant l'entrée. Un homme et une femme étaient assis, immobiles, les yeux vitreux, le visage défait. L'homme avait passé un bras autour des épaules de la femme. Un geste de consolation. C'était tout ce qu'il leur restait.

– C'était notre seul enfant, hoqueta la femme en roulant des yeux fous.

Kristen Vale dodelina de la tête en signe de sympathie. Survivre à ses enfants devait être la pire épreuve imaginable. Une crampe dans la poitrine lui indiqua qu'elle ressentait intensément leur désespoir. Elle-même et ses parents passaient par toutes les émotions avec Grady. Mais pour eux, il restait de l'espoir, alors que pour ces gens, assis devant eux…

Elle serra les poings et répéta son mantra, autant pour d'autres élèves que pour Grady Vale.

— Il ne faut pas qu'il meure, il ne faut pas qu'ils meurent…

— J'ai rencontré les parents il y a une heure pour leur dire quoi ? continua Cloutier en les éloignant du couple. Que nous avons des cas de peste pulmonaire, la forme la plus virulente, rapportés il y a deux jours : un ministre de l'Assemblée nationale et sa secrétaire de direction, ainsi que les enfants de l'école Lord Elgin, à Kingston. Puis s'y sont ajoutés, ce matin, trois autres écoliers de l'école d'Ottawa, après la demi-douzaine d'hier.

— Il y en a qui ne sont pas morts ? s'empressa de demander Vale pour retirer la chape de plomb des épaules de Quentin.

— Non, ils sont tous morts. Les premiers pestiférés, quelques sans-abri au centre-ville de Montréal, ont survécu plus longtemps parce que des puces, de toute évidence, leur ont inoculé le deuxième type de peste à croissance plus lente, la peste bubonique.

— Oui, j'ai été informée au sujet de ces sans-abri. On aurait dit une répétition de la part des tueurs avant de se lancer à l'assaut des enfants de riches. Enfin, nous n'écartons pas une cause naturelle, mais l'utilisation d'armes biologiques n'est pas une hypothèse que nous rejetons.

— Le plus effrayant, c'est que les antibiotiques habituels qui ont vaincu les épidémies du XXe siècle n'ont rien donné dans ce cas-ci. Je parierais que le bacille de la peste a muté pour devenir invulnérable. Il n'y a pas de médicament.

— Il n'y a pas de médicament, répéta Quentin. Vous avez entendu ? Il n'y a pas de médicament !

– C'est le pire scénario qui soit, laissa tomber le militaire en gardant une froideur toute martiale. Un bacille sans doute bricolé en labo. Pitié pour le genre humain si les fléaux sont imparables !

– Alors, il y a quand même de bonnes nouvelles ? dit Vale en signe d'espoir pour son compagnon de fraîche date. Vous avez dit, major, que certains cas évoluent plus lentement.

– En effet. La variété bubonique doit être transmise par inoculation, ce qui est plus difficile. Les premiers cas admis à l'urgence n'ont donc pas contaminé le personnel ignorant du danger. La peste pulmonaire, elle, aurait foudroyé la première ligne d'intervention.

– C'est pour la décontamination ? demanda un infirmier en combinaison en désignant les deux civils.

Le médecin hocha la tête.

– Immédiatement, oui.

Pour parer à toute éventualité, Kristen Vale accompagna Quentin sous la douche d'une chambre de décontamination où ils passèrent tout habillés. Puis il y eut des prélèvements sanguins.

– Irritation localisée de la peau, mais pas de bubons, déclara le médecin après un examen visuel de l'épiderme de Quentin, mais ce n'est pas une garantie de santé. La peste bubonique peut incuber pendant des jours. Quant aux rougeurs, elles peuvent être dues à une simple allergie. On verra bien.

L'attente des résultats fut une torture pour Quentin, d'autant plus que la salle d'attente jouxtait la morgue. Il eut le malheur de voir défiler devant lui les visages tuméfiés des dernières victimes de l'école. Comme Vale était membre des services de sécurité, les militaires n'avaient pas jugé bon de cacher les cadavres.

Quand le médecin revint, Quentin se crispa encore plus. Les muscles tendus de son visage et de ses membres le brûlèrent comme si on lui avait lancé de l'acide.

– Bonne nouvelle, annonça aussitôt le médecin. Vous n'êtes pas porteur, monsieur DeFoix.

– Ai-je bien entendu ? croassa Quentin, la gorge nouée.

– Monsieur DeFoix n'a pas été contaminé par la maladie : il ne peut donc pas la transmettre. Je vous donne votre congé. On a besoin de place pour les vrais cas.

– Ouf ! souffla Quentin. Moi qui pensais mourir bêtement !

– Ce ne sont donc pas des puces, docteur, qui lui ont fait ces marques rouges sur la peau ?

– Oui, oui, oui… Les morsures sont caractéristiques des puces, mais peut-être n'étaient-elles pas contaminées. On sait qu'elles doivent s'être nourries sur un sujet atteint pour pouvoir transmettre la maladie par la suite. Et encore, ce n'est pas inévitable.

– C'est comme pour le VIH, ce n'est pas inéluctable ?

– Non. Tout dépend du type de puces.

– Expliquez-nous, insista l'agente Vale.

Le médecin s'exécuta, impressionné par le grade de Vale auprès du Conseil privé, donc du premier ministre, malgré sa jeunesse. Il retira la partie supérieure de sa combinaison protectrice.

– Tout d'abord, il faut savoir que le mécanisme de transmission est connu sous le nom de « blocage ». Quand le bacille de la peste obstrue l'appareil digestif de la puce, il ne peut plus être absorbé et il reflue dans la trompe. C'est ce phénomène, pareil au reflux gastrique chez les humains, qui contamine la personne piquée. Ce type d'obstruction est fréquent chez les puces asiatiques, les *Xenopsylla cheopis*. En revanche, il est presque absent chez les puces courantes de l'homme qu'on retrouve encore dans les écoles du pays, par exemple. Celles-là avalent et digèrent sans recracher.

– Vive nos bonnes vieilles puces locales ! jubila Quentin.

Il n'hésita plus à se gratter avec volupté. Il ne l'avait pas fait depuis vingt-quatre heures, malgré les démangeaisons qui le rendaient fou. Enfant, on lui avait dit que s'il entrait en contact avec les toxines du sumac, il aggraverait son cas en passant les doigts sur ses plaies. Il avait fait le lien, à tort ou à raison.

Chapitre 14

Appartement de Quentin, quartier de la Côte-de-Sable, Ottawa

5 juin, 15 h 33, un peu moins de 27 heures avant l'attaque finale

La femme émergea de l'appartement de Quentin en salopette. C'était l'arrière-garde de l'effectif envoyé par l'Agence de santé publique.

En la voyant, Quentin ricana.

– Quoi ? demanda la fonctionnaire en vérifiant ses vêtements.

– Votre combinaison, elle porte le nom d'une compagnie d'extermination de blattes ?

– C'est de la frime. Il ne faut pas ameuter le quartier en disant que nous travaillons pour l'agence qui prévient les épidémies.

Elle retira son masque devant Quentin. Il était assis sur le carrelage du couloir commun aux locataires, les genoux relevés sous le menton, une canette d'énergisant au ginseng dans les mains, les bras allongés devant lui.

– Il fait chaud, souffla-t-il en passant le revers de sa main sur son front moite.

– Avec le scaphandre, j'ai dû perdre un kilo.

– On a jeté un mauvais sort sur Ottawa : il y fait toujours chaud et humide l'été.

– Mais en hiver, il y neige moins qu'à Québec.

– C'est vrai.

– Enfin, tout a été passé à l'insecticide, déclara la fausse employée des services d'extermination en reprenant le ton monocorde des gens blasés trop sûrs de leurs compétences professionnelles. Aucun danger de récidive. Il faut dire que les puces infectées peuvent vivre quatre-vingts jours, une fois séparées de leurs rongeurs.

Devant la grimace non rassurée de Quentin, elle jugea bon de le prévenir.

– Vous devriez habiter chez des amis, d'ici à ce que les émanations chimiques se dissipent.

– Je vais passer la nuit au bureau. Je dormirai sur une chaise longue ou je ferai des heures supplémentaires. Je crois que ce sera la chaise longue, si je veux récupérer le sommeil que ces maudites puces m'ont volé depuis deux jours.

– Bien.

– C'est quoi, ça ?

– Un aspirateur pour vous débarrasser des puces mortes. De leurs déjections aussi, parce qu'elles peuvent répandre le bacille au-delà de cinq semaines après le départ des siphonaptères. Bonne journée.

Tout était dit. Elle se retira.

Quentin se gratta la tête en signe de fatigue. Il n'en sortit pas moins à son tour, résigné à découcher à son bureau de l'édifice Morguard au cas où les puces voraces reviendraient. Cette fois-ci, elles seraient peut-être porteuses du bacille de la peste.

L'agente Vale l'attendait dans sa voiture garée au coin de la rue.

– Je peux vous déposer quelque part? demanda-t-elle en baissant la vitre, vraiment désolée des problèmes de l'indexeur.

– Mon bureau est sur la rue Queen. Je vais voir ce que je ferai une fois rendu.

– On a été le plus discret possible, expliqua-t-elle en désignant la minifourgonnette de décontamination.

– Ouais! Du moment que le quartier n'apprend pas que j'attire les puces à cause de mon manque d'hygiène. Ça me ferait une belle réputation.

– L'équipe d'urgence du Centre de mesures et d'interventions d'urgence, le CMIU, était prévenue depuis notre départ de chez Rusinski, ce matin.

– Ils sont entrés avant que je ne revienne leur ouvrir, grimaça le documentaliste en signe de protestation.

– Désolée.

Quentin avait mal dormi. On l'avait trimballé dans toute la ville… il avait bien le droit de rouspéter un peu! Ça lui fit du bien, lui qui n'était pas un homme de terrain.

– Les gens du CMIU ont revêtu leur scaphandre lunaire une fois entrés dans l'immeuble. Dehors, ils avaient l'air de n'importe quel entrepreneur ou plombier.

– Ils ont dû nettoyer les autres appartements?

– Oui. Version officielle : éradication de blattes. Inutile d'alerter les gens puisque les puces qui vous ont attaqué sont inoffensives.

– Vous n'avez pas lâché le mot à un million de dollars?

– Quel mot?

– Ben voyons! La peste, la grande pestilence, la mort noire !

– Pas d'ordre en ce sens. Pas encore. Il faut être bien certain avant de semer la panique dans la population. Mais la machine tourne à plein régime.

– Qu'est-ce que ça veut dire?

– Pour trouver l'origine des vaporisateurs qui ont semé la mort dans les écoles, on a fait le tour des laboratoires de microbiologie locaux, fédéraux et privés. Il reste les autres de l'Atlantique au Pacifique, *coast to coast*. On espère qu'on n'a pas affaire à une attaque bactériologique, mais il semble que ce soit le cas. Le Bureau du premier ministre et le Bureau du Conseil privé grimpent aux rideaux parce que, par le plus détestable des hasards, le président russe est en ville. Visite d'État.

La voiture démarra en direction du bureau de Quentin dans l'édifice de Radio-Canada. Du moins, c'est ce que pensait le passager du taxi des services secrets.

Vale conserva son air contrit pour avoir l'air vraiment sincère.

– Je m'excuse de m'être fait passer pour ce que je ne suis pas.

– Vous n'êtes pas membre du service de sécurité de la Chambre, ça, j'ai compris.

– Ni de la GRC.

– Le SCRS, alors ?

Le Service canadien du renseignement de sécurité était l'équivalent local de la CIA.

Vale secoua la tête.

– Je suis de partout et de nulle part. Je fais partie d'un réseau qui chapeaute les diverses agences de sécurité nationale. Je fais un rapport au premier ministre.

– Je sais que, depuis le 11 septembre, tout le monde en ville est censé avoir renforcé les mesures de sécurité. Les acronymes d'organisations secrètes ont éclos comme des champignons : PSEPC, DND, ASFC, FINTRAC, ACSTA…

Vale lui décocha un regard neutre, ni surpris ni admiratif. Quentin vit là une invitation à continuer :

– Les seuls signes tangibles de haute sécurité à Ottawa sont les remparts en béton entourant l'ambassade des États-Unis.

On les a installés pour prévenir les attentats à la voiture piégée, comme ceux qui ont détruit les ambassades américaines à Nairobi et à Dar es-Salaam, en 1998.

— Il y a aussi le *car wash,* dit Vale, amusée.

Vale espérait embêter son petit génie de passager avec le jargon du métier. Elle fut déçue, car Quentin répondit du tac au tac :

— Oui, le *car wash*, les gardes appellent ainsi le poste de contrôle à l'entrée de la colline parlementaire. Plus aucune voiture ne monte sans avoir été fouillée. On vérifie même le dessous des véhicules avec des miroirs et des caméras vidéo.

— Je vois pourquoi vous êtes un bon agent d'information, le meilleur, paraît-il. C'est peut-être la raison des attentats à la tour de la Paix et à votre appartement.

— Pourquoi ?

— À vous de me le dire. Vous détenez peut-être une information gênante sans le savoir.

— À part le fait que le sénateur Strickland voulait me montrer une « découverte sensationnelle » que je n'ai jamais vue, je suis dans le noir total.

— Tout semble tourner autour de la réfection de l'édifice du Centre. Mais personne n'est au courant, ni à la Chambre, ni au Bureau du Conseil privé, ni dans les ministères.

— Quelqu'un se tait.

— Possible. Ce qui est sûr, c'est que Rusinski est tombé sur un secret que quelqu'un ne veut pas voir révélé.

— Vous croyez ?

— Je me demande si ce que j'ai trouvé dans son grenier a un rapport avec ce secret.

— Vous voulez dire les parfums ?

— En fait, il n'y avait pas que des parfums commerciaux. Des sachets sous les feuilles d'isolant contenaient toutes sortes d'aromates, ambre, musc, safran. Des centaines. Le grenier était un véritable coffre-fort de senteurs.

– Et sur la tour, vous n'avez rien trouvé ?

Ils passaient devant le campus de l'Université d'Ottawa. Pour toute réponse, Vale étendit le bras derrière elle pour saisir un dossier qu'elle tendit au passager.

– Il y avait bien cela d'enfoui derrière les pierres du parlement, mais ce n'était pas sur la tour.

– Des télécopies de photos, comprit Quentin en voyant l'en-tête transmis par Patrimoine Canada au Bureau du premier ministre, le 31 mai précédent, soit une semaine plus tôt.

– Si votre réputation n'est pas surfaite, Quentin, vous devriez savoir ce que tout cela représente, dit Vale en pointant le doigt vers les objets photographiés.

Ils étaient posés côte à côte sur une table, comme le fruit d'un raid policier. Une règle à mesurer était intégrée aux photos pour évaluer la dimension réelle des objets, à l'instar de tous les documents de scènes de crime.

– Pourtant, ça ne ressemble pas à des pièces à conviction confisquées dans un arsenal ou dans un labo de crack, conclut le jeune homme qui se rappelait entre autres les conférences de presse de la GRC et de la Sûreté du Québec lors de l'opération Printemps 2001 contre les gangs de motards.

Il y avait là ce qui lui sembla être des pièces de monnaie, puis des journaux.

– Ce sont des pièces de cinq et de dix dollars canadiens. L'année, voyons, on dirait que c'est écrit « 1912 ».

– C'est exact.

– Je sais que le 1er septembre 1916, lors du début des travaux de reconstruction de l'édifice du Centre et de la tour de la Paix, détruits par un incendie l'hiver précédent, on a scellé des pièces de monnaie dans la pierre angulaire.

— Le gouverneur général, le duc de Connaught, a présidé cette cérémonie. Tout le monde peut le savoir, puisque c'est écrit sur le bloc de marbre à l'angle nord-est de l'édifice du Centre.

— Est-ce que ça veut dire que vous avez détaché la pierre angulaire ?

— Non. Il n'y a aucune raison de faire ça. C'est sur la tour que les restaurateurs ont découvert quelque chose. Non, on a fouillé dans les archives de l'époque pour voir si quelqu'un avait mentionné avoir scellé quelque chose en haut de la tour. On n'a rien trouvé, sauf ces clichés de la pierre angulaire, pris en 1916.

— Le rituel de la pierre angulaire a été observé pendant des siècles, lors de l'érection des constructions gothiques.

— Vraiment ?

— Oui. Une telle pierre a été installée le 1er novembre 1860 quand on a érigé le premier édifice du Parlement. C'est même le frère du duc de Connaught qui a posé cette pierre, c'est-à-dire le prince de Galles, celui qui allait devenir Édouard VII. Il n'avait que dix-neuf ans.

— Saviez-vous, Quentin, en quoi consiste le contenu de ce qui a été scellé derrière la pierre, cinquante ans avant l'autre ?

— Non. Je ne sais même pas si ce contenu a été récupéré après l'incendie.

— Qui sait ? Ayant résisté au feu, on l'a peut-être transféré en haut de la tour ?

— Ce serait la découverte faite par Rusinski et annoncée au président du Comité de la restauration de la colline, le sénateur Strickland.

Vale frappa le volant de sa paume en jurant comme un charretier.

– Mais pour que ça vaille la peine de faire mourir deux hommes, on peut être sûr que ce devait être plus précieux que quelques pièces de monnaie !

Chapitre 15

Quartier du Glebe, au sud du centre-ville, Ottawa

5 juin, 16 h, 26 heures 30 minutes avant l'attaque finale

Au lieu de déposer Quentin à son bureau du centre-ville, la voiture blanche de la GRC fila plein sud pour quitter le secteur en quelques minutes. Kristen Vale brûla deux feux rouges sans même utiliser son gyrophare portatif.

– Où on va ? l'interrogea Quentin sans grand espoir de réponse tant Vale était devenue intense et impénétrable depuis ses explications sur la pierre angulaire.

Il voyait bien qu'on venait d'entrer dans le Glebe, le quartier de prestige. D'ailleurs, la jeune femme lança un commentaire avec un arrière-goût de sarcasme juvénile.

– Ça m'étonne que vous ne demeuriez pas par ici, Quentin. Vous ne devez pas être traité aussi bien que ça par les bureaucrates du gouvernement fédéral pour qui il faut absolument vivre dans le Glebe ou à Rockcliffe, sinon ce n'est pas sérieux.

– Vous savez que bien des ministres logent désormais dans les tours du centre-ville. Évidemment, ce sont souvent des condos à un million de dollars l'unité.

Il ne chercha pas à renforcer son argument. L'anxiété l'avait crispé.

Depuis un moment, il s'occupait à enregistrer l'itinéraire et les noms de rues, au cas où il aurait à composer le 911 pour signaler son propre enlèvement. Une voiture banalisée de la GRC était garée en permanence devant une résidence de la Troisième Avenue, sans doute une ambassade. Autre chose qu'il se rappellerait s'il devait fuir.

Ils avaient parcouru une dizaine de pâtés de maisons quand la voiture tourna à gauche avant de quitter le Glebe.

— Nous allons vers le canal ? demanda Quentin.

La réponse vint quand Vale gara la berline officielle derrière une minifourgonnette. Les deux roues gauches du véhicule trônaient effrontément sur le gazon d'un petit parc.

— Un collègue surveille la maison en face depuis la nuit dernière, expliqua Vale.

— Une voiture banalisée pour ne pas attirer l'attention, j'ai lu ça dans Tom Clancy, fit remarquer Quentin à la blague.

— Je sais que vous êtes une machine à lire de tout. Et vous avez raison au sujet de la surveillance discrète. À cette fin, mon collègue dans la minifourgonnette a un visage quelconque qu'on oublie dès le premier coup d'œil. On l'a recruté spécialement pour les filatures. Pour cette raison, on l'appelle « Nobody ».

— Ne le prenez pas comme une critique, ajouta Quentin afin de marquer son irritation pour avoir été détourné vers le Glebe, mais votre minifourgonnette dans ce quartier farci de Lexus et de Beamer est aussi visible qu'une verrue sur le nez. Et pour couronner le tout, ce vieux débris a deux roues sur la pelouse du parc autour de Patterson's Creek.

Vale confirma en écho, sans chercher à le contredire au sujet de leur position.

— Il habite sur Linden Terrace. Difficile de faire le guet à partir d'une maison en face, parce qu'il y a ce fichu ruisseau et des arbres qui font écran.

– Des chênes, constata Quentin en regardant à droite, vers le sud.

Il ressentit un pincement au cœur. L'endroit était romantique. Il avait embrassé Robin sous ces arbres, après avoir patiné sur le canal, l'hiver dernier.

– On a donc dû se stationner devant la maison du suspect, continua Vale, quitte à nous faire repérer ou aborder par des policiers appelés par des citoyens devenus méfiants à la vue de ce « vieux débris », comme vous dites.

Mais Quentin n'écoutait plus. Il venait de faire un autre constat.

– Quel con je fais, maugréa-t-il. J'aurais dû deviner où on allait. Ou, plutôt, chez qui on allait.

Quentin avait compris qu'ils étaient devant la résidence de son directeur de thèse, Tristan Plantagenêt. Il y avait été reçu une ou deux fois, d'abord avec d'autres étudiants du cours « Moyen Âge 101 », puis seul, quand il s'était révélé surdoué. Les professeurs d'université cultivaient jalousement les relations avec leurs meilleurs éléments. Il y avait aussi une part de marketing de bon ton, de séduction réciproque. La chasse aux étudiants était ouverte à la veille du choix du sujet et du directeur de thèse.

Lion-Hearted Den était une grande maison de brique grise, à deux étages. Elle ressemblait à un château avec ses deux tours d'angle. Pour compléter l'illusion, la corniche imitait les chemins de ronde d'antan avec leur série d'ouvertures de défense, les créneaux. On aurait dit une frange de dentelle. Tout était calme. C'est à peine si la rumeur de l'autoroute 417 leur parvenait, étouffée.

« S'il y a un tueur ici, ce ne peut pas être le docteur Plantagenêt, réfléchit Quentin. Les services secrets me montent un bateau. Mais pourquoi ? »

Vale intima Quentin de la suivre tandis qu'elle tambourinait des doigts sur la carrosserie de la minifourgonnette pour signaler sa présence. C'était inutile, car elle était en contact constant avec le poste d'observation grâce à un écouteur logé dans son oreille.

— On me dit que tout est OK, déclara-t-elle en traversant la rue déserte. L'occupant n'est pas là. Il est en fuite depuis hier soir.

— Vous voulez entrer ? dit Quentin, peu rassuré.

Si c'était son mentor qui avait tué le sénateur et le restaurateur d'édifices, il n'allait pas les recevoir avec du foie gras, du fromage d'importation et un merlot millésimé. Mais puisqu'il était absent…

— C'est bien nécessaire que j'y aille ? demanda Quentin avec un trémolo.

— Vous avez vu le style d'architecture ? Les châteaux, ça vous connaît. Imaginez-vous être mon Wikipédia personnel. Gardez bien les yeux ouverts.

Afin que son compagnon et elle ne soient pas aperçus des jardins voisins, Vale choisit d'entrer par la porte avant. Un passe-partout se joua facilement du verrou.

— Tenez-vous derrière moi, ordonna-t-elle avec un mouvement du bras.

« Il n'est pas là, on me l'a assuré, mais quand même… »

Quentin ne s'était jamais senti aussi vulnérable. Il avait l'impression d'être nu et que des milliers d'yeux le regardaient. Complice de violation d'une propriété privée, il pouvait être facilement surpris par des passants. De plus, il risquait de bloquer la porte et la voie d'un tueur vers la liberté, ce qui augurait mal pour sa santé.

« Elle doit savoir ce qu'elle fait », jugea-t-il pour se rassurer.

Il attendit quelques minutes qui lui parurent une éternité. Enfin, il sursauta quand quelque chose lui toucha le bras. C'était Vale, debout dans l'entrebâillement de la porte.

– Personne. On nous a bien renseignés.

– Vous saviez qu'il n'y avait pas de danger ?

– Oui. Nobody est passé avant nous.

– Merci de m'avoir prévenu.

Quentin se fit attendre. Il entra sans grand enthousiasme. Il reconnut aussitôt l'atmosphère feutrée de la maison. Les draperies couvraient les fenêtres, le tapis de Perse étouffait leurs pas. L'air du salon était rempli de senteurs de fleurs fanées, et celui du corridor, près d'une armoire en érable, d'odeurs de cuir humide, comme au retour d'une promenade sous la pluie.

– Je veux vous avoir, on veut vous avoir avec nous, au cas où Plantagenêt sèmerait encore des indices de l'ancien temps, comme sur la tour et comme chez Rusinski. Ça semble être sa signature.

– Qu'est-ce qu'on fait ? Qu'est-ce que vous voulez que je fasse pour vous aider ?

– D'abord, le caméscope, pour être sûr de tout remettre au bon endroit après la fouille.

Le petit appareil, sorti d'une sacoche en bandoulière, se mit à enregistrer la topographie de chaque pièce.

– […]

Kristen Vale devait avoir reçu un message dans l'oreille, car elle se mit à parler à un interlocuteur invisible.

– Évidemment, vous avez été prévoyants et vous avez déjà tout filmé. Je n'ai pas à le refaire. On visionnera votre film avant de sortir.

Elle abandonna le caméscope. Elle tira deux paires de gants de latex de la poche poitrine de sa veste.

— Maintenant, des gants de chirurgien. Vous, vous ne touchez à rien. Vous ouvrez les yeux. C'est pour ça que vous êtes là.

— Qu'est-ce qu'on cherche ?

— Vous allez le savoir si vous le voyez.

L'étrangeté de la situation oppressait la poitrine de Quentin. S'ils étaient chez un terroriste et que celui-ci les surprenait, qu'arriverait-il ? Vale était-elle armée ? Il savait que les membres des services secrets canadiens n'étaient pas censés l'être, seule la GRC en avait le droit. De toute façon, le guetteur, en face, les préviendrait si le propriétaire revenait.

— Voilà, expliqua Vale en ouvrant les tiroirs d'un secrétaire Louis XV, on a su que Plantagenêt a élevé des insectes exotiques.

— Les… les puces ? en conclut Quentin. C'est donc le docteur qui a lancé les puces ?

— C'est possible.

— Vous le surveilliez donc ?

— Pas avant hier soir. On le savait parce que, dans le passé, il a été utile aux services secrets en évaluant la capacité de certaines espèces d'insectes de répandre des microbes. Évidemment, le Conseil national de recherches du Canada croyait qu'il combattait les maladies transmissibles par piqûre, mais il nous refilait des renseignements sur des armes biologiques potentielles. Non pour en produire, mais pour les reconnaître et prévenir leur usage par des terroristes.

— Il travaillait pour le CNRC ou pour vous ?

Vale ricana de bon cœur.

— Les deux, et en même temps.

— Mais c'est un prof d'histoire générale ! protesta Quentin. Un intellectuel perdu dans les livres, surtout ceux vieux de centaines d'années ! Je pensais qu'il ne savait même pas que le monde existait en dehors de la bibliothèque ou des sites de fouilles archéologiques…

– Couverture réussie de sa part, tout simplement.

– J'ai mangé ici sans savoir que…

– Peu de gens savent que beaucoup de voyageurs à l'étranger, spécialistes, chercheurs, ingénieurs, coopérants, en plus des attachés politiques de haut rang dans les ambassades, ont été à un certain moment sur la liste de paye du SCRS. Pas directement, évidemment. Ils sont plutôt affiliés à un organisme ou à un ministère inoffensif. Dans le cas de Plantagenêt, c'était le CNRC.

Vale était concentrée sur une liasse d'enveloppes, cherchant des adresses hors du pays. Elle ne vit pas la consternation se peindre sur les traits du jeune homme.

– Les anciens des services ont juré le secret, continua la policière en rejetant la pile de lettres avec le dépit de celle qui n'a rien trouvé, mais on continue de les surveiller. On ne sort jamais tout à fait de la boîte.

– Le docteur Plantagenêt a travaillé pour le Centre national de recherches du Canada ?

– En fait, l'enseignement de l'histoire a été une carrière tardive.

– Pincez-moi, quelqu'un, je rêve…

– Personne ne connaît nos agents. Ni leurs étudiants d'université ou de collège, ni leurs amis, pas même leur conjoint. Sauf si le conjoint est lui aussi en service commandé, ce qui est de loin le scénario le plus pratique.

– Mais je l'ai visité ici même…, ne put que répéter Quentin, abasourdi devant tant de révélations. On a parlé de Shakespeare toute la soirée, je ne suis pas fou !

Sur ces mots, il se jeta sur la bibliothèque qui couvrait deux murs du salon. Il voulait s'assurer qu'il n'avait pas rêvé. Kristen Vale le regarda chercher quelque chose sans grand succès. Elle voulut l'aider et s'arrêta devant la collection complète des œuvres de Shakespeare.

— C'est ce que vous cherchez ? dit-elle en lui montrant les livres.

— Non, non. Ils ne sont pas là, répondit Quentin en désignant un espace libre.

— Qu'est-ce qui n'est pas là ?

Vale restait attentive aux réactions du jeune homme.

— Non… oui… enfin… Le docteur Plantagenêt était convaincu que Shakespeare n'avait pas écrit ce qu'on lui attribue. Qu'il était un prête-nom pour un aristocrate éminent cherchant à dissimuler ses idées.

— Ah oui ?

— J'ai trouvé ses théories plutôt audacieuses…

— … pour ne pas dire fumeuses ?

— Oui. Mais je ne pouvais pas le lui dire. D'ailleurs, je connais mal Shakespeare et l'illustre inconnu qui l'aurait alimenté en vers.

— Qui était-ce ?

— Francis Bacon. Le docteur m'a montré une édition ancienne de Bacon. Je ne la vois pas.

Kristen Vale doutait de l'importance de tels détails. Elle n'insista pas. Elle revint à la raison principale de leur présence à cet endroit.

— Vous êtes déjà venu au Lion-Hearted Den ?

— Deux fois, au début du bac et à la maîtrise.

— Pas descendu dans la cave, je parierais ?…

— La cave ? Non. Pourquoi ?

— Nobody m'a particulièrement recommandé la visite de la cave. On finit ici et on descend.

Sa curiosité piquée par tant de révélations, Quentin se prit au jeu. Il trouva sa fouille plutôt fructueuse, enfin, du point de vue d'un érudit. Mais n'était-ce pas pour ses connaissances historiques que Vale le trimbalait partout à la façon d'un détecteur de radiations ? Ainsi, après qu'il eut demandé des gants à sa coéquipière, les rayonnages du petit salon obscurci par la véranda qui captait tout le soleil lui livrèrent deux volumes savants sur la peste au Moyen Âge. Puis il s'étonna de dénicher, sous la patte d'une chaise bancale, une réédition des sermons de Thomas Brinton.

— Ah ! ben ça alors !

— Quoi donc ?

— Brinton était un ecclésiastique britannique du XVIe siècle qui avait récupéré le phénomène de la peste pour ses visées démagogiques. D'après lui, c'était un châtiment envoyé pour réprimer les mœurs de l'époque et pour inciter ses contemporains à la pénitence, un peu comme Moïse prophétisant les dix plaies d'Égypte dans la Bible. Un moine du nom de Savonarole avait fait la même chose à Florence, à la même époque. Tout ça pour dire que si la Renaissance a engendré de grandes choses, elle a aussi dû combattre la censure politico-religieuse.

— Si Plantagenêt a de telles lectures, ça pourrait lui avoir donné l'idée de sortir la peste des boules à mites, vous ne croyez pas ?

— S'il a mis Brinton sous la patte d'une chaise, ça montre plutôt son mépris, non ?

— Vous êtes sûr de bien le connaître, votre directeur de thèse ?

Peu sûr de son raisonnement, Quentin préféra revenir à Brinton. Il se mit à feuilleter l'ouvrage en expliquant :

— Je connais bien Brinton, enfin, sa réputation. Il a soutenu que Dieu désapprouvait les tournois et la mode vestimentaire en envoyant la peste.

– La mode vestimentaire ? Qu'aurait-il dit de la minijupe et des débardeurs serrés, décolletés et trop courts pour cacher le nombril ?

– À la fin du Moyen Âge, les collants pour les hommes étaient du plus grand chic.

Un signet marquait la page où un passage avait été coché dans la marge. Dans une de ces envolées furibondes qui le caractérisaient, Brinton tonnait :

« *Most young people, being slothful, have withdrawn the service which they owe to God.* » [La jeunesse paresseuse a abandonné ses devoirs envers Dieu.]

– Il y avait un fossé entre générations, même à cette époque, railla Quentin.

Les boutades de Quentin voulaient dissiper un malaise croissant au contact de ce texte revanchard, qui appelait presque à la violence.

– Vous avez quelque chose de plus ? l'interrogea Vale en remarquant la grimace et le haut-le-corps de Quentin.

– Est-il possible que le docteur Plantagenêt déraille ? Qu'il tue avec des artéfacts anciens, arbalète et trépan, qu'il répande le bacille de la peste parce que, tout comme Brinton, il se sent investi d'une mission d'ange vengeur contre la société moderne ?

– À vous de me le dire, opina l'agente fédérale en lisant le passage de Brinton à son tour.

– Non, non. Le docteur Plantagenêt n'est pas tellement du genre à écouter des prophètes de malheur.

Quentin se rappelait un incident survenu lors de sa dernière visite dans cette maison. Lance, son frère, avait toujours été très compétitif. Comme il n'avait pas le succès de Quentin à l'université, il s'était mis à le jalouser, à essayer de le convertir à ses croyances devenues son refuge. Il l'avait relancé jusque chez Plantagenêt.

– Tu sais avec qui tu te prostitues ? avait éructé Lance, de toute évidence ivre, drogué ou tout simplement exalté. Tu sais que Plantagenêt est le serviteur de la Bête ?

– Excusez-le, monsieur, avait tempéré Quentin. Il a bu.

– Non, non, laisse-le continuer, avait opposé Plantagenêt avec un sourire.

– Il exagère, monsieur. Depuis son échec au bac, il est porté à grossir tout ce qu'il lit ou entend. Et il lit toutes sortes de textes plus ou moins occultes… et tordus.

– Dis-lui, toi, Tristan Plantagenêt le Ténébreux, ragea Lance, dis-lui que tu sers le diable !

Ce furent ces mots qui refirent surface dans la mémoire de Quentin alors qu'il se trouvait illégalement chez Plantagenêt avec une agente des services de sécurité du pays. Il avait oublié qu'en déposant Lance dans le taxi ce soir-là, il avait cru l'entendre marmonner le même mot trois fois : « Six, six, six… »

Il avait oublié, n'étant pas sûr d'avoir bien entendu. Voilà pourquoi il avait dit : « Le docteur Plantagenêt n'est pas tellement du genre à écouter des prophètes de malheur. »

– N'empêche qu'il lit et annote les sermons de ce Brinton, lui rappela Vale.

« Et qu'il tue de façon sadique », pensa Quentin.

Son mentor lui avait caché tellement de choses sur lui-même ! Quentin en frissonna.

La lecture de la prose hallucinante de Brinton et le rappel de Strickland et de Rusinski s'ajoutaient à la semi-pénombre de la vieille maison, ce qui le mit mal à l'aise.

Il faisait frais à cause des rideaux tirés. Il s'élevait des odeurs de poussière et d'humidité comme dans tous les lieux clos.

– Et vous, vous avez trouvé quelque chose ? l'interrogea Quentin pour dissiper la sourde inquiétude tombée sur ses épaules. On peut partir ?

– L'ordi dans la bibliothèque a été fracassé. Il restera aux services techniques du SCRS à essayer d'accéder au disque dur.

– Des DVD ? Des Blu-ray ?

– Le porte-disques est vide. Comme si quelqu'un était passé avant nous.

– Le docteur Plantagenêt ?

– Probable, s'il est en fuite depuis la nuit à la tour.

La possibilité de surprendre un intrus s'ajouta à l'atmosphère de manoir hanté qui plombait les lieux. Ils furent sur leurs gardes quand arriva le moment de descendre à la cave pour compléter l'inspection.

Là, le sol et les murs, constitués d'un mélange de pierre et de ciment, suintaient à divers endroits et semblaient eux-mêmes atteints de grandes pustules aux contours inégaux selon les caprices de l'eau. Des poutres nues, fortement vermoulues, soutenaient le plafond. Mais ce qui retint le plus leur attention se trouvait au centre de la pièce.

Chapitre 16

Cave de la maison de Plantagenêt, quartier du Glebe, Ottawa

5 juin, 17 h 56, un peu moins de 24 heures et demie avant l'attaque finale

— C'est curieux, dit Quentin en détaillant le grand cube de maçonnerie posé au milieu du sous-sol. On dirait une pièce construite dans une autre pièce…

— C'est exactement cela. Ça ne m'étonnerait pas que Plantagenêt se soit inspiré de la pièce sécurisée de la CIA à Langley, appelée « Bubble », ajouta l'agente pour compléter avec sa connaissance du métier l'érudition livresque de Quentin DeFoix.

Quentin en rajouta, non pour impressionner la jeune femme, mais pour se délecter du partage d'informations.

— On dit que l'ambassade des États-Unis est bâtie dans une bulle. Un double mur caché sous les façades la protège contre les bombes et contre la surveillance électronique.

Kristen et ses chefs connaissaient certains des détails architecturaux de la nouvelle ambassade sur la promenade Sussex. Ils entretenaient des liens étroits avec leurs homologues américains. Elle aurait pu lui parler des appareils sophistiqués sur le toit de l'édifice. Tout le monde pouvait voir, dans le dôme au-dessus de l'ambassade, l'emplacement des systèmes d'écoute antiterroristes. Elle savait, elle, que l'équipement était dorénavant miniaturisé, au point où un tel dôme était devenu inutile. Aujourd'hui, une bouche de ventilation suffisait à dissimuler des choses hors du regard des satellites espion.

L'esprit de Kristen fonctionnait comme un ordinateur. Ces allusions à l'architecture de sécurité provoquèrent en elle une énumération des édifices adaptés. Un des derniers en date dont on lui avait parlé était le bureau de la CIA sur Grove Street, à Herndon, en Virginie. Ce bunker imprenable, loué à une firme d'entrepreneurs de Boston, présentait un charme anonyme parmi les ennuyeux édifices de Washington.

Elle débrancha l'interface dans la base de données activée derrière son front avant de poursuivre.

– Voici la «bulle» de Plantagenêt qui a tellement excité Nobody, dit Vale en s'approchant de l'étrange construction.

Quentin la compara au frigo d'un boucher. Ou à la chambre froide de ses parents pour garder les légumes du potager. Mais à l'intérieur, la chaleur était celle d'une serre tropicale.

C'est ce dont Vale se rendit compte après avoir tiré la porte. Grâce à la clarté blanche des fluorescents, les visiteurs virent s'amorcer devant eux un étroit corridor flanqué de casiers superposés.

– Des cubes dans un cube…, commenta Quentin, sur les talons de l'agente.

– On dirait des cages, ajouta cette dernière en se rapprochant des modules.

Ces cages étaient en fait des boîtes vitrées, de longs rectangles hermétiques. La façade de chaque boîte portait une étiquette identifiant les locataires ainsi que des contrôles en lesquels les visiteurs reconnurent des thermostats individuels. À travers la première série de vitres, ils aperçurent des pensionnaires qui firent frémir l'indexeur parlementaire.

– C'est bien ce que je pense, agente Vale ?

– *I'll be…* Des puces ! Ce sont les fameuses puces qu'il a étudiées au CNRC ! Mais je ne savais pas qu'il avait aménagé un laboratoire dans sa propre maison, avec un soin maniaque si on en juge par ces dizaines de cages.

L'éclairage tamisé diffusé par des ampoules rouges était suffisant pour qu'ils se rendent compte que des grappes de puces formaient un tumulus dans le coin d'une cage vitrée. En s'approchant plus près de la paroi, on pouvait distinguer, sous la masse grouillante des puces, les corps sombres, allongés, de rats d'égout.

– Ils sont encore vivants ? réagit Quentin avec dégoût.

– On dirait qu'ils bougent encore, à moins que ce ne soient les mouvements des puces qui fassent illusion…

– Dans ce cas, ils auraient été saignés vivants…

Ayant déjà eu affaire à ces parasites, Quentin eut une réaction de recul vers la sortie. Vale l'entraîna, le long du corridor, sur une vingtaine de mètres.

– Ce sont tous des écosystèmes réglés pour convenir aux insectes. Vous voyez, il n'y a pas seulement des puces, dit-elle sans émotion. Il y en a pour tous les goûts. Des fourmis, des termites, des mille-pattes, des araignées…

– Vous avez bien dit que Plantagenêt étudiait les insectes au Conseil national de recherches du Canada ? Quand je le visitais ici pour parler d'histoire, j'étais loin de me douter qu'il préparait une invasion d'insectes porteurs de mort. On en a assez vu ? On pourrait peut-être remonter ? Il fait au moins quarante degrés, ici !

Son instinct de conservation poussait Quentin à quitter cet insectarium semblable au labo secret d'un scientifique dément.

Il avait raison, il fallait fuir, mais il était déjà trop tard. Loin derrière eux, près de la porte, ils entendirent une voix inhumaine rompre le silence.

— *Se lou meritavo*! gémit la grotesque apparition.

L'être fantastique portait un habit de cuir rouge, long comme une cape de rancher ou de motard. Le visage était couvert d'un masque ayant la forme d'un long bec de perroquet. Un chapeau à hublots descendait jusque sous les yeux.

D'abord, Quentin associa cet accoutrement aux combinaisons HAZMAT à appareil respiratoire isolant incorporé qu'il avait d'abord vues à l'hôpital militaire, puis à son appartement. Mais ses connaissances en histoire lui firent rejeter cette première impression.

— Le costume des médecins lors de la peste du XVIe siècle, souffla-t-il enfin. Après le trépan dans la tour, voici la suite de la mise en scène…

L'inconnu continuait en mélangeant les langues.

— *Se lou meritavo*! Ils l'ont mérité! *They had it coming*!

— Hé! Dites donc, lança Vale, vous pouvez me dire ce que vous faites ici?

Avant qu'elle ne puisse dégainer son arme, l'intrus leur lança deux étranges projectiles qu'ils évitèrent en se rangeant le long des cages. Leur agresseur tourna aussitôt les talons en refermant la porte sur eux. Puis le plafonnier s'éteignit, plongeant les intrus dans l'atmosphère irréelle créée par les petites ampoules rouges des cages autour d'eux.

Vale courut pour se cogner sur une porte aussi infranchissable que celle du coffre-fort de la Banque du Canada.

— Il nous a bien eus! grogna-t-elle.

Elle ajusta son micro et articula avec une pointe de fébrilité:

— Nobody! Arrête l'individu costumé qui va sortir! Puis rapplique d'urgence dans la cave! On a été enfermés!

Kristen prêta l'oreille sans entendre la voix nasillarde du type qui faisait le guet dans la minifourgonnette.

– Nobody! Tu me reçois ou quoi? Réponds, merde…

Kristen s'inquiéta pour son collègue. S'était-il lui aussi fait attaquer par l'épouvantail à moineaux?

Pendant ce temps, l'attention de Quentin se porta sur les projectiles qu'ils avaient facilement évités.

– Rien de dangereux! C'est deux livres.

La passion pour les livres qu'il partageait avec Plantagenêt était devenue non seulement une déformation professionnelle, mais une douce obsession. Tout naturellement, il se pencha pour les ramasser. Ils avaient été sauvagement badigeonnés d'une substance rouge.

– Du sang! comprit-il en percevant l'odeur caractéristique, sucrée et écœurante.

En toute autre occasion, il aurait grimacé devant ce contaminant biologique. Toutefois, comme la tête de Strickland dans la tour de la Paix, des détails suscitaient chez lui une fascination plus forte que le dégoût.

Les reliures étaient mal en point. Beaucoup de pages d'un papier jaune, épais, étaient imbibées et illisibles. Malgré la lumière pâle des veilleuses, il put néanmoins déchiffrer les titres et le nom des auteurs sur les couvertures.

Il se serait attendu à des textes de propagande cléricale à la façon de Brinton. Il fut agréablement surpris. Il les lut même avec gravité tant ils représentaient de nobles idées pour lui.

– *Nova Atlantis*! *Utopia*!

– Qu'est-ce que vous dites? demanda Vale en se tournant vers lui, surprise à son tour.

– *La Nouvelle Atlantide* de Francis Bacon et l'*Utopie* de Thomas More! Il n'y a rien de plus contraire aux élucubrations de Brinton qu'on a trouvées là-haut!

– Bacon ? Vous le cherchiez, tantôt. Pas étonnant, si c'était cet épouvantail à moineaux qui l'avait pris. Quelle est l'importance de ces livres ?

– Des œuvres phares de la Renaissance. Elles inaugurent un courant à la base de la révolution culturelle de l'époque, soit la recherche d'une société idéale, sans rois et sans curés.

– Pas étonnant qu'il ait craché dessus avec du sang, si Plantagenêt est un psychopathe opposé à notre société démocratique !

Malgré la précarité de leur situation, la passion de Quentin l'aurait poussé à lire des passages à haute voix n'eussent été la pauvre clarté et un autre phénomène beaucoup plus grave que leur emprisonnement.

– Dépêchez-vous d'appeler vos deux collègues, j'ai l'impression de sentir des choses velues monter sur mes jambes.

– Vous avez trop d'imagination. Les insectes sont prisonniers.

– Votre collègue !

– Impossible de le joindre. Cette chambre bloque les signaux.

– Il y a quelque chose qui bouge !

Vale ne rabroua pas Quentin. Il avait gardé la tête froide tout au long des dernières heures. Elle ne mit donc pas ses paroles sur le compte de la panique du claustrophobe.

D'ailleurs, presque aussitôt, elle sentit elle aussi un chatouillement sur son mollet droit. Elle se frotta avec vigueur et la sensation désagréable disparut. Mais la crainte s'était installée dans son esprit pragmatique.

– Les puces !

Alerté, Quentin se rapprocha. Quelque chose le frappa sous le genou. Il se pencha pour constater qu'il avait donné contre une porte vitrée entrouverte.

– Agente Vale, notre geôlier a eu le temps d'ouvrir des cages avant de partir.

– Lesquelles ? Pas celle des ?…

– Oui, j'en ai bien peur.

– C'est donc une puce que j'ai sentie. Vite, refluons vers l'autre extrémité. Il faut gagner du temps en attendant que l'autre équipe s'étonne de notre retard et accoure.

Il n'y eut plus aucun fourmillement sur leur épiderme. Mais ils savaient que ce n'était qu'une question de temps avant que les insectes ne les rejoignent. Ils s'arrachèrent les yeux à scruter le plancher devant eux, essayant de percer la pénombre d'où jaillirait la colonne de petits agresseurs. Ces derniers avaient beau être microscopiques, ils n'en étaient pas moins des tueurs.

– Kristen, nous nous énervons peut-être pour rien. Si c'était le genre de puces inoffensives qui ont attaqué mon appartement l'autre nuit… Le major Cloutier a dit que seule la variété asiatique propage la maladie. Comment s'appelaient-elles, déjà ?

– Les *Xenopsylla cheopis*.

– Ce ne sont peut-être pas celles-là. Une étiquette identifiait chaque catégorie d'insectes. Malheureusement, je n'ai pas remarqué celle de la première cage qui était ouverte, celle des puces.

– Moi, j'ai noté l'étiquette, dit Vale sourdement. Dans le métier, il faut avoir une mémoire photographique.

– Alors, dites-moi vite que ce n'étaient pas…

– Ce sont les *Xenopsylla cheopis,* malheureusement. En plus, elles trinquaient sur la carcasse d'un rat. Sans doute un rat infecté.

– Dire qu'il n'y a pas de médicament, d'après le major Cloutier !

– Les terroristes ont dû acheter une mutation du bacille développée par un laboratoire quelconque. Une mutation qui rend l'infection résistante aux antibiotiques traditionnels, donc une mutation létale à cent pour cent. Si on avait continué notre fouille des lieux au lieu d'être emprisonnés ici, on aurait peut-être trouvé la pharmacie.

Seule la maîtrise de soi que Vale avait acquise à la Division Dépôt de Regina, l'école de la GRC, empêcha sa voix de trembler en livrant cette sentence de mort.

À dix mètres d'eux, les premiers insectes amorçaient leur assaut. Sans s'en rendre compte, Quentin et Vale guidaient eux-mêmes les insectes vers eux à cause des vibrations émises par leurs paroles.

Chapitre 17

Hôpital psychiatrique Saint–Michel–Archange, ville de Québec (province de Québec)

11 mai 1914

— *Se lou meritavo*! Ils l'ont bien mérité !

À ces mots en langue d'oc, deux traités du philosophe René Descartes se retrouvèrent dans le feu.

— Amen! ajouta une autre voix d'homme, celle d'un pensionnaire de l'asile debout devant le brasier, les yeux exorbités comme s'il était à la fois fasciné et terrifié par les flammes.

Il portait une camisole de force en grosse toile crème. Les manches étaient cousues dans deux larges poches à l'avant. Son crâne chauve, luisant, reflétait les flammes de la fournaise.

— *Se lou meritavo*! répéta le cardinal en lançant dans la gueule de la chaudière trois bibles traduites par l'abbé Crampon qui n'auraient jamais dû entrer en contrebande au Canada, sans doute exportées par la France perverse sous le couvert de la valise diplomatique.

— Amen! Amen! Amen!

Monseigneur Benito Fontinato était le bourreau des livres. Il avait été envoyé par le préfet de la Congrégation de l'Index des livres interdits, à Rome.

À cause de l'effort physique et de la proximité du brasier alimenté par une poche de charbon en plein mois de mai, il suait sous sa soutane au large ceinturon bourgogne. Le métal du crucifix retenu sur sa poitrine par une double chaîne était devenu brûlant. Il le sentait avec plaisir châtier sa chair à travers le vêtement. Le triple ruban rouge de prélat passé autour de son cou reposait sur ce même crucifix et commençait à friser en s'enroulant sur lui-même.

La colère de Fontinato, pareille à celle de Moïse, sur le Sinaï, contre les israélites adorateurs de faux dieux, n'avait d'égale que sa satisfaction devant le devoir accompli.

Il admira les énormes tubulures qui jaillissaient du sommet de la fournaise et crachaient les fumées du péché par une immense cheminée aussi haute que la coupole de Saint-Pierre. À l'arrivée du prélat à l'asile psychiatrique Saint-Michel-Archange, c'est cette cheminée qui avait attiré son attention. Pour lui, elle devait évacuer les miasmes démoniaques rejetés par les fous, qui étaient fous tout simplement parce qu'ils étaient des créatures de Dieu.

Curieux raisonnement de la part d'un prêtre catholique, qui avait toutefois une explication secrète. Les caïnites installaient des espions dans toutes les grandes organisations dignes de ce nom à travers le monde. Fontinato était un de ces agents du Mal ayant infiltré le Saint-Siège pour, dans cette position avantageuse, intercepter toute information sur le secret de Dieu. C'était sa mission, son obsession. Si, pour cela, il lui fallait jouer le jeu du parfait émissaire de la chrétienté, il le ferait mieux que le pape. Il gravirait tous les échelons de l'administration, quitte à devenir le successeur de Pie X.

L'asile lui-même était impressionnant en raison de ses dimensions. Il couvrait au moins trois pâtés de maisons avec sa file de toits mansardés. On y pénétrait par un poste de garde dans la seule ouverture de la grille rébarbative, flanquée de la gare du tramway privé qui desservait l'institution. Le transport urbain circulait à l'intérieur de la propriété comme si l'hôpital formait à lui seul un quartier de Québec.

D'ailleurs, l'asile Saint-Michel-Archange était considéré comme une municipalité à part entière depuis 1897. C'était dans les normes pour ces établissements, à une époque où il ne manquait pas d'espaces vierges et où on voulait calmer les esprits grâce à un environnement de pension de campagne. Par exemple, le Lakeshore Psychiatric Hospital de Toronto, construit en 1888 et qui allait devenir le Mimico Hospital for the Insane, couvrait à lui seul cinquante-deux hectares. Un véritable village.

— La cheminée, ah! la cheminée! avait soufflé Fontinato en débarquant de son carrosse.

Au centre des sommets asymétriques des mansardes de l'asile, la cheminée noire portait des chiffres inscrits sur ses parois selon une ligne verticale descendante : 1-9-1-3.

— Hum… 1913 : sans doute l'année de sa construction, supposa l'agent du Saint-Office Fontinato. Mais est-ce un hasard si c'est la date de l'extermination des Templiers, le vendredi 13 du XIIIe siècle après Jésus-Christ? Le 13, toujours le 13. Pas étonnant que j'aie déniché dans ces lieux infects un des rats de la Compagnie, ces infâmes successeurs de l'Ordre sodomite du Temple.

Pour ce fonctionnaire investi d'une mission divine, le chiffre maudit était un signe de plus de la contagion des mauvaises idées ayant pénétré jusque dans ces lieux. Il fallait procéder à une éradication en règle.

— *Se lou meritavo*! grogna-t-il, baigné de sueur sous ses habits, en jetant au feu quelques exemplaires d'un roman de Victor Hugo intitulé *Les Misérables*. Le Canada évite la destruction au Jugement dernier en ne donnant pas naissance lui-même à un de ces auteurs romantiques décadents. Mais fallait-il que des crapules en rapportent en contrebande du Vieux Continent pour répandre le scandale dans le troupeau de nos brebis innocentes des colonies ? La Compagnie doit être derrière tout cela, ou les francs-maçons, ou encore les protestants, qui sait ?

Il savait que la mainmise du clergé au Canada préservait la population des idées sournoises aussi sûrement qu'un couvercle sur une terrine de pot-au-feu. Heureusement qu'il y avait eu la Conquête, car, depuis la Révolution de 1789, la France avait pris des libertés, abritant les voix de la dissidence. Après la chute des jésuites et des séculiers, les sulpiciens avaient été chargés de l'éducation au XIXe siècle, eux qui étaient trop ouverts, à l'instar des dominicains de Saint-Thomas d'Aquin. Mais le Canada français avait échappé à la prétendue émancipation libérale. L'édition de livres était presque inexistante, et le peu qui se publiait se pliait tout naturellement aux directives des prêches.

Aussi Fontinato fut-il surpris qu'un livre autochtone se soit glissé dans les piles devant la fournaise. Il hésita devant un recueil de poèmes signé Nelligan, un nom qui ne lui disait rien. Comme la plupart des censeurs du Saint-Office, il ne lisait pas l'anglais, ce qui avait évité à bon nombre d'Anglo-Saxons d'être inclus dans l'Index où tenaient la vedette surtout des Italiens, des Français et des Allemands. Seuls les Anglais qui avaient le malheur d'être traduits risquaient les foudres de la Congrégation. Cela avait été le cas de Thomas More.

– Nelligan, Nelligan ?…

Pour s'assurer qu'il n'y avait eu aucune erreur, il ouvrit le recueil. Il fut surpris qu'avec un tel nom l'auteur ait écrit en français. Ses yeux butèrent contre des vers parlant d'idoles païennes, de déesses lubriques à la chair nue comme Cyprine et de femmes lascives convoitées par le poète perverti et portant des noms allemands, noms haïs, comme Gretchen.

Au pays de Luther, le protestant, même les noms étaient des outrages à la morale et à la vertu. Il vit apparaître en lettres de feu dans sa tête la législation de Léon XIII concernant des livres traitant de femmes enamourées.

– *Libri, qui res lascivas sui obscenas ex professo tractant omnino prohibentur.*

D'un moulinet du bras, il le jeta dans le feu à la suite des poèmes obscènes et contre-nature des *Fleurs du mal* de Baudelaire. Le mouvement trop sec lui soutira un juron.

– Nom de Dieu! s'exclama-t-il en massant le coude de son bras droit.

Il se couvrit la bouche en pâlissant quand il se rappela qu'il n'était pas seul.

– Excusez-moi, ma sœur, ces maudits rhumatismes me brûlent les articulations comme si je devais me consumer vivant avec tous ces livres.

Ces livres… Un regard las sur trois petites piles inégales baignant dans les flaques d'eau d'un récent lavage du plancher lui confirma qu'il en restait une bonne cinquantaine.

Sœur Saint-Augustin était la portière qui l'avait introduit jusqu'au sous-sol sans prévenir le médecin-chef dont elle se méfiait comme de la peste, car c'était un jeune anarchiste, juif ou allemand, sans doute un athée. La religieuse esquissa un mouvement vers la pile d'ouvrages pour imiter la fureur de pyromane de Fontinato. Ce dernier prévint son geste.

– Laissez, ma fille. *L'Index librorum prohibitorum* m'a confié ce calvaire et je dois boire la coupe jusqu'à la lie.

– Vous êtes trop bon, monseigneur, de seulement toucher du doigt ces œuvres du démon.

En entendant le nom de son maître Lucifer, Fontinato faillit s'étrangler. Il ne laissa rien paraître de son trouble. Il vociféra à l'intérieur de lui-même afin de conjurer les paroles de la religieuse.

« Pas du démon, ma sœur, mais des œuvres du faux Dieu que vous adorez et de ce Père céleste avec qui vous couchez tous les soirs sur votre paillasse en caressant votre alliance incestueuse au doigt. »

Il se retint d'afficher son allégeance au diable, lui, un des caïnites qui composaient un noyau d'espions restreint mais influent qui avait infiltré certaines sphères du clergé catholique. Le noyautage avait commencé dès le concile de Nicée, en l'an 325, ce qui était assez ironique puisque, lors de ce concile, le Saint-Siège avait entrepris la lutte contre toutes les sectes qui avaient poussé comme des champignons sur les ruines de l'Empire romain. Il se contenta de grommeler.

– Ces livres sont des abjections, et leurs auteurs, des crapules.

Sœur Saint-Augustin acquiesça de la tête. Elle avait reconnu le vocabulaire habituellement utilisé dans les rapports de censure de l'Index. Il faut dire que Fontinato avait adopté la stratégie en vigueur à l'Index depuis sa création, en 1559, afin de contrer Luther, le fondateur de l'Église luthérienne. À défaut de comprendre ses lectures et de les analyser, il se contentait, comme la plupart des consulteurs, d'écraser cette littérature sous des tonnes d'épithètes scandalisées.

Avant de commencer sa mission, des années auparavant, il avait consulté les *votum* dans les Archives du service au Vatican, ces innombrables rapports de lecture rédigés au fil des siècles par d'obscurs petits fonctionnaires en soutane qui avaient droit de vie ou de mort sur tout écrit sorti des presses de Gutenberg. Il leur suffisait de baisser le pouce, et ils ne s'en privaient pas. Ils le faisaient à l'aide des *votum*, qui étaient une source d'injures, une véritable liste d'autorité de termes outrageants.

La colère de Fontinato n'était pas seulement attribuable à ses rhumatismes et à son rôle d'inquisiteur. À son arrivée en Amérique, il n'était pas heureux d'avoir dû faire le voyage. Il se spécialisait dans les écrits de la France et de l'Allemagne parce qu'il y avait plus d'avantages à les attaquer.

Un voyage au Canada ne jouait pas en sa faveur pour grimper les échelons de l'Index. C'était trop loin du palais du Saint-Office. Quelqu'un devait chercher à l'écarter.

Il faut dire que, de simple qualificateur, il était devenu consulteur. À partir de là, il voulait être nommé à la Congrégation générale, qui étudiait les rapports des consulteurs, puis il pourrait devenir l'assesseur chargé de transmettre les recommandations au pape lui-même. Ensuite, la voie serait ouverte pour décrocher le poste tant convoité de maître du Sacré Palais.

En arrivant à Québec, il avait accueilli avec peu de passion l'annonce des intermédiaires de l'archevêché selon laquelle deux piles de livres l'attendaient, une pile de livres à brûler et une autre pile où il fallait seulement déchirer quelques pages, rayer quelques phrases.

– On devrait brûler tous les livres sans exception et certainement pas se contenter de noircir un mot ou deux, avait-il déclaré en se rappelant qu'à Rome on l'avait réprimandé pour avoir tenu de tels propos.

– Ne rejetez pas les livres en masse, lui avait-on conseillé dans les bureaux de la Congrégation, au Vatican, avant son départ pour les colonies. Parfois, il suffit de découper quelques lignes de certains d'entre eux, sans les détruire. Ainsi, on fait montre de magnanimité. De plus, il n'est pas mauvais d'afficher à l'occasion une attitude libérale.

– Ce ne serait pas plutôt faire preuve de faiblesse ? avait rétorqué Fontinato. Pie X ne nous demande-t-il pas de reprendre la guerre de Grégoire XVI contre le laxisme du progrès technique et social ?

– Tut ! Tut ! N'oubliez pas non plus, Benito, que trop de véhémence de notre part à s'acharner sur un auteur attise la curiosité des bonnes gens. Les catholiques risquent d'acheter clandestinement les livres bannis, juste pour se rendre compte par eux-mêmes de ce qu'est une insanité. L'ouvrage *Paroles d'un croyant* de Félicité Lamennais est devenu un livre de chevet dans les chaumières après la persécution de son auteur par Grégoire XVI, justement.

La censure avait souvent contribué au succès de certains livres, aussi sûrement que les chroniques télé devaient le faire à la fin du XXe siècle. Fontinato insista tout de même avec mauvaise humeur.

– N'empêche que, du temps de Grégoire XVI, dans les années 1840 pas si lointaines, on ne s'encombrait pas d'autant de nuances. Parce que, d'après le pape, les chemins de fer étaient des « trains d'enfer », il a justement fait arracher les rails dans tous les territoires pontificaux, sans crainte que les catholiques prennent le train uniquement pour constater *de visu* ce qu'est une invention du diable.

– En 1840 ? Voyons, monseigneur, ne remontons pas au déluge…

Fontinato fut tiré de ses ruminations par le fou en camisole de force.

– Amen ! répétait-il, la voix rauque, comme s'il n'avait pas dormi ni mangé depuis longtemps. Dieu m'a abandonné. Vive Judas ! Vive Hérode ! Vive Lucifer, qui va m'accueillir, lui, les bras grands ouverts !

Devant tant de bonne volonté, monseigneur Fontinato commanda à la religieuse qui observait le manège :

– Retirez-lui sa camisole de force, ma sœur. L'heure de sa mission a sonné.

– Vous… vous pensez qu'on peut le faire sans danger ?

– Mais écoutez-le donc. Ce n'est plus un aliéné. Ce n'est plus un serviteur du faux Dieu.

– En effet, vos visites l'ont transformé pour le mieux.

Le délégué du pape avait commencé ses visites à l'asile une semaine auparavant. En fait, il avait été prévenu de la présence de cet aliéné hors du commun lors d'un raid, quelques mois plus tôt.

***

La descente avait eu lieu dans une petite librairie sur le bord du fleuve, à Sillery. Deux secrétaires de l'archevêché, l'abbé Ferland et l'abbé Dupont, débarquèrent d'une voiture à cheval anonyme, suivis de monseigneur Benito Fontinato du Saint-Office, un gros homme taillé d'une pièce dans du marbre blanc de Ferrare et qui en avait le teint, malgré le soleil d'Italie.

Le cocher les précéda pour repousser le libraire et l'empêcher de s'interposer. Les religieux le croisèrent, sans dire un mot sur le motif de leur visite. Ils s'engouffrèrent ensuite dans l'arrière-boutique. Ils devaient avoir été bien renseignés, car ils dédaignèrent le désordre des livres éventrés en train d'être reliés ou réparés.

Ils foncèrent aussitôt vers une lithographie masquant un coin du mur du fond. Elle représentait le Christ au jardin des Oliviers, à la veille de la trahison de Judas : il avait les traits tirés par l'angoisse et un regard implorant tourné vers le ciel. Mais ce qui frappait le plus, c'est que des gouttes de sueur sur son front luisant avaient la couleur du sang. Dupont décrocha l'image sainte pour révéler un orifice de vingt centimètres de côté environ, percé dans le mur pour faire passer à l'origine la cheminée du poêle, qui avait par la suite disparu.

Dupont en retira des livres et Ferland lut le nom des auteurs.

— *Omnes fabulæ amatoriæ*, des romans d'amour dévergondés de Stendhal, du bonhomme Hugo et d'Alexandre Dumas, monseigneur. Et de De Balzac. Les romans sociaux de De Balzac ont été permis à partir de 1900, mais vous devez savoir que tous ses romans d'amour sont toujours prohibés. *Omnes fabulæ amatoriæ*. Donnez-les au cocher, abbé Dupont.

Dupont s'exécuta. C'était un petit clerc aux joues couperosées par le vin de messe et par le froid des hivers canadiens. Il était rondouillard à cause de son faible pour les plats de porc baignant dans des sauces épaisses.

— Tenez, monsieur le secrétaire! dit-il à l'adresse de Ferland en soulevant un autre livre avec précaution. C'est la *Bibliothèque britannique ou Histoire des ouvrages des savants de la Grande-Bretagne,* édition de 1742, dont parlait l'inventaire testamentaire.

Le libraire, tout rouge, les avait suivis. Il voulut se défendre, timidement, en balbutiant.

— Des ouvrages savants, monsieur l'abbé. Ce n'est pas de l'amour, pourtant!

— Non, mais ce n'est guère mieux, rétorqua Ferland, dont le regard froid d'oiseau de proie dévisagea le libraire, qui baissa la tête. Voilà de la pseudo-science qui contredit le dogme de la Création. Et voici la *Bibliothèque germanique ou Histoire littéraire de l'Allemagne et des pays du Nord,* autre édition de 1742.

— En bon état, remarqua Dupont en passant ses doigts sur la peau de chagrin de la couverture.

Il allait l'ouvrir en roulant des yeux envahis par des larmes de volupté. Le secrétaire l'en empêcha en lui arrachant l'objet de sa convoitise d'un geste brusque. Ferland s'était toujours demandé si Dupont ne s'était pas porté volontaire à l'Index pour lire ce qui lui était défendu. Il devait pourtant savoir que seuls les évêques et quelques prêtres plus instruits, comme Adélard Ferland, pouvaient le faire grâce à l'envergure de leur esprit et à leur foi incorruptible. Ferland crut bon de le lui rappeler.

— Nous allons confisquer ces deux éditions rares pour en faire cadeau à l'« enfer » de l'archevêché, la bibliothèque permise des livres interdits. Elle saura bien les accueillir.

— Et le pire, c'est qu'il y a un tas de « Livres », grogna Dupont, tout à coup grave comme le Grand Inquisiteur afin de se faire pardonner.

Il puisa dans cette bibliothèque parallèle quelques exemplaires de la Bible, celle que certains appelaient le « Livre » par pudeur. Les Hébreux avaient fait la même chose avec le nom de Jéhovah, se contentant de l'appeler « Seigneur ».

Dupont était plutôt amusé sous des airs de vierge offensée. Ferland, lui, fit déferler son indignation sur le libraire.

— Je suppose que c'est l'appât du gain qui vous a fait succomber à la tentation ? grimaça-t-il alors que sa pomme d'Adam pointue tressaillait. Car, avouez-le donc, vous alimentez un réseau de contrebande de livres interdits pour satisfaire la curiosité morbide de pauvres âmes séduites par le péché qui se vautrent dans ces ouvrages à l'Index, n'est-ce pas ?

— Des bibles, se défendit le libraire. Vous ne pouvez pas me reprocher de diffuser l'enseignement de la Bible !

Ferland récita un article de la législation de Léon XIII sur les livres prohibés :

— « *Versiones omnes in lingua vernacula, etiam a viris catholicis confectæ, omnino prohibentur.* » Mon fils, la Bible traduite dans une langue vulgaire comme le français ne doit pas être mise dans les mains du commun, car le contact direct avec les sources de la foi peut provoquer des remises en question.

– Il aurait peut-être fallu que j'aie ici des bibles latines que personne ne comprend?

Les inquisiteurs ne relevèrent pas le sarcasme tellement la colère les rendait sourds.

– Oui, justement, en latin, tonna Ferland. La messe n'est-elle pas dite en latin seulement? Il ne manquerait plus qu'on célèbre le mystère de la messe en français, en langue vulgaire!

Ferland était superbe dans sa colère quand il s'emporta.

– Quel effet la Bible peut-elle bien avoir sur la chasteté des fidèles quand on y glorifie le roi David chantant des cantiques lubriques à une reine noire, une négresse? voulut-il savoir en faisant allusion au livre de l'Ancien Testament intitulé le Cantique des cantiques.

– Oui, et vous savez quoi? intervint Fontinato pour la première fois. Des impies publient une nouvelle bible chaque semaine, ce qui fait de la Bible le livre le plus censuré par l'Index de Sa Sainteté.

Fontinato écarta Dupont avec impatience. Il passa la tête dans le trou et repoussa tous les ouvrages empilés, comme s'il cherchait quelque chose de particulier. Enfin, il brandit un mince opuscule en criant victoire.

– Le voilà, celui que l'on cherchait!

Le libraire reconnut les écrits d'un auteur local qui signait sous le pseudonyme de l'« abbé Untel ».

– Comment avez-vous su? demanda-t-il.

– Vous savez bien, expliqua Ferland, que l'œil de Dieu voit tout. Caïn a eu beau se cacher, il n'empêche que Dieu l'a vu tuer Abel, son frère.

À ces mots, Fontinato tiqua. Il conjura ces jurons contre Caïn en se disant que Ferland était un imbécile.

Dupont se fit plus pragmatique.

— Une ancienne règle de l'Index, encore observée dans certains milieux pieux, stipule que, à la mort de tout catholique, ses proches doivent faire l'inventaire de sa bibliothèque et en faire rapport aux autorités religieuses.

— Oui, et alors ?

— Un notaire pas très loin d'ici a laissé en héritage une œuvre signée d'un pseudonyme, répondit Ferland, et ses fils ont alerté l'archevêché. La propagande du diable se cache hypocritement derrière les pseudonymes.

— À la lecture, poursuivit Dupont, cette œuvre supposément théologique s'est révélée scandaleuse, car elle s'en prenait au dogme de l'infaillibilité de Sa Sainteté. D'après l'archevêché, les prêtres dans leurs paroisses seraient mieux à même de juger ce qui est bon pour les fidèles que des fonctionnaires du Vatican.

— Et comment avez-vous su que j'avais ce titre dans ma boutique ?

— Vous avez été dénoncé ! Les fils de ce notaire qui l'attendaient dans leur voiture l'ont souvent vu entrer ici et disparaître au fond du magasin.

Le libraire avait posé la question pour apprendre le nom du responsable, car il connaissait la méthode de l'Index. La littérature mondiale était une œuvre gigantesque, même pour le Saint-Office, dont les membres ne pouvaient pas tout lire. Les curés en chaire encourageaient donc la dénonciation. Dans la région, on leur avait demandé de faire savoir qu'on recherchait particulièrement cet « abbé Untel », un fils du pays.

— La dénonciation n'a pas seulement frappé votre petit commerce, *signor,* mais l'auteur lui-même. Cet abbé Untel est un prêtre pervers de la paroisse de Lévis. Confronté il y a quelque temps, il a refusé de se rétracter et a été rejeté par l'Église. Il croupit maintenant dans une cellule de l'asile Saint-Michel-Archange.

Les trois visiteurs firent mine de se retirer après que le concierge de l'archevêché se fut chargé des livres. « Ouf! souffla le libraire. Ils ne semblent pas être au courant des réunions des Rose-Croix qui se tiennent dans cette même arrière-boutique. Il faudra tout de même s'assembler sous un autre toit. On risque d'être épiés par un fils du notaire Bédard. »

En sortant, Fontinato désigna le parc en face.

– Quel est ce lieu enchanteur ?

– Un cimetière, monseigneur, le cimetière de Mount Hermon, répondit Ferland en pinçant les lèvres.

– Des Irlandais ?

– Non. Des protestants.

Près de l'entrée piétonnière, Fontinato reconnut une série de pierres tombales minces comme des tablettes, au sommet circulaire.

À ce moment, Benito Fontinato ne savait pas que ce cimetière allait accueillir certaines dépouilles des victimes du naufrage de l'*Empress of Ireland,* dont le destin était déjà scellé. Il ne savait même pas que sa propre colère allait entraîner cette catastrophe maritime. Tout ce qu'il savait, c'est que la librairie jouxtait une terre protestante, aussi bien dire païenne.

– Des protestants morts juste en face ? Il ne m'étonnerait guère que cette librairie soit un repaire de protestants, encore vivants ceux-là, pour notre plus grand malheur, puisqu'ils s'acharnent sans doute à corrompre le peuple en distribuant des livres interdits par Sa Sainteté.

Chapitre 18

Insectarium de la cave de Plantagenêt, quartier du Glebe, Ottawa

5 juin, 18 h 04, un peu moins de 24 heures 30 minutes avant l'attaque finale

— Tu vois quelque chose, toi, Kristen ? demanda Quentin en tutoyant la jeune femme pour la première fois.

— Attends, le tutoya-t-elle à son tour, nos yeux vont finir par s'habituer à la noirceur.

— Oui, en effet, je distingue quelque chose sur le plancher.

— Moi aussi. On dirait une carpette ou un paillasson, mais ça bouge.

— Dis-moi que ce n'est pas ce que je pense…

— Il y en a des centaines, répondit Vale en grimaçant. Dire qu'on s'est fait piéger comme des débutants.

Il y avait de la culpabilité dans ce ton amer. Elle chercha une explication.

— Comment les autres en avant ont-ils pu laisser passer un tel costume d'Halloween ? Un monstre de ce genre-là, ça détonne dans un quartier comme le Glebe !

– Il y a peut-être un passage souterrain. Je verrais assez bien le docteur Plantagenêt aménager un tunnel comme dans les châteaux de son Moyen Âge chéri.

Le régiment de puces approchait toujours, sans se presser.

– Les autres vont accourir, dit Vale pour rassurer son compagnon d'infortune, dont elle se sentait responsable. Ils auraient dû avoir de nos nouvelles depuis un certain temps.

– Sinon, on n'a qu'à faire le travail tout seuls et à écraser ces insectes de malheur sous nos semelles.

– Je préférerais les éviter, ces insectes. Il paraît qu'ils font des bonds prodigieux. Pendant qu'on se débarrasserait de quelques puces, les autres auraient tout le temps de nous atteindre. Je ne sais pas s'il suffit d'une seule piqûre pour contracter la maladie. Dans le doute, il vaut mieux…

L'agente des services secrets regardait au-dessus d'eux. Les compartiments vitrés s'empilaient jusqu'au plafond. Il n'y avait aucune tablette où ils auraient pu se hisser pour se mettre hors d'atteinte de la marée mortelle.

– S'il n'y a pas d'évasion possible au-dessus, constata Vale d'un ton déterminé, il y a de l'espace à l'intérieur des casiers.

– Que veux-tu dire ? lança Quentin, perplexe. Tu ne veux quand même pas qu'on se couche avec toutes sortes d'insectes ? Là, ce sont des mille-pattes gros comme des souris, tu imagines ?

Sans répondre, l'agente s'était mise à inspecter chacune des cages de verre.

– Il doit bien y en avoir qui sont assez grandes, dit-elle.

Quentin comprit. Malgré ses réticences, il se mit à explorer lui aussi les écosystèmes miniatures autour de lui.

– C'est trop petit, c'est trop petit, se prit-il à répéter. Aussi bien essayer de se glisser dans un tiroir de bureau !

À chaque déception, il tournait la tête vers la porte, c'est-à-dire vers les puces qui avançaient vers eux. Elles étaient à quelques mètres quand il entendit Vale crier de joie.

— *Yes ! Yes !*

La rangée au niveau du sol était occupée par des compartiments nettement plus vastes.

— C'est le grand luxe, dit-elle, triomphante, pour décourager les objections de son compagnon.

— Tu n'es pas sérieuse ?

— Bien sûr ! À l'aéroport Narita de Tokyo, il y a des chambres d'hôtel en forme de capsules pas plus grandes que des tiroirs à cadavres. Elles sont plus petites que ça et on s'y glisse sans problème.

— Il faudrait être en caoutchouc pour entrer là. Je ne fais pas partie du Cirque du Soleil !

La porte vitrée hermétique que montrait Kristen était longue d'un demi-mètre. Toute la boîte de verre formait un rectangle ayant approximativement la taille d'une personne. Quentin pensa à ces cercueils de verre utilisés par les illusionnistes. Une assistante y était enfermée et la porte était verrouillée à l'aide de plusieurs cadenas. Sous un grand voile rouge, elle s'en extirpait en quelques secondes, sans que le public devine où se trouvait la porte cachée. Dans ce cas-ci, cependant, Quentin n'était pas sûr qu'il pourrait en sortir aussi facilement s'il y entrait.

Pourtant, la policière força Quentin à s'y recroqueviller. Elle lui enfonça la tête de la paume de sa main, à la façon des policiers qui poussent un criminel sur le siège arrière d'une voiture de police.

— Referme la porte derrière toi, commanda Kristen Vale.

— Et toi ?

— T'en fais pas. Il y a un autre compartiment de ce format.

— Ouf! Il ne faut pas avoir la phobie des espaces clos, grogna Quentin une fois allongé, incapable de tourner la tête parce que son nez accrochait la paroi du haut.

Il n'était pas certain que Kristen pouvait l'entendre, car elle venait de refermer la cloison coulissante derrière lui.

À travers la vitre déjà embuée par sa respiration, il la vit cependant, immobile, retardant sa retraite de façon dangereuse.

— Quoi? Elle a bien dit qu'il y avait un autre tiroir! Pourquoi elle attend? Je comprends : elle m'a menti pour me convaincre. Elle est folle d'attendre la ruée de ces bestioles!

C'est alors qu'il frissonna devant le spectacle. Kristen s'agitait. Il comprit qu'elle écrasait les premières puces à l'atteindre.

— Non! Non! hurla-t-il, le son étouffé par l'espace confiné se répercutant dans ses oreilles. Elle s'est sacrifiée pour moi! Je vais sortir de ce cercueil de verre et la rejoindre... Je vais l'aider!

Les contorsions qu'il exécuta pour se dépêtrer lui firent réaliser une chose : ses jambes, en se recroquevillant, n'avaient touché aucune cloison au fond du compartiment. De sa main libre, il tâta dans son dos.

— Il y a de l'espace pour deux ici!

Trempé de sueur, il fit glisser la porte, projeta son autre bras à l'extérieur et tira le pantalon de Kristen.

— Viens t'allonger avec moi! Vite!

— C'est trop tôt pour coucher ensemble, tu ne trouves pas? plaisanta la jeune femme en soufflant bruyamment.

Par ses traits d'humour, elle cherchait à dédramatiser leur situation.

— Non, mais... c'est à peine notre premier rendez-vous et tu veux déjà?...

Déjà, l'agente secouait ses vêtements. Elle ne pouvait pas être sûre que toutes les puces étaient restées sur le sol.

— Je ne vois pas grand-chose dans ce coffre-fort ! cria-t-elle. Je ne peux pas prendre le risque de les apporter avec moi dans ta loge !

— Viens, je te dis ! Tu ne peux pas rester là ! S'il te plaît !

Dans la luminosité rougeâtre des cages qui semblait couvrir Kristen de sang, il la vit secouer la tête.

— Quelle tête de mule !

Quentin fit alors passer une partie de son corps à l'extérieur de la cabine vitrée.

— Si tu n'entres pas, dit-il avec le plus d'assurance possible, c'est moi qui sors. Alors, tu te décides ?…

Au lieu d'obéir, la policière essaya de refermer le panneau sur le bras de Quentin. Elle ne réussit pas. L'indexeur rampa vers la sortie et la rejoignit. Il se mit aussitôt à brosser les vêtements de l'agente avec fureur. Puis, satisfaits tous les deux de leurs efforts, il la poussa vers le compartiment vitré. Kristen se glissa dans l'espace grand comme un aquarium de salle d'attente d'un dentiste. Quentin l'imita.

Leurs respirations haletantes embuaient les vitres. Ils ne pouvaient pas voir à l'extérieur, mais ils entendirent les innombrables petits chocs des carapaces frappant contre la paroi vitrée.

Comment de si petits bruits pouvaient-ils annoncer une mort aussi horrible ? Ils auraient trouvé presque amical le bruit de salves de mitrailleuses. Tout plutôt que ça.

Comprimés dans leur réduit, ils ne surent tout d'abord pas qui des deux parlait et qui répondait.

— La porte est fermée ?

— Oui, je crois.

— Elles ne semblent pas nous avoir suivis.

— Elles t'ont piquée ?

— Je ne crois pas. Mais ç'a été juste.

— La porte ne laisse rien passer ?

— Non. Non. On est OK.

— On est à l'abri comme dans un coffre-fort.

— Du moment qu'il y a plus d'air que dans un coffre-fort, sinon on ne sera pas mieux que dehors. Ce maudit Plantagenêt va avoir notre peau d'une façon ou d'une autre.

— Ce n'était peut-être pas lui sous le costume, risqua Quentin, toujours loyal envers son directeur de thèse. Quoique, pour se déguiser avec une telle minutie, il faille vraiment bien connaître le Moyen Âge.

— Et ce qu'il a dit, c'était encore dans cette espèce de vieux français ? En tout cas, ça ressemblait drôlement au texte sur l'ordinateur de Rusinski : « *Se lou meritavo !* »

— Tu as raison. Ça se traduit par « ils l'ont mérité ». On disait ça des pestiférés dans le temps de Nostradamus. Les bien-pensants comme le révérend Brinton prétendaient que les malades s'étaient attiré cette maladie honteuse qui les déshumanisait. Les malades avaient péché, ils devaient en payer le prix.

— Strickland, Rusinski, et maintenant nous. Quelle faute a-t-on commise, nous autres, pour mériter ces tentatives d'assassinats raffinés ?

— À toi de me le dire... Oui, bon, Plantagenêt était un collègue à toi dans le Service canadien du renseignement de sécurité. Qu'est-ce qui se passe dans la tête d'un ancien espion ?

— Tu vas cesser ? s'exclama Vale en grondant son camarade tout en lui donnant un coup de hanche.

— Quoi ?

— On est comme des sardines empilées l'une sur l'autre, mais tu n'as pas besoin de me passer les doigts dans le dos pour ça !

— Mais qu'est-ce que tu racontes ? C'est à peine si je peux bouger ma main de ton côté. Je ne pourrais même pas me gratter le front.

— Je ne rêve pas, dit Vale d'une voix glacée. Je sens bel et bien quelque chose entre mes vertèbres.

Seule sa grande maîtrise de soi l'empêcha de ruer dans les parois.

— Eh bien, ce compartiment semblait vide, plaida Quentin, mais il y avait peut-être des insectes dans un coin sombre. Tu as lu la fiche d'identification avant d'entrer ? Je sais que tu étais occupée à autre chose de plus important…

Kristen arracha l'étiquette dont elle voyait le verso. Elle la retourna. Quentin ne fut pas surpris d'entendre le rapport de l'agente.

— Du latin : *Sphodromantis*.

— …*Mantis* ? Ce doit être une mante religieuse, dans ce cas. Elle ne te fera rien parce que tu n'es pas son mâle. Elle arrache la tête de ce pauvre malheureux après les noces.

— On ne peut pas en être certain. C'est peut-être une puce. Il faut que je m'en débarrasse. Il faut la tuer.

Afin de libérer sa main pour débarrasser Vale du parasite qui lui remontait dans le dos, Quentin reprit ses contorsions. Ce simple exercice fut un dur labeur. L'oxygène devait se raréfier dans leur réduit. Le moindre geste était un exploit, comme s'ils étaient au sommet de l'Everest.

— Impossible d'utiliser mes mains, c'est trop serré.

— Il n'y a qu'une solution, Quentin…

La femme fut parcourue de violentes secousses. Quentin crut qu'elle souffrait, que la fièvre due à l'inoculation lui avait fait perdre le contrôle de ses membres.

Les spasmes musculaires étaient pourtant bien volontaires. Elle cherchait à écraser l'insecte sur la paroi de la cage de verre.

Ils ne surent jamais si ce fut un succès. Déclenchée par les mouvements de la policière, une trappe s'ouvrit sous elle. Elle fit une chute qui lui parut sans fin. En fait, elle dura à peine deux secondes. Elle s'attendit à s'écraser durement contre le roc ou sur le plancher bétonné d'un caveau sous l'insectarium. Au lieu de cela, elle s'enfonça dans une nappe liquide agréablement tiède. «Ce n'est quand même pas l'égout collecteur...», pensa-t-elle en gardant la bouche fermée, à tout hasard.

En tout cas, l'eau dégageait une odeur de matière organique en décomposition. Par chance, la fosse n'était pas bien profonde. Kristen fut soulagée de pouvoir se redresser, ses pieds bien assurés sur le fond. Elle s'empressa de masser ses membres ankylosés.

– Pas de mal ? entendit-elle au-dessus de sa tête.

Quentin était toujours dans l'habitat de la mante religieuse. Il avait passé la tête dans l'orifice et cherchait à repérer sa compagne dans le noir total.

– Ça va, répondit l'intéressée en auscultant les murs autour d'elle. Je crois être dans une ancienne fosse ayant servi de relais pour l'électrification du quartier. Il y a plein de fils et de boîtes métalliques sur les murs.

– De l'eau et des fils électriques ? Attention ! Tu risques d'être électrocutée !

– Non, les fils sont coupés. Cet équipement ne sert plus depuis longtemps.

– Tu vois une sortie ?

– Pas au-dessus de l'eau. Le mortier des murs est lisse. Aucune aspérité pour pouvoir grimper.

– M'étonnerait pas que le docteur Plantagenêt ait construit des oubliettes, comme il y en avait sous les châteaux. L'eau serait celle des douves qui entouraient les fortifications.

– Arrête de me parler de ce foutu Moyen Âge! On est au troisième millénaire et je dois nous sortir de là!

– Je suis aussi obsédé que le docteur, je sais.

– C'est bien beau de se mettre debout, mais encore faut-il pouvoir regagner l'air libre un jour.

L'agente réfléchit :

– Je vais plonger! cria-t-elle. Le puits fait à peine un mètre de diamètre. J'aurai vite trouvé s'il y a une sortie d'urgence.

– Je ne suis pas sûr que ce soit une bonne idée.

Quentin pensait aux animaux monstrueux habitant les cavernes dans les récits de la mythologie.

– Tu es sûre que c'est le seul moyen? insista-t-il.

Pas de réponse. D'en haut, il put entendre le clapotis de l'eau, puis plus rien.

– Kristen?

Les secondes s'égrenèrent trop lentement à son goût.

– Kristen?

Il commença la difficile tâche d'éloigner sa tête de l'ouverture afin d'y glisser les pieds, pour ensuite pouvoir sauter à son tour.

– Kristen? Merde!

Quentin s'inquiéta.

– Tout de même, fais attention de ne pas tomber sur d'autres membres de la collection d'insectes!

Silence.

– Le docteur cultive les parasites. Il n'existe pas de parasites dangereux vivant dans l'eau, n'est-ce pas, Kristen?

Silence.

Si Plantagenêt était devenu fou, rien ne l'empêchait d'avoir ensemencé ce plan d'eau avec des bestioles dégoûtantes, voire dangereuses.

Il n'eut pas le temps de compléter son approche vers la trappe. Un autre fracas liquide et une expiration bruyante se firent entendre sous lui.

– Kristen ?

– Pré… présente ! Ouf !

– Ça va ?

– Oui, et toi ?

– Je ne sens pas de démangeaisons sur ma peau, c'est toujours ça. Je te rejoins ?

– Pas question. Reste là, tu es en sécurité, il me semble.

Elle se demanda si c'était sa responsabilité, en tant que spécialiste de la sécurité, qui lui faisait craindre pour Quentin ou si c'était un sentiment nouveau en elle qui était apparu au fil de leurs aventures communes. Elle refoula aussitôt cette pensée, car sa vie dans les services secrets commençait à peine, et cela voulait dire solitude forcée, car elle espérait parcourir le monde d'une ambassade à l'autre. Elle devait s'astreindre à une sorte de sacerdoce en attendant l'âge et le travail de bureau dans la capitale canadienne, juste avant la retraite.

– J'y retourne, annonça-t-elle.

Elle plongea de nouveau. Du bout des doigts, elle tâta les parois gluantes d'algues. Elle allait remonter pour respirer quand elle trouva ce qu'elle cherchait. Elle émergea en lançant un « *Yes ! Yes !* » de triomphe, comme elle le faisait après avoir inscrit un panier de trois points au gym.

– Il y a un tuyau qui draine la fosse et qui la fait peut-être communiquer avec des conduites du système d'égout municipal.

– C'est assez grand ? Je veux dire, on veut sortir d'un cercueil de vitre, ce n'est pas pour rester coincés dans une galerie sous-marine.

– On passe. C'est juste, mais on passe.

Quelque chose d'autre semblait préoccuper l'agente. Quentin voulut dissiper ses doutes.

– Kristen, tu ne préfères pas attendre que tes copains viennent nous délivrer ?

– Je crois qu'il vaut mieux rester ici, en effet.

– L'ouverture est trop petite, hein ?

– Elle est très juste. Quelqu'un pourrait aussi bien passer que rester coincé.

– Rester coincé ?

Quelle mort terrible ! Sa phobie des espaces réduits le fit frissonner autant que la perspective de périr noyé.

– Écoute, Quentin, je vais tenter le coup.

– Tu n'as pas l'air sûre d'y arriver. Alors, ne le fais pas. Ou je descends et je vais te tirer de là si tu restes accrochée.

– Non, ce n'est pas ça. Je peux me tromper, mais ces eaux risquent d'être trop dangereuses pour y plonger.

La policière scrutait la surface noire et opaque en écarquillant les yeux. Quelque chose n'allait pas.

– Qu'est-ce que tu veux dire ? lança Quentin, impatient.

– Je t'ai parlé de ma mémoire visuelle ? Eh bien, j'ai lu une autre fiche sur le panneau de la trappe que j'ai déclenchée sans le savoir. Je l'ai lue en une fraction de seconde. Tellement subliminal que ça vient seulement de me revenir.

– Quoi donc ?

Kristen hésitait. Le danger devait être particulièrement grand si elle craignait même de l'évoquer en paroles.

– Cette fois-ci, se décida-t-elle afin de convaincre Quentin de ne pas sauter, ce n'était pas un terme en latin mais en portugais. Je connais un peu le portugais pour avoir vécu dans une case sur pilotis, à l'embouchure de l'Amazone, une année avant d'entrer à l'académie… Ce terme, là-bas, les vieux le prononçaient au coin du feu, le soir, pour faire peur aux enfants, un peu comme nous parlons de loups-garous ou de vampires.

– Quel terme ?

L'agente des services secrets parut hésitante.

– Tantôt, tu m'as demandé si ça existait, des parasites dans l'eau…

– Il y a des sangsues, je sais.

– Si ce n'était que ça…

– Quoi, alors ? chevrota Quentin.

– Il n'y a pas de parasites dangereux dans les eaux du Canada, mais Plantagenêt semble en avoir importé d'Amérique du Sud. Il n'y a pas de puces ni de blattes, mais ce que j'ai vu sur cette fiche en haut est bien pire, je t'assure. Si je n'étais pas tombée par accident après l'avoir lue, je serais restée avec les puces, en haut. Je préfère de loin les puces, tu sais…

– Et la peste ?

– Oui, vaut mieux les puces et la peste plutôt que le candiru. C'est ce nom qu'il y avait sur le panneau de la trappe.

Quentin dut reconnaître intérieurement que sa culture générale comportait certaines lacunes, notamment en zoologie.

– Sa réputation est pire que celle du piranha, continua Vale. On l'appelle le « poisson vampire du Brésil ».

À la simple évocation de ce parasite, Kristen sentit la peur se loger au creux de ses reins. Sa respiration s'accéléra et devint bruyante. En donnant de violents coups de tête, elle se mit à inspecter les eaux qui l'immergeaient. Machinalement, elle leva les mains au-dessus de sa tête afin de ne pas laisser un seul centimètre de peau nue sous l'eau.

Pourtant, elle savait que la peau des bras n'était pas l'objectif du candiru.

– La bête fait à peine quelques centimètres, se força-t-elle à dire malgré son ton saccadé.

Elle eut l'impression de siffler dans la forêt, la nuit, autant pour prévenir quelqu'un que pour se rassurer elle-même. Elle poursuivit, presque incompréhensible à cause de ses expirations rapides.

– Le candiru, *Jesus*! En forme d'anguille, ou même d'aiguille, il est transparent et difficile à détecter. C'est un parasite, et un vrai. S'il trouve un orifice chez un autre poisson, il y pénètre à la vitesse de l'éclair.

– Je devine au ton de ta voix qu'il ne s'en tient pas qu'aux poissons.

– En effet. Si tu plonges, il pourrait se faufiler par les orifices de ta tête qui ne sont pas protégés par un vêtement. Ce serait dans tes yeux. Et si tu les gardais fermés, il pourrait se frayer un chemin par le canal lacrymal, à la commissure des paupières, ou il pourrait se tourner vers le nez et vers les oreilles.

– Il ne pourrait pas aller bien loin.

– Je n'en serais pas si sûre si j'étais toi. Des crochets lui permettent de forer une cavité pour atteindre le sang. Quand il y parvient, il déploie ses crochets dans la plaie comme une vis en forme de parapluie. Plus moyen de l'enlever sans chirurgie. On a parfois dû amputer le sexe des hommes. C'était la solution la plus simple.

– D'accord, d'accord, tu m'as convaincu d'attendre les secours. Pfff… Le docteur Plantagenêt a vraiment un grand amour pour tout ce qui constitue une arme vivante !

– En effet. Ce n'est pas un hasard si le candiru est ici. Il garde l'entrée de sa forteresse par la voie souterraine.

– Dire que j'allais plonger dans cette soupe… Merci à ton sens de l'observation.

Kristen semblait en proie à une nouvelle inquiétude.

– *Jesus*!

– Tu en vois un ? dit Quentin en plongeant la tête dans la trappe pour mieux voir et pour aider sa compagne à déterminer la provenance de l'attaque.

– Je sens un courant !

– C'est bon signe. L'orifice que tu as repéré sous l'eau débouche quelque part.

– Le ciel était couvert quand nous sommes arrivés.

– Tu vas trouver ça bizarre, Kristen, mais j'étais tellement concentré que je n'ai pas remarqué le temps qu'il faisait…

– Oui, moi, j'ai remarqué. Il allait pleuvoir avant la fin de l'après-midi.

– Et alors ?

– Tantôt, j'avais de l'eau jusqu'à la poitrine ; maintenant, elle atteint le menton.

– L'eau monte ?

– Il doit pleuvoir en ce moment. L'eau des conduites sou-terraines est en train de monter. Je ne pourrai pas rester debout bien longtemps. Je risque de me noyer.

Quentin entendit des frottements sur la pierre des parois du puits.

– Qu'est-ce que tu fais ?

– J'essaie de remonter.

L'anxiété était palpable dans la voix habituellement maîtrisée de la policière.

– Je descends les bras pour t'agripper !

– Tu es trop loin ! Il faut que je me rapproche de la trappe !

Bruits de respiration saccadée. Grognements de frustration.

– Pas moyen d'appuyer les pieds sur la moindre fissure. C'est comme faire de la grimpe sur un glacier sans avoir de crampons.

Pendant le dernier congé des fêtes, elle avait vaincu le Roller Coaster à Bancroft, dans les Rocheuses. Un cœfficient de difficulté de niveau WI3 ou WI4. Mais là-bas, elle avait le fichu équipement. Ici, elle n'avait que ses ongles.

– Écoute, Kristen, tu vas nager sur place et remonter lentement vers moi à mesure que le trou va se remplir.

– J'aimerais en être sûre… Tu comprends, si la crue arrête en chemin et que je n'ai pas de prises sur le mur pour ne pas couler… Mes vêtements imbibés sont trop lourds.

– Vous êtes des sportifs, aux services de sécurité, non ? gronda Quentin en désespoir de cause. Tu peux aussi faire la planche jusqu'à ce que Nobody se décide à appeler des secours.

– Ce n'est pas ça : le puits fait à peine un mètre de diamètre. Je ne pourrai pas m'allonger pour faire la planche. D'ailleurs, la planche serait exclue, même si j'étais dans une piscine olympique.

– Qu'est-ce que tu racontes ?

– Pour faire la planche, il faut que les oreilles soient sous l'eau.

– Oui, et alors ? Oh non !

– Oh oui, plutôt ! Le candiru, tu as oublié le candiru !

Non, Quentin ne l'avait pas oublié. Les paroles de Kristen étaient gravées dans les replis de son cerveau pour toujours : « S'il trouve un orifice… il y pénètre… S'il trouve un orifice… il y pénètre… »

Chapitre 19

Sous la maison de Plantagenêt, quartier du Glebe

5 juin, 18 h 16, un peu plus de 24 heures avant l'attaque finale

L'eau du puits était tiède et nauséabonde. Son niveau ne cessait de monter. Poitrine, menton, bouche… Kristen craignait le moment où le liquide submergerait son visage, non pas tant en raison du risque de noyade, mais surtout à cause du candiru.

Ses pieds quittèrent le plancher visqueux et elle se mit à faire du surplace avec de légers battements des bras et des jambes.

Elle n'avait jamais excellé à la nage. Elle se demandait si elle ne finirait pas par se fatiguer et par couler. Dans d'autres circonstances, elle aurait couru le risque d'attendre : Nobody allait finir par s'inquiéter. Il abandonnerait alors son poste d'observation et sa canette de bière pour venir à leur rescousse. Mais elle ne pouvait pas se le permettre.

Étrangers au courant, de furtifs mouvements dans l'eau autour d'elle prouvaient qu'elle n'était pas seule dans le puits sombre. Les frémissements firent soudain place à des frôlements de plus en plus audacieux.

– Ces fichus candirus ! L'écriteau n'était pas une ruse. Il y a vraiment de ces maudits poissons-vers ici ! Dire que les serpents d'eau dans certains lacs me dégoûtaient, alors qu'ici, c'est bien pire… Les serpents d'eau fuient les baigneurs, eux.

Kristen savait que ces bestioles envahissantes étaient si petites qu'elles ne pouvaient pas produire de remous. « Sauf si elles sont nombreuses », pensa-t-elle.

Le grouillement autour de ses jambes et de ses épaules s'accentua et elle résolut d'y mettre fin. Entre deux mouvements de brasse, elle frappa la surface liquide de la paume de ses deux mains. Elle réussit à interrompre les mouvements furtifs autour d'elle. Mais ils reprirent dès qu'elle cessa.

Avec un pincement au cœur, elle se rendit compte que l'eau atteindrait son nez et ses yeux en à peine quelques minutes, voire en quelques secondes. La fatigue la gagnait rapidement.

« Je n'ai pas le choix », décida-t-elle.

Si Quentin avait pu voir Kristen, il aurait douté de sa santé mentale. Avec une série de contorsions, elle retira son veston et sa ceinture.

– Quentin, je vais tenter ma chance du côté du passage sous l'eau. Je recouvre ma tête avec mon veston et je me l'attache autour du cou avec ma ceinture.

Elle expulsa l'air de sa cagoule afin d'éviter qu'elle se transforme en gilet de sauvetage et la ramène à la surface comme un bouchon de liège. Ensuite, elle plongea après avoir rempli ses poumons.

La sensation de l'eau pullulant de présences vivantes devant elle fut absolument horrible. À chaque mouvement, son corps se heurtait à un banc de poissons de plus en plus dense. « Pourvu que mon masque improvisé n'en laisse pas passer ! Il n'en faudrait qu'un seul… »

Elle se concentra sur sa tâche : trouver le passage hors du puits. Elle chassa de son esprit la possibilité que ses mains soient transpercées par les dards acérés des candirus. Elle ne devait faire aucun geste brusque. « Va au diable, Plantagenêt ! Que voulais-tu protéger avec ces terribles gardiens ? À moins que tu sois un maniaque sadique excité par la vue de ces parasites comme d'autres le sont par les requins blancs ou par les piranhas ? »

Par bonheur, après qu'elle eut pénétré dans le tuyau de drainage, le banc de créatures à la forme effilée se clairsema peu à peu. « Ouf ! Un peu de répit ! Mais pas question d'enlever mon masque. De toute façon, le passage est tellement étroit que je ne pourrais pas lever les bras. »

En effet, elle rampait plus qu'elle ne nageait. Elle se propulsait péniblement du bout des doigts, les mains plaquées sous son corps. Il lui semblait que les parois se refermaient sur elle. Elle s'écorchait les hanches au passage. « Il ne faut surtout pas que je perce mes vêtements. Pas d'ouvertures ! Pas d'ouvertures ! »

Petit à petit, elle parcourut quelques mètres qui lui parurent des kilomètres. Elle avait l'impression de suer à grosses gouttes, même sous l'eau.

Par sa seule volonté, elle avait ralenti le rythme de son système cardiovasculaire. Elle ne ressentait pas encore le besoin irrépressible d'aspirer une grande bouffée d'air.

Ce qu'elle craignait le plus à part les poissons parasites, c'était d'être serrée comme dans un étau et de ne pouvoir ni avancer ni reculer. Aveuglée par le sac sur sa tête, elle ne pouvait pas voir si elle risquait de s'engager dans un rétrécissement dangereux. « Mais non ! Si Plantagenêt a pris la peine d'élever des candirus pour servir de gardiens, c'est que quelqu'un peut passer ici ! »

Elle n'avait pas fini de se rassurer quand son front heurta un obstacle devant elle. Sa peur se concrétisait. Allait-elle être coincée ici jusqu'à ce qu'elle se noie ?

Espérant avoir atteint un coude dans le conduit, elle chercha à changer de direction. Peine perdue : elle se trouvait dans un cul-de-sac.

C'était le pire des scénarios : elle allait devoir retourner dans la fosse aux candirus, les pieds en premier, de reculons, comme une écrevisse. « Je n'y parviendrai jamais ! Combien de temps avant que je ne puisse plus résister à l'envie d'ouvrir la bouche pour prendre une bouffée d'air ? »

C'est alors que le miracle se produisit. Devant elle, le mur bougea. Son front lui servant de proue, elle comprit que ce qu'elle avait pris pour un bloc de pierre était en réalité deux pieds humains. La bouche et les narines couvertes par le pouce et l'index de la main gauche, elle ne sentit pas le terrible goût de fer, celui de l'hémoglobine qui s'écoulait du cadavre par les dizaines de perforations que les candirus y avaient creusées.

Sa tête faisant office de bélier, Kristen se mit à pousser avec l'énergie du désespoir. À sa grande surprise, le corps bougea et libéra le passage. « Je devine pourquoi : c'est le bout du tunnel. Pourquoi le malheureux qui m'a précédée n'a-t-il pas pu franchir les derniers centimètres menant à l'air libre ? »

Kristen se releva, le haut du corps hors de l'eau. Elle but l'air goulûment après avoir arraché son veston converti en masque de plongée.

Elle se trouvait maintenant dans un canal où elle pouvait marcher sans se courber. Une ampoule allumée au bout d'une rallonge lui permit de détailler les lieux. À sa gauche, un trottoir surélevé bordait le canal de décharge. Tout près, la porte métallique d'une remise ou d'une centrale électrique était entrebâillée.

Elle sut qu'elle devait investiguer de ce côté. D'abord, elle vérifia le bouchon humain qu'elle avait dégagé du conduit. C'était bien un cadavre qui flottait sur le ventre. Kristen le fit rouler sur lui-même et un homme dans la quarantaine ne portant que des jeans apparut dans toute son horreur. De sa bouche béante, une demi-douzaine de vers translucides surgirent pour se jeter dans l'eau. Mais ce furent les yeux grands ouverts qui lui donnèrent la nausée. Les deux globes oculaires étaient comprimés sur les parois du nez, le regard étant dévié de façon ridicule. Ce strabisme était causé par la présence de deux queues translucides qui se trémoussaient afin de pénétrer les orbites plus à fond. « Le piège de Plantagenêt semble avoir été efficace, pensa Kristen avec dégoût. S'il est un ancien espion, il en a gardé le froid talent. Cet intrus a payé cher son intention de violer les secrets sous Lion-Hearted Den. S'il s'agissait de cet insectarium, ça ne valait pas la peine de mourir. »

De toute évidence, l'homme était mort noyé après avoir paniqué à cause de la claustrophobie ou des parasites lancés à l'assaut de sa gorge et de ses yeux.

Kristen se hissa sur le trottoir de béton par la force de ses puissants avant-bras. Elle fut aussitôt attirée par la porte entrebâillée d'où lui parvenaient la lumière puissante d'un projecteur et quelques bruits furtifs : frôlements de semelles, déplacements d'objets, sifflement léger d'un climatiseur.

La pièce devant elle n'était pas grande, mais elle avait tout pour surprendre. Kristen s'attendait à y trouver des appareils électriques rouillés et désuets, mais elle eut l'impression de se trouver à l'entrée d'un salon ou, mieux encore, d'un musée. Une dizaine de tableaux étaient accrochés aux murs plâtrés. Des guéridons supportaient divers artéfacts parmi lesquels elle crut reconnaître une petite pendule sous globe.

Kristen Vale était sûre que cette découverte était liée aux événements survenus à la tour de la Paix. Aussi la curiosité l'emporta-t-elle sur la prudence. Elle s'approcha de l'objet qui avait attiré son attention.

C'était bel et bien une pendule. Elle n'aurait pas pu le jurer, mais il s'agissait sans doute d'un travail d'orfèvrerie assez ancien. Une petite plaque qui portait ces mots le confirma : « *To Brother John A. Macdonald, May 1870* ».

La référence à Macdonald, le premier des premiers ministres du Canada, ancra la certitude de Kristen d'avoir percé un secret. Si elle en avait douté, ce qu'elle vit sur le mur près de la porte lui confirma qu'elle venait de mettre les pieds dans l'Histoire.

C'était une grande toile. Elle représentait une trentaine d'hommes vêtus à la mode victorienne autour d'une grande table, certains debout, d'autres assis. Même si elle ne s'y connaissait pas, elle fut impressionnée par la dignité et par la majesté émanant de cette œuvre d'art.

C'est alors qu'elle sursauta. Une voix grave venait de résonner au fond de la pièce, derrière elle.

– *Les Pères de la Confédération*. Le tableau de Robert Harris commandé par le gouvernement canadien en 1886 pour commémorer la Confédération de 1867, chef-d'œuvre, le croirez-vous, ensuite détruit dans l'incendie du parlement, en 1916.

Chapitre 20

La galerie d'art souterraine de Plantagenêt

5 juin, 18 h 20, un peu plus de 24 heures avant l'attaque finale

L'homme qui venait de parler s'était dissimulé derrière une haute armoire ressemblant à une horloge grand-père. Il sortit de sa cachette. Kristen le reconnut pour l'avoir vu en compagnie du sénateur Strickland sur la bande vidéo du foyer de l'édifice du Centre, sous la tour de la Paix, enregistrée quelques instants avant la mort du parlementaire. « Le docteur Tristan Plantagenêt, pensa-t-elle, un ancien du SCRS et du CNRC, que certains considèrent comme un génie pour avoir cumulé des carrières de scientifique, de spécialiste des insectes, d'expert en armes biologiques et d'universitaire diplômé en histoire. Le mentor de Quentin. »

Si Plantagenêt était un espion excentrique, il avait tout de même eu le réflexe tout à fait normal de braquer un pistolet sur l'intruse.

Kristen remarqua tout de suite qu'il ne portait pas l'accoutrement médiéval de l'agresseur dans l'insectarium. « Il a eu le temps de s'en défaire, si c'est lui, l'épouvantail à moineaux, bien entendu. »

S'il s'agissait bien de l'agresseur qui les avait jetés en pâture, Quentin et elle, aux puces de la peste et aux candirus, elle savait n'avoir aucune pitié à attendre de lui.

— Les caïnites qui vous envoient, reprit-il sans qu'elle comprenne, les caïnites ou, si vous préférez, les ophites, adorateurs des serpents, me traquent depuis des années. Je ne savais pas si vous finiriez par trouver ce sanctuaire après avoir échappé à mes gentilles petites bêtes de l'Amazone.

« Ai-je affaire à un psychopathe ? » songea Kristen. Cette conversation, elle n'en doutait pas, avait sa vie comme principal enjeu.

Plantagenêt désigna une trousse abandonnée dans un coin.

— Vous allez trouver une seringue dans ce sac, dit-il d'une voix impérieuse, attribut de tous les mythomanes de l'histoire imbus d'une prétendue mission divine. Vous allez vous injecter son contenu, qui effacera tout souvenir de vos vingt-quatre dernières heures, surtout les vingt-quatre dernières minutes, pour être plus exact.

Comme l'agente hésitait, son ton sinistre se fit insistant.

— C'est ça ou on vous retrouve à l'état de cadavre dans le canal Rideau, pas très loin d'ici.

Kristen Vale ne douta pas un instant que cet individu, dont la tête était mise à prix depuis la mort de Strickland, l'exécuterait sans cligner de l'œil. Elle saisit la seringue hypodermique, qu'elle regarda longuement avant de repérer une grosse veine dans son avant-bras.

Elle prit une inspiration profonde et appuya la pointe de l'aiguille sur sa peau encore détrempée. Elle ne l'enfonça pas, voyant que Plantagenêt l'avait complètement oubliée. Il affichait un air stupéfait, ses yeux rivés sur la porte.

— Monsieur DeFoix ! s'exclama-t-il.

– Docteur Plantagenêt? répondit Quentin qui venait d'apparaître, aussi détrempé que sa compagne d'incarcération.

– Ne me dites pas que vous aussi faites partie de ces imbéciles de caïnites?

En parlant, il désignait Kristen.

– Les caïnites?

– Tu aurais dû rester là-haut! lui reprocha Vale.

– Je voulais t'aider, répondit le nouveau venu, penaud. Je t'ai imitée en m'entourant la tête avec ma chemise.

À son tour, Quentin fut distrait de la gravité de la situation par l'étalage de pièces historiques qu'il venait de remarquer.

– Je parierais que c'est la pendule de John A. Macdonald, balbutia-t-il, peinant à croire que de tels trésors puissent se trouver dans des égouts. La loge britannique dont il faisait partie la lui avait offerte en cadeau. Elle a longtemps été conservée dans son bureau de l'édifice de l'Est, à l'intention des touristes admiratifs, puis on l'a prêtée au 24 de la promenade Sussex pour décorer la salle à manger officielle.

– Vous faites honneur à votre directeur de thèse, monsieur DeFoix.

– Et… et là, mon Dieu! *Les Pères de la Confédération*! Une excellente copie, en plus!

– Vous pensez que c'est une copie? rugit Plantagenêt, à la fois offusqué et amusé. C'est vrai, il y a eu de nombreuses contrefaçons, le piratage des droits d'auteur se faisant de plus en plus allégrement à mesure qu'on remonte dans le temps. Le piratage en cybernétique de nos jours n'est que le retour du balancier vers cette époque sans lois.

– En effet, j'ai lu que le peintre Robert Harris s'est fait voler, l'appuya Quentin. Des peintres faussaires ont reproduit *Les Pères de la Confédération* presque aussitôt. Ils ont copié le tableau à partir d'une photographie de l'original faite illéga-lement, elle aussi.

Quentin avait maintenant le nez sur la grande toile de deux mètres et demi sur trois mètres et demi, comme s'il n'avait rien à craindre de son ancien maître. Kristen Vale observa avec effarement les deux hommes qui discouraient comme s'ils visitaient le Musée des beaux-arts. « Quels tarés ! » se dit-elle. D'un mouvement de réflexe, Quentin étendit le bras pour toucher le tableau et prouver qu'il était victime d'une mauvaise blague. Plantagenêt prévint le geste.

— Je ne ferais pas ça, à votre place. Ce que vous voyez n'a peut-être pas l'air du tableau à l'huile original, mais c'est bel et bien l'original.

— C'est impossible, docteur. L'original a été emporté dans les flammes de l'incendie accidentel du parlement, le 2 février 1916.

— Dans le monde des ombres que je fréquente, monsieur DeFoix, répliqua Plantagenêt d'un air exprimant à la fois de la condescendance et de la lassitude, rien n'obéit aux règles habituelles. En fait, dans le cas des *Pères de la Confédération* que vous avez devant vous, vous faites une double erreur : *primo*, l'original n'a pas brûlé en 1916 ; *secundo*, l'incendie n'a pas été accidentel.

Fasciné par ces révélations, Quentin s'était glissé dans sa bulle d'intellectuel, oubliant complètement le pistolet et l'agente Vale.

— C'est impossible, c'est impossible ! répéta-t-il en cherchant une erreur sur la toile.

— On dit, dans le monde parallèle au vôtre où œuvre la Compagnie, que l'impossible met seulement un peu plus de temps à se réaliser.

– Je veux bien, mais comment se fait-il que ces trésors culturels se trouvent sous votre maison ? Je vois même la masse de la Chambre des communes, signe de l'autorité royale, qui a sans doute fondu dans ce même incendie…

Plantagenêt hocha la tête en signe d'assentiment.

– Votre amie, monsieur DeFoix, pourrait répondre à cette question. N'est-ce pas sa secte de terroristes, les caïnites, qui traquent la Compagnie depuis des siècles pour entrer en possession de tels trésors, comme vous dites ?

– Je suis membre des services de sécurité du Bureau du Conseil privé qui dépend du premier ministre, rétorqua Vale. C'est ce dernier qui m'envoie. S'il y a un terroriste ici, c'est vous, docteur Plantagenêt. Nierez-vous avoir assassiné le sénateur Strickland en raison d'un secret découvert dans la tour de la Paix, grâce aux marteaux des restaurateurs ?

– Vous mentez avec facilité. Vous savez bien que c'est une de vos âmes damnées qui nous a attaqués, William Strickland et moi, à la tour. Je m'y attendais et je m'étais armé du seul équipement permis dans l'enceinte du parlement, soit une arbalète de la collection de William. Votre complice m'a tout de même surpris et je suis tombé de l'échafaudage. Quand je suis revenu à moi, un type maigre et grand – qui aurait tout aussi bien pu être une femme, *mind you* – descendait vers moi, armé de ma propre arbalète. J'ai dû dévaler l'escalier des travailleurs jusqu'au bas de la tour pour sauver ma peau. Je suis en fuite depuis ce temps.

– Qu'avait découvert Rusinski à la tour pour justifier ce carnage ? s'empressa de demander Vale.

– Vous ne croyez tout de même pas que je vais livrer le secret à nos ennemis jurés, dont vous faites partie ?

– Qu'est-ce qu'il raconte ? demanda Quentin à la jeune femme.

Cette dernière secoua la tête en signe d'incompréhension.

– Ce que je peux vous dire, reprit Plantagenêt – parce que les caïnites le savent déjà, n'est-ce pas, gente damoiselle ? –, c'est que les artéfacts contiennent des indices sur le lieu où est conservé le secret le plus important de tous les temps. Voilà pourquoi nous avons tendance à les collectionner : par mesure de prudence. Nous ne voulons pas que le plan du trajet, du « labyrinthe », tombe entre de mauvaises mains. Tel que vous me voyez, je suis en quelque sorte le gardien du labyrinthe, après bien d'autres avant moi dans le cours de l'histoire de l'humanité et en compagnie de bien d'autres aussi. Strickland et Rusinski en faisaient partie, et voyez ce qui leur est arrivé.

– Pourquoi le labyrinthe apparaît-il sur des objets marquants de l'histoire du Canada ? voulut savoir Quentin.

Plantagenêt parut le jauger de ses prunelles azur, capables d'une grande dureté. Il savait n'avoir rien à apprendre aux caïnites.

– Parce que ce pays a été fondé par ma Compagnie, laissa-t-il échapper. Une société d'idéalistes que certains qualifieraient à tort de « secrète », ce qu'elle devait être pour assurer sa survie au temps de la grande intolérance, mais une société tout juste « discrète » aujourd'hui : la Compagnie.

Chapitre 21

Musée sous la maison de Plantagenêt

5 juin, 18 h 37, un peu moins de 24 heures avant l'attaque finale

L'esprit pratique de Kristen Vale se révolta. Ce Plantagenêt prétendait qu'une organisation secrète avait fondé le Canada. Quentin et elle avaient échappé par deux fois à la mort semée par les créatures de cet homme. Ils étaient trempés jusqu'aux os et celui-ci les entretenait, comme dans un salon de Rockcliffe Park ou de Westmount, d'une quelconque mission secrète.

Avec la permission de l'homme, Vale repêcha sa carte d'identité dans la poche de sa veste et la lui lança à la poitrine. Cela ne sembla pas l'impressionner outre mesure.

— Je ne peux me fier à personne, dit-il avec amertume. Même la Compagnie a été infiltrée par nos adversaires. Il y a eu une fuite puisque William Strickland, un gardien comme moi, a été démasqué et tué.

— Nous nous sommes fait attaquer dans votre maison, glissa Kristen, et le corps d'un homme obstruait le passage menant de la fosse jusqu'ici.

— Ah oui ? Ce sont eux. Ils se rapprochent de moi et de cela…

Il désignait les artéfacts.

– Qui ça, « ils » ? lui envoya l'agente. Des terroristes ?

– En quelque sorte. Je ne vous apprends rien en vous disant que les caïnites, ou les ophites, constituent une faction religieuse qui croit à la fin apocalyptique du monde. Suivant ce raisonnement, tout leur est permis sur terre, car la terre est, pour eux, une erreur, une grotesque farce d'un dieu maladroit. Nous les combattons depuis des siècles. Ils ont l'habitude d'offrir leurs services à des groupes subversifs, mafieux, révolutionnaires, fascistes. Et, pourquoi pas, à quelques individus sans scrupules portant soutane et crucifix.

– Vous pouvez avoir confiance en nous, insista Quentin, avide de connaissances. Expliquez-nous ce qui se passe.

– Les services de renseignement pourraient vous aider, surenchérit Vale, si vous êtes vraiment ce que vous affirmez et si vous collaborez à l'enquête sur les homicides.

Malgré sa forte stature, Plantagenêt parut se tasser sur lui-même. Il n'aimait pas particulièrement les non-initiés parce qu'ils vivaient dans un autre monde, fondé sur l'ignorance et sur la bêtise. L'entendement collectif le faisait frissonner. Mais il ne semblait pas avoir le choix de s'entendre avec les services de sécurité canadiens.

Pour balayer ses dernières hésitations, il étudia le visage de Quentin et de Kristen. Il s'intéressa surtout à leur front et à leurs tempes.

– Pas de marque de Caïn, se dit-il. Ce n'est pas une garantie, mais…

Il tira une serviette de son sac de voyage.

– Séchez-vous, ordonna-t-il à la femme. C'est l'été, mais, comme vous l'avez remarqué, l'air ambiant de cette pièce doit être maintenu frais et sans humidité pour assurer la conservation de ces pièces de collection.

Kristen s'était alors approchée de la grande toile intitulée *Les Pères de la Confédération*.

– Vous savez pourquoi ils ont l'air aussi sévère, ces politiciens des années 1860 ? l'interrogea le septuagénaire à brûle-pourpoint, sans baisser son arme.

N'obtenant qu'un silence respectueux, il répondit lui-même.

– La peinture a été faite à partir de photos. Or, à l'époque, les sujets devaient poser de longues minutes avant que la prise ne soit terminée. Les sourires avaient le temps de se figer.

John A. Macdonald, debout au centre, était entouré des représentants du Haut-Canada et du Bas-Canada, de même que de ceux des futures provinces de l'Atlantique : Brown, Cartier, Tupper, Tilley, McGee… Au Parlement de Québec, en 1864, dans la salle de lecture à l'étage, ils participaient à la première de trois conférences pour fonder la Confédération.

– Vous avez parlé de votre rôle dans la fondation du Canada, docteur Plantagenêt, lui rappela Quentin. Enfin, du rôle de votre société. Expliquez-nous.

Le membre de la Compagnie revint à la réalité un moment pour consulter sa montre.

– J'ai peu de temps. Puisqu'il y avait déjà des ennemis chez moi, les autres ne tarderont pas. Je vais prendre le maquis puisque je suis poursuivi autant par les caïnites que par la police, qui est peut-être elle-même infiltrée par eux. J'aime assez l'idée d'agir en sous-main, à l'aide des contacts que j'ai cultivés dans diverses organisations.

Plantagenêt semblait retarder les déclarations de façon délibérée. Il ne doutait pas que son histoire puisse paraître ridicule à ces jeunes esprits. Aussi l'aborda-t-il par le biais d'une analogie avec un phénomène qu'ils connaissaient bien, usant de son talent de pédagogue universitaire.

– Vous savez l'importance des lobbyistes auprès du gouvernement. Certains sont bien organisés. Il y a des firmes qui ne font que ça. Les édifices du centre-ville en face de la colline parlementaire en sont pleins. Ils rencontrent ministres et députés à longueur d'année pour les sensibiliser à leurs causes, toutes aussi bonnes les unes que les autres.

– *Rent-a-General*! [louez un général], dit simplement Quentin.

– Oui, docteur, ajouta Vale, heureuse de passer à une matière plus ancrée dans la réalité : ce système est appelé ainsi aux États-Unis. Un militaire prend sa retraite à cinquante ans, mais il garde ses contacts dans l'armée. Il peut donc servir d'intermédiaire pour obtenir des contrats. Quel rapport avec la Compagnie ?

– Nous exerçons de l'influence sur les décideurs depuis les Templiers. Évidemment, l'ordre des Templiers a pris d'autres noms selon les époques et les cultures. Après le massacre de Jacques de Molay et des autres chevaliers par Philippe le Bel, il n'y eut jamais autant d'héritiers des Templiers. Tout de suite après 1315, un ordre du Christ est né au Portugal, tandis que, France, ce fut la Confraternité du Saint-Sépulcre. Des rescapés de l'extermination réfugiés en Écosse obtinrent aussi du pape, en 1316, que soit protégé leur ordre de moines guerriers formé deux ans plus tôt, les Frères aînés de la Rose-Croix. Beaucoup plus tard, au milieu du XVIIe siècle, en France toujours, la Compagnie du Saint-Sacrement succéda à la Compagnie du Précieux-Sang. Avec la Compagnie, nos membres ont reçu le mandat de se rapprocher de la cour de Louis XIV afin de contrebalancer les forces du Mal.

– Les forces du Mal ? s'étouffa presque Vale, peu habituée à cette rhétorique.

– Oui, malheureusement, elles sont organisées, elles aussi, et elles pratiquent le lobbying avec ardeur.

– Si je comprends bien, le coupa Quentin, vous seriez les forces du Bien ?

– Des anges ? ricana Vale, qui était sûre d'avoir affaire à un illuminé.

Plantagenêt ne releva pas le sarcasme.

– Les anges de l'Église, non. Des gardiens de l'humanisme, oui. L'humanisme qui a souvent fait défaut aux groupes religieux officiels. Au contraire, nous avons été ouverts à tous, recrutant même des marchands, par exemple. Pensez à la Compagnie des Cent-Associés, qui a été une façade commode pour nos agissements. Et nous avons aussi recruté des philosophes : Thomas More, Francis Bacon, Giordano Bruno. Ce dernier n'a pas été brûlé par l'Inquisition parce qu'il croyait à la théorie de Galilée et de Copernic sur l'orbite de la Terre autour du Soleil, contrairement à ce qu'on avait cru jusque-là, mais parce qu'il prônait, comme nous, une fraternité universelle, méfiante des chefs de l'époque.

– La tolérance, l'ouverture ? récapitula Quentin, comme s'il était dans une salle de classe malgré la précarité de leur situation, à Vale et à lui. Ça n'a pas dû toujours plaire à ces chefs. Le monde a été organisé à partir des différences.

– Voilà pourquoi notre Compagnie a été mal vue, diffamée, persécutée comme les rosicruciens et les francs-maçons, par exemple. Tous, nous proposions un autre ordre, celui de l'égalité.

– L'Inquisition voulait remettre les pendules à l'heure.

– Exactement. La Compagnie du Saint-Sacrement a été officiellement dissoute en 1660, mais elle est demeurée active jusqu'à nos jours. Elle est maintenant composée de représentants de diverses confessions religieuses. Donc, l'expression « Saint-Sacrement », trop ouvertement catholique, n'est plus employée dans notre nom, même si des ostensoirs circulent encore dans nos rangs. Vous ne pourriez imaginer ce que nous devons tous à la Compagnie.

Quentin se tourna une fois de plus vers la toile de Robert Harris, qui exerçait sur lui une attirance presque solaire. Il ne l'avait vue que dans des manuels de classe. Il avait l'impression que la pièce était devenue une machine à remonter le temps, et Tristan Plantagenêt, une sorte de H. G. Wells.

– On doit donc le pays à la Compagnie, d'après vous ? demanda-t-il. Une belle profession de foi dans la disparité, non ?

Plantagenêt éluda la question. Mais ce qu'il affirmait ouvrait tout un monde insoupçonné dans l'esprit de Quentin DeFoix. Était-ce vrai ? L'ancien espion et scientifique, à tout le moins l'ancien professeur d'université, semblait le croire.

Pour une raison encore inconnue, Plantagenêt poursuivit ses révélations sur son organisation occulte.

– Les Templiers, reprit Plantagenêt en levant l'index, n'ont pas été brûlés à cause de leur argent ou de leur arrogance, comme tout le monde le prétend. En fait, leur participation aux croisades les avait mis en contact avec d'autres cultures venues de l'Orient. Entre autres, ils ont été séduits par le message de tolérance universelle puisé dans les enseignements des soufis, ces philosophes arabes. Démocratie, humanisme, sciences exactes : autant de menaces pour les pouvoirs en place à Paris et à Rome. Philippe le Bel a exterminé le ver dans la pomme en dissolvant l'ordre et en brûlant les Templiers en tant qu'hérétiques. Louis XIV l'a imité à sa façon en dissolvant la Compagnie du Saint-Sacrement, les héritiers de Jacques de Molay.

Plantagenêt pointa alors le doigt vers le personnage au milieu de la peinture. Ce dernier était isolé au centre, entouré par les congressistes, comme le Christ par ses disciples dans *La Dernière Cène* de Léonard de Vinci.

– Qui est-ce? demanda-t-il.

– John A. Macdonald. Il allait devenir le premier premier ministre du Dominion.

– Bravo, monsieur DeFoix. Répondez maintenant à cette question-ci : qui a été le plus ardent défenseur de la Confédération lors des congrès tenus à Charlottetown, à Québec et à Londres ?

– Lui. Macdonald.

– Vous ne le saviez peut-être pas, mais il était franc-maçon, de la Grande Loge britannique.

Plantagenêt se désintéressa alors de son ancien élève pendant quelques instants. Il se mit à fouiller dans un gros dossier de documents pareil à une boîte de carton repliable comme Quentin en avait vu aux Archives nationales. Il en sortit une chemise, qu'il ouvrit.

– Voilà, c'est ça. Regardez vous-même, monsieur DeFoix.

Plantagenêt s'était bien gardé de poser les doigts sur le contenu du dossier. Quentin prit les mêmes précautions que son ancien professeur. Tous deux historiens, ils savaient le respect dû aux trésors de papier. À défaut de gants de toile, Quentin se contenta de tenir la chemise entrouverte. Il avait sous les yeux une lettre signée « Brother J. A. Macdonald K.C.B. 1861 ». Il en lut rapidement quelques passages à haute voix, ce qui plut à Plantagenêt :

– « *Dear Bro* : [...] *Although the services of the Masonic Body were not made use of on the occasion of laying the corner stone of the Parliament Buildings at Ottawa [...], we are in pleasant terms. We are, dear Bro, Harrington, Fraternally yours.* » [Cher frère : bien qu'on n'ait pas fait appel aux francs-maçons pour la pose de la première pierre des édifices du parlement à Ottawa [...], nous entretenons de cordiales relations. Veuillez agréer, cher frère Harrington, mes sentiments fraternels.]

En reprenant la chemise et en la remettant dans la boîte, Plantagenêt continua.

– Tout le monde sait que les premiers ministres conservateurs ont tous été des francs-maçons. Après Macdonald, il y eut John Abbott, Bowell, Borden, Bennett, Diefenbaker… L'appartenance aux francs-maçons était plus risquée chez les francophones catholiques, car ils risquaient l'excommunication. Ça n'a pas empêché Wilfrid Laurier d'être membre d'une organisation interdite par l'Église québécoise, soit l'Institut canadien. Celui-ci entretenait des liens étroits avec le Grand Orient de France, avec qui il partageait l'idée de la séparation de l'Église et de l'État. Or, l'Église et l'État ont dirigé le Québec main dans la main jusqu'en 1960, presque trois cents ans après la Révolution française.

– Je ne savais pas cela, mais je savais que George Washington était franc-maçon, se disculpa l'ex-élève.

– On dit que les révolutions française et américaine sont issues de la vague lancée par les idées humanistes de la Renaissance et véhiculées par notre groupe.

– Et le Canada aussi, à ce que vous dites.

– Et le Canada aussi, dans sa disparité, dans ses tensions inévitables, dans ses crises de croissance. L'important, c'était d'amorcer le mouvement.

– Vous prétendez bien des choses, répliqua Kristen Vale. Où sont les preuves ?

Plantagenêt commença par désigner les objets autour d'eux. Puis, il continua :

– Pas de preuves sur papier. Il n'y a pas de mémoires écrits, la Compagnie ayant détruit ses documents à toutes les époques pour sauvegarder son indépendance. Mais on m'a dit que l'automne 1866, lors de la Conférence de Québec, avait été maussade et déprimant.

— C'est vrai que les personnages sur la toile ont l'air moroses.

— Je dirais plutôt intenses, certainement portés par un feu sacré pour la plupart. Mais les négociations furent ardues entre les parties. Les choses traînaient en longueur et risquaient d'achopper. C'est alors que quelqu'un pensa à organiser des banquets et des galas. Un membre de la Compagnie aurait convié les politiciens du gouvernement à danser avec les femmes et les filles des représentants de ce qu'on appelle maintenant les provinces de l'Atlantique ou les Maritimes. Ainsi, on pouvait entrer dans le cœur des maris et des pères en convainquant les épouses et les enfants.

— Cachottiers, les membres de la Compagnie, se moqua Quentin. Ils prouvent ce dont je me souviens de mon seul cours de littérature anglaise, ce que Jane Austen disait, soit que tout peut arriver lors des bals et des fêtes.

— Stratégie, stratégie de bonne guerre. Oui, une campagne de promotion… Du marketing, dirais-je. Enfin, ça reste gravé dans la légende de la Compagnie.

— La Compagnie n'était plus seulement française à ce moment-là ?

— Non, l'humanisme de la Renaissance, son idéalisme, réclamait le mélange. Il ne faut pas oublier que certains fondateurs de la Nouvelle-France étaient des protestants français : pensons à Roberval, au sieur de Monts, à beaucoup de colons de Chomedey de Maisonneuve, par exemple. On ne sait pas au juste dans le cas de Champlain, mais il avait guerroyé au service d'Henri de Navarre, le futur roi protestant, ce qui n'est pas peu dire. Ville-Marie a particulièrement favorisé, en filigrane de sa fondation, le rapprochement des religions et des sexes. Évidemment, ce fonds d'accueil a mis du temps à se répandre, l'histoire indique des manquements, mais il faut dire que nous ne gouvernons pas, nous conseillons. La politique pragmatique et les intérêts de la population en général ne s'accordent pas toujours avec nos mots d'ordre.

Quentin n'était pas prêt à accepter aveuglément autant de théories controversées. Il était aussi étourdi par ces propos que par les aventures qu'il venait de vivre. En entrant dans le musée de Plantagenêt, il avait eu l'impression de mettre les pieds dans un conte. Il avait connu un Plantagenêt très convaincant dans ses cours; en ce moment précis, il avait tendance à voir en lui un Swift, un Andersen ou un Perrault. Comme eux, un conteur prodigieux, mais un conteur tout de même. Il était Alice tombée au pays des merveilles après avoir suivi le lapin qu'était Kristen Vale. «Les nerfs, respire par le nez!» avait-il envie de rétorquer à cet ancien hippie des années 1960, lui le jeune hyperréaliste, parfois cynique, de la société postmoderne.

Kristen lui passa la serviette sans qu'il émerge de ses rêveries. L'agente voulut revenir à des considérations plus terre à terre.

— Vous avez parlé du plus grand secret de tous les temps, qu'on peut retrouver à l'aide d'indices disséminés dans les artéfacts patrimoniaux. Si vous nous disiez ce que c'est, ça pourrait peut-être nous convaincre que tout cela n'est pas seulement des rêves.

— Je ne sais pas au juste en quoi consiste ce secret.

«Un bon point pour lui, son premier aujourd'hui», pensa la femme.

— Ce que je sais, c'est qu'il est suffisamment important pour que la Compagnie et les caïnites aient joué à cache-cache pendant des siècles, peut-être même des millénaires. Oui, des millénaires.

– Moi, je parierais que ce trésor est enseveli quelque part dans la vieille Europe, déclara Quentin en passant la serviette sur ses épaules nues.

Kristen Vale lui décocha un regard d'incompréhension qui semblait vouloir dire : «Tu ne vas pas te mettre à croire à ça, toi aussi !»

Plantagenêt fit claquer sa langue contre son palais en signe de dénégation.

– Les Templiers détenaient le secret à Malte, devenue leur quartier général après leur extermination en France, au début des années 1300. En raison de la menace que les Turcs faisaient peser sur Malte, ils l'auraient fait transporter le plus loin possible, jusqu'au Nouveau Continent, au début du XVe siècle.

– Oh! Au début du XVe siècle ? Je vous arrête, s'insurgea Quentin, qui ne pouvait plus supporter autant de démentis de l'histoire.

Il entendit ce qu'il ne croyait jamais entendre.

– DeFoix, vous parlez de l'histoire officielle, celle des manuels de classe BCBG. Il y a l'autre histoire, l'infrahistoire, celle qui s'écrit en parallèle, à l'insu des conventions, de l'entendement collectif. Celle qui dérange beaucoup de monde quand on en parle sur la place publique. Par exemple, les preuves ne manquent pas pour conclure que des pêcheurs basques, des moines irlandais et des guerriers vikings auraient exploré l'Amérique bien avant 1492. Alors, pourquoi pas les Templiers ?

Vale jeta à Quentin un regard qui en disait long. Si elle avait pu, elle se serait touché la tempe de son index, démontrant ainsi son doute sur l'état mental de leur hôte. «M'étonnerait pas qu'il ait été kidnappé par un ovni, pensait-elle. Des petits bonshommes maigres au crâne disproportionné lui auraient fait subir des saloperies qui lui auraient déréglé le cerveau pour la vie. Pas étonnant que le SCRS ait préféré se départir d'un tel esprit tordu. »

— L'agent Vale doute de la présence européenne en Amérique avant Colomb. Pourtant, les preuves incontournables abondent. Le chef Donnacona révéla à Cartier qu'il avait rencontré des Blancs dans l'Ouest. Puis, il y a la pierre viking au Minnesota, des ruines irlandaises en Nouvelle-Écosse.

— Et votre Compagnie ?

— Une carte italienne datant de 1570 montre le dessin d'un chevalier du Temple sur la côte de la Nouvelle-Écosse.

— De nouveau, quel est ce trésor ? dit Vale en revenant à la charge pour pouvoir raccrocher cette piste fumeuse aux assassins de Strickland et de Rusinski, la seule vérité incontestable en ce moment.

— C'est clair, jeta Quentin, c'est le Graal !

— Le… quoi ?

— Le Graal, répéta l'indexeur. Il y a plusieurs théories au sujet du Graal. Une voudrait que ce soit le calice de la Dernière Cène.

— Le calice n'est pas le Graal ! Erreur ! tonna Plantagenêt, tout heureux de s'opposer aux théories des autres à la façon d'un prof d'université toujours forcé à innover.

— Attendez ! Ce pourrait être aussi des gouttes du sang du Christ.

— Le sang du Christ n'est pas le Graal ! Quoique la Compagnie l'ait cru longtemps, admit Plantagenêt. Voilà pourquoi, une fois devenus *persona non grata*, les Templiers se sont cachés sous le nom de l'ordre du Précieux-Sang, devenu la Compagnie du Saint-Sacrement.

— Bingo !

— Je dis bien « l'ait cru longtemps », monsieur DeFoix. Mais la vérité serait tout autre.

– Eh bien! Pourquoi le Graal ne serait-il pas la preuve d'une lignée de Jésus? L'idée est à la mode de nos jours.

– La lignée de Jésus décrite dans l'Évangile de Marie Madeleine n'est pas le Graal! Malheureusement, on est encore en deçà de la signification extraordinaire du vrai Graal.

– Alors quoi? Qu'est-ce que le Graal, d'après vous?

Tel un acteur shakespearien, Plantagenêt choisit ce moment pour relever le menton. S'il avait porté une cape, il l'aurait relevée sur son épaule de façon dramatique. Il ne quitta pas sa position cependant, comme s'il était boulonné au plancher.

Il réfléchit pour choisir les meilleurs mots, afin d'exprimer un immense secret.

Comme s'il faisait un long voyage dans le passé, son regard erra sur les artéfacts autour d'eux. Il s'émut plus particulièrement à la vue de deux portraits qu'on avait crus perdus lors de l'incendie du parlement en 1916 : ceux du roi Édouard VII et de la reine Alexandra, attribués au peintre anglais Sir Joshua Reynolds.

– Nos membres, tout aussi bien que les caïnites qui le convoitent eux aussi, parlent d'un trésor inestimable parce qu'il révélerait la nature du monde et de sa création.

– Une nouvelle version de la Bible?

– Je dirais un Évangile resté inconnu. Il ne s'agit pas de l'Évangile de Judas découvert récemment en Égypte ni du deuxième Évangile de Jean, beaucoup plus, disons, explosif que celui rapporté dans le Nouveau Testament. Il ne s'agit pas non plus de tous les autres Évangiles méconnus du public, ceux de Pierre, de Philippe, des Hébreux, de Thomas et de Marie Madeleine, tous tombés en disgrâce après que l'Église eut favorisé ceux de Matthieu, de Luc, de Marc et de Jean lors du concile de Nicée.

Plantagenêt reprit son souffle.

– Alors, disons l'ultime Évangile appelé le « Secret de Dieu », laissa-t-il tomber. Ses gardiens en ont perdu la trace au début de la Première Guerre mondiale, en 1914.

Chapitre 22

11 mai 1914

Lors de sa première visite à l'asile Saint-Michel-Archange, Fontinato avait été guidé par sœur Saint-Augustin, son contact sur les lieux. Il avait franchi les différentes ailes de l'établissement, ses semelles de cuir claquant sur le parquet qui sentait la cire fraîche.

Le duo avait d'abord franchi l'aile dite des « tranquilles », comme le voulait le classement des malades en vigueur à l'époque, puis celle des « semi-tranquilles » et des « épileptiques ». Enfin, il avait rejoint le quartier des « agités ».

Il entendait les pauvres âmes se lamenter à travers les portes blindées :

— Maman, viens me chercher !

— Monsieur le curé, emmenez-moi loin d'ici. Je voudrais revoir mes enfants. S'il vous plaît, monsieur le curé !

— Maudite robe noire ! Va te faire foutre avec ton propre crucifix !

— J'ai mal, j'ai mal ! Ahhh ! Pitié, mon Dieu, parce que j'ai péché ! Et ça fait mal ! Ahhh ! Elles me grimpent dessus, je sens leurs pattes velues sur la peau de mon bas-ventre ! Enlevez-les de sur moi ! Pitiéééé !

C'est seulement en s'arrêtant devant la porte d'une cellule des cas lourds que sœur Saint-Augustin avait ajouté :

– Vous les avez tous entendus, monseigneur ? Celui-ci n'est pas mieux. Il crache sur toutes les croix. Il va le faire pour la vôtre si vous lui en donnez la chance.

– Le Seigneur nous dit de présenter l'autre joue.

– Le docteur a tout fait pour calmer le malheureux. Il croyait que lui faire travailler le bois serait venu à bout des démons qui l'habitent. Ces pauvres âmes doivent se garder de l'oisiveté, car les démons y rôdent comme des loups dans les sous-bois.

– Nous savons trop bien que vos armes pour terrasser leur folie sont limitées. Les travaux manuels allègent le cœur en le forçant à la vie humble. Quant au traitement moral auquel je participe, il occupe, je suppose, l'esprit à des considérations plus élevées. La maladie se trouve au milieu, entre la simplicité et l'idéal.

Quand Fontinato l'avait vu pour la première fois, le « séquestré », comme on appelait certains internés à l'époque, portait sous sa camisole de force une vareuse de fermier et le tablier de cuir des apprentis ébénistes. Fontinato savait que des activités simples faisaient partie du traitement à Saint-Michel-Archange, notamment le travail du bois et les dessins au fusain. Fontinato savait aussi que, en l'an de grâce 1914, les traitements guérissaient à peine dix pour cent des séquestrés.

« Si ce n'était que de moi, avait-il pensé, ces fous recevraient un traitement efficace : électrochocs et lobotomie. Ah ! Si Saint-Michel-Archange était comme Taunton, au Massachusetts ! Là, les caïnites avaient le contrôle et il s'est tué plus de monde que dans toutes les campagnes napoléoniennes. »

Le séquestré s'était tortillé dans sa camisole de force en roulant des yeux de forcené et en soufflant comme un bœuf. Les agités étaient tellement tourmentés et devaient être empoignés et maîtrisés si souvent que leur veste de grosse toile crème se déchirait. Les épaules du vêtement étaient déformées à force d'être manipulées brutalement par les mains puissantes des infirmiers.

Six lanières de cuir étaient attachées à l'avant et entravaient les manches. Le seul élément d'humanité de la camisole de force était le col rembourré d'un tissu à mailles, sans doute du jersey de coton, qui protégeait la peau du cou contre le frottement abrasif de la toile.

Fontinato avait ensuite été intrigué par les dessins épinglés au-dessus du lit. C'étaient des fusains. Ils avaient été faits dans l'aile des « tranquilles », puis déménagés avec le malade dans l'espoir qu'ils contribueraient à le calmer.

Fontinato n'avait pas tardé à attaquer. Il avait braqué sous le nez du pensionnaire l'opuscule de l'abbé Untel découvert dans la librairie de la rue Saint-Paul, à Sillery.

– Vous êtes un prêtre, un élu, et pourtant, vous avez écrit que vous doutiez de l'infaillibilité du pape. Vous savez bien qu'il y aura bientôt cinquante ans, le concile du Vatican a tranché la question en faveur de l'infaillibilité de Sa Sainteté. Fallait-il que vous retombiez dans cette vieille erreur, colportée surtout par les Français ?

En fait, en 1870, seuls les cardinaux italiens et espagnols avaient voté massivement en faveur de l'infaillibilité papale, à la demande de Pie IX.

– Votre obstination à ne pas vous rétracter a entraîné le châtiment ultime, l'excommunication. Vous en êtes conscient ?

Le pensionnaire semblait être dans un état second. Il s'était contenté de tirer la langue, qu'il avait longue et blanche à force de lécher le plancher de sa cellule passé à l'ammoniaque.

— Il doit le regretter, monseigneur, avait conclu sœur Saint-Augustin, puisqu'il s'est puni lui-même en se précipitant dans l'enfer de la folie après avoir appris son excommunication.

— En effet, ma sœur, il a été doublement puni. D'abord en perdant sa vocation et son âme, puis en sombrant dans la folie.

— Oui, monseigneur : il a été accepté dans l'aile des « tranquilles », après avoir été interdit de publication. Il a ensuite glissé parmi les « semi-tranquilles » et les « épileptiques », quand vous l'avez exclu de son ministère, puis ce fut parmi les « agités », après avoir été excommunié.

— Non, ma sœur. Il a perdu la raison quand je lui ai appris qui l'avait dénoncé comme étant l'abbé Untel.

— Qui ?

— Son frère, un agriculteur de Cap-Rouge.

Fontinato n'avait pas mentionné que ce frère avait toujours méprisé son aîné, qui avait été choisi pour s'instruire et pour faire un métier où on ne se cassait pas les reins derrière un cheval et une charrue.

Fontinato avait tiré de sa mallette une burette d'eau bénite et une étole sacrée.

— Je vais pratiquer l'exorcisme. Si vous voulez bien me laisser seul avec lui…

La religieuse s'était exécutée devant l'autorité du Saint-Office, même si elle allait être privée du spectacle.

La cellule exiguë était sombre. Seul un chandelier diffusait une lumière avare et tremblotante. Dans cette atmosphère lugubre, les dessins en noir sur les murs avaient semblé prendre vie. Le visiteur avait déposé les accessoires d'exorcisme sur un tabouret et s'était approché de ces œuvres d'art qui l'avaient frappé bien davantage que les grimaces et les convulsions de l'ancien prêtre séculier.

– Que représentent ces ignominies que votre folie vous a inspirées ? avait demandé le consulteur en désignant les dessins de son doigt boudiné.

Aucune réaction.

– Ce que j'avais pris pour des soleils, avait continué Fontinato en répondant à la place du malheureux, ces boules de feu entourées de rayons, ce sont des ostensoirs, n'est-ce pas ? N'est-ce pas… n'est-ce pas l'ostensoir de la Compagnie ?

En entendant les mots « la Compagnie », le séquestré avait tressailli. Son regard perdu s'était discipliné en direction du fusain. Mais il n'avait rien dit.

– Et ces autres figures ? Là, on dirait bien l'eau qui se sépare en deux, la mer Rouge asséchée par Moïse dans le Livre de l'Exode, dans cette partie de la Bible sur laquelle vous n'auriez jamais dû poser le regard. Vous savez bien que seuls les Évangiles sont inoffensifs pour les ouailles d'un prêtre. Seuls Marc, Jean, Luc et Matthieu peuvent être cités lors de la messe et du sermon.

Cette fois, l'homme avait proféré des paroles apparemment insignifiantes.

– Non, ce n'est pas Moïse, avait-il dit en fixant le dessin. C'est l'eau qui s'arrête de couler en 1846.

– L'eau qui s'arrête de couler ? Que me chantez-vous là, l'ami ? Et cette figure-là, qu'est-ce que c'est ?

Fontinato avait désigné une forme humaine, une ombre chinoise sans le moindre détail anatomique.

– La Dame noire, avait soufflé l'interné alors qu'un filet de salive se balançait au gré des mouvements de sa bouche. Vous ne l'aimez pas, la Dame noire. Quand j'étais curé, je ne l'aimais pas, la Dame noire, car le pape avait dit qu'elle était parfois

bleue, parfois blanche. Mais jamais noire. Vous ne l'aimez pas !
Vous ne l'aimez pas !

Excité par cette logique comprise de lui seul, le séquestré
s'était alors rué sur le prélat. Tandis qu'il le maintenait coincé au
mur avec sa masse, ses dents avaient mordu le crucifix oscillant
sur la soutane. À défaut de pouvoir empoigner cette croix des
catholiques pour s'en servir comme un couteau, sa bouche
l'avait soulevée pour darder l'œil de Fontinato. Il avait raté sa
cible, labourant à la place la peau grasse du front. Fontinato
avait poussé un cri d'indignation plus que de peur.

— La Dame noire, vous ne lui ferez pas de mal ! avait proféré
le malade après avoir craché le crucifix de sa bouche. Elle vaut
plus pour moi que le pape ! La Dame noire ! La Dame noire !
Je l'aime autant que Dieu !

En se tenant le front, Fontinato avait cherché à repousser
son agresseur de son bras gauche. Sans succès. Pourtant, le
prélat était un colosse, mais l'autre était mû par une force
supérieure. Asphyxié, Fontinato avait commencé à tousser, le
poids de la camisole de force comprimant sa poitrine.

C'est alors que deux infirmiers avaient fait irruption dans la
cellule, mandés par sœur Saint-Augustin. En se tenant toujours
le front, barré par ce qui allait devenir une balafre indélébile,
Fontinato avait juré de ne plus jamais remettre les pieds à
l'asile. Mais il avait entendu de loin, provenant de la cellule,
des paroles qui lui avaient glacé le sang.

— Je sais que vous n'aimez pas la Dame noire ! Alors vous ne
saurez jamais le secret de Dieu ! Quand vous le saurez, il sera
trop tard pour vous !

— Le secret de Dieu ? Ai-je bien entendu cet animal dire les
mots sacrés entre tous ?…

Saisi par ce qui lui avait paru comme un coup de chance
extraordinaire, Fontinato s'était alors promis de revenir.

« Quelles sont les chances qu'un gardien de la Compagnie perde la raison et révèle les secrets ? Quelles sont les chances qu'en plus je tombe justement sur ce fou, tout heureux de l'entendre nommer ses comparses ? Et s'il allait me diriger vers le secret de Dieu, que beaucoup voient comme le saint Graal ? »

Une fois enfoncé dans le cuir moelleux de son carrosse, il avait changé d'avis.

« Non, à bien y penser, ce n'est pas une chance, c'est tout simplement la volonté toute-puissante de Judas qui s'exprime pour détruire Dieu. »

C'était le 3 mai 1914. Il était revenu les 4, 7, 8 et 10 suivants, déballant la burette et le goupillon de l'exorcisme pour berner sœur Saint-Augustin. En fait, il s'était exercé à une technique développée au siècle précédent, qu'on appelait le « mesmérisme » ou l'« hypnose ».

Le 11, le séquestré était devenu docile comme un agneau qu'on mène à l'abattoir.

***

Pendant que l'ancien prêtre, fasciné par le feu de la fournaise, ne cessait de proférer des injures contre le Dieu qui l'avait abandonné, Fontinato lui retira sa camisole de force, puis il reprit son interrogatoire.

— Quel est le secret de Dieu ? Répondez-moi.

— Le secret, Maître ?

— Oui, le secret de Dieu que vous avez nommé. Vous ne m'avez toujours pas répondu après toutes ces séances…

— Le secret de la sculpture sur bois, c'est l'essence de l'arbre, jeta tout à coup l'aliéné. Monsieur Devers à l'atelier nous l'a dit.

– Je ne vous parle pas de bois, mais de Dieu. Vous connaissez son secret, car vous faites partie de la Compagnie.

Malgré l'hypnose, le fou n'en venait pas à se compromettre, comme si une volonté supérieure contrecarrait les ordres de Fontinato.

– Tout ce que je sais, c'est que Dieu fait pousser les arbres et que nous les sculptons dans l'atelier de monsieur Devers. Le merisier donne un beau fini, même s'il est dur comme la pierre.

Pris de rage, Fontinato le frappa au visage.

– Allez-vous parler, chien de la Compagnie ?

C'est alors que, s'étant ressaisi, Fontinato jugea bon de passer à son plan de rechange. Gravement, il déboutonna sa soutane du cou jusqu'au ceinturon.

– Regardez-moi bien, mon frère !

L'homme obéit. Dans les rayons tremblotants de la fournaise, le séquestré aperçut la toge passée sous la soutane. Sur la toge blanche, il reconnut la grande croix rouge, plus large aux extrémités.

– Les huit pointes, constata-t-il, attendri.

– Vous savez ce que cela veut dire, mon frère ?

– Oui, Grand Maître. L'ordre.

– L'ordre de Malte. La Compagnie. Nous avons remplacé les Templiers.

– Oui, l'ordre. Nous sommes les gardiens du secret.

Fontinato frémit. Il était certain que son subterfuge allait marcher. En se faisant passer pour un membre de la Compagnie, il allait provoquer les confidences du séquestré, rendu vulnérable par les troubles mentaux et par l'hypnose.

– Quel est le secret de Dieu ?

– Je ne sais pas.

– Comment, n'êtes-vous pas un gardien de la Compagnie ?

– Oui, mais je ne connais pas le secret de Dieu.

– Vous mentez, vil sodomite !

– Je ne mens pas. Je puis en effet vous dire où se trouve le secret.

– Où ? Où ? Où ? cria Fontinato, impatient et rageur.

– Dans le port de Québec.

– Dans le port de Québec ?

– Oui. Tout ce que je sais, c'est qu'il prend le bateau pour Londres.

– Quel bateau ?

– Je ne sais pas, Maître.

C'est alors que sœur Saint-Augustin s'empressa d'intervenir.

– Ce doit être l'*Empress of Ireland,* monseigneur. Il transporte plein de membres de l'Armée du Salut qui se rendent en Angleterre pour leur congrès international.

– L'Armée du Salut, vous dites ? Une autre société secrète, je suppose, comme la franc-maçonnerie… comme la YMCA, qui cherche à répandre le matérialisme venu de l'étranger, à remplacer la pratique de la religion par la pratique des sports ! Ce pourrait bien être un nid de gardiens de la Compagnie !

Fontinato s'approcha du séquestré et lui donna l'accolade.

– Quel qu'ait été ton nom dans le passé, lui souffla-t-il à l'oreille en le tutoyant soudainement, tu t'appelleras désormais Caïn. Et tu nous serviras, moi et la Grande Œuvre des caïnites contre le faux Dieu des chrétiens.

– Amen ! Amen ! Oui, je le veux ! Le Dieu qui m'a abandonné dans cet enfer, nous allons le détruire, Maître.

– Oui, lui et ses serviteurs à bord de l'*Empress. Se lou meritavo* ! Ils l'ont bien mérité.

Chapitre 23

*Rue Saint-Pierre, en face de la banque où on devait ouvrir le coffre-fort de l'*Empress, *ville de Québec*

22 août 1914

L'homme chauve sortit de la banque et avisa une voiture à cheval stationnée en face. Un taxi. Il étira le cou et embrassa la joue du passager qui l'attendait, un autre homme d'âge mûr au teint blanc comme neige, ce qui étonnait chez un Méridional. Le passager portait un manteau de fourrure malgré les trente degrés de cette belle journée d'août. Seul le col était entrouvert ; le nouveau venu distingua la croix en or quatorze carats et le serpent qui l'enlaçait.

L'homme chauve connaissait la raison de cette bizarrerie. « Il ne veut pas que les gens voient sa soutane à la ceinture violette, s'expliqua-t-il. Le nonce apostolique envoyé par le Vatican ne doit pas être vu en ma compagnie près des maigres restes du paquebot. »

Il fut reçu par le religieux avec peu d'égards.

– Tu vas attirer l'attention sur nous, Caïn, avec cette marque stupide que tu t'es faite sur le front.

– Je l'ai faite avec la hache à deux taillants de mon père. J'ai dit que la lame avait rebondi sur une bûche d'érable trop noueuse pour être fendue.

– *Adelante*! *Idiota*! grogna monseigneur Fontinato en utilisant l'espagnol, qu'il connaissait bien, tout comme le français et l'allemand, en plus de l'italien, bien sûr. J'aurais dû t'abandonner à l'asile, si tu veux mon avis.

Depuis sa conversion au caïnisme, au mois de mai précédent, l'ancien prêtre n'avait pas cessé de manifester une foi aveugle, passionnée, qui exaspérait son maître quand il l'affichait trop ostensiblement en public.

– Ne sommes-nous pas les caïnites, s'excusa le balafré avec un couinement indigné, les descendants de Caïn, qui portait cette même marque?

– La plupart de nos frères s'entaillent le cuir chevelu, alors que toi, c'est en plein dans le visage.

Caïn était fier de ce signe secret. Il ne comprenait pas pourquoi Fontinato avait caché sa propre balafre, l'entaille qu'il lui avait faite au visage avec le crucifix, en l'enduisant d'un cosmétique épais.

– Je ne fais pas de concessions. D'ailleurs, je suis chauve. La marque serait aussi visible sur la nuque que sur le front.

Malgré ses marques d'insolence, Caïn était le fidèle le plus fanatique. Rien n'était trop dangereux s'il s'agissait de servir la cause. «Et vous, Maître suprême, ne risquez-vous pas aussi d'attirer l'attention? se dit-il intérieurement. Un manteau en plein été…»

Ses fulminations furent interrompues par la hargne de l'autre. Ce n'est pas que le maître ressentait la torture de la chair qu'il s'imposait pour défier la Création physique. Il ne pouvait tout simplement pas être autre chose que de la colère aux yeux des autres.

– Je t'attends depuis des heures, Caïn.

Le balafré grimaça en indiquant la façade de la banque où il avait passé les six dernières heures. Il avait suivi les opérations d'ouverture du coffre de l'*Empress of Ireland* devant les créanciers de la compagnie maritime White Star.

– Le serrurier était plutôt maniaque, rapporta Caïn. Il a pris toutes sortes de précautions. Puis, une fois la porte principale ouverte, il a dû s'activer pour ouvrir trois compartiments.

– Alors, tu l'as?

– Croyez-moi ou non, le coffre-fort du commissaire de bord de l'*Empress* était vide.

– Quoi?

– Oui, vide. Pourtant, il y aurait eu assez de place pour y mettre un cheval.

– Nom de Dieu! Quelqu'un l'aurait ouvert avant nous?

Il frappa la portière de sa main gantée. On entendit un bruit métallique, comme si le gant de velours rouge dissimulait un membre non fait de chair.

– Impossible, lui assura Caïn. Des officiels du gouvernement avaient apposé des scellés dès sa sortie de l'eau.

– Les propriétaires de l'*Empress* auraient donc monté leur expédition sous-marine pour ne ramener ici qu'un coffre rempli d'air?

– Rien, insista l'homme de main. Pas de richesses, pas de coffret avec l'insigne détestable de nos ennemis.

– Pourtant, les familles des victimes réclament des sommes fabuleuses.

– De l'opportunisme, comme les familles des victimes du *Titanic*, rappelez-vous. Des poursuites exagérées pour toucher le magot aux dépens de la White Star.

– La bonne nouvelle, je suppose, c'est que le coffret, s'il n'était pas dans le coffre-fort, doit être perdu à tout jamais dans les profondeurs du Saint-Laurent. Un homme ne pourra jamais se rendre là, à plus de trente mètres.

— L'échec de notre scaphandrier le mois dernier n'aura pas eu de conséquences fâcheuses pour vous, Maître, ni pour notre cause. Cet accident maritime a été une chance extraordinaire pour vous.

— Il n'y a pas de hasard dans ce monde, rétorqua Fontinato, qui commençait à y croire depuis la rencontre à l'asile avec ce fou.

— Que voulez-vous dire ? Vous… vous êtes responsable de la collision avec le bateau norvégien ? Comment avez-vous fait ?

— Sache, Caïn, que le monde suit une courbe dessinée par les plus puissants. Le hasard n'existe pas quand le Mal arrive.

— Il va y avoir une enquête sur l'accident… Vous n'avez pas peur que les autorités remontent jusqu'à nous ?

Les yeux gris du maître prirent l'apparence de la pierre.

— Nous sommes au mois d'août. Il se prépare pour septembre des événements beaucoup plus graves qui feront tomber assez vite l'*Empress of Ireland* dans l'oubli.

— Quoi donc, Maître ?

Caïn était maintenant subjugué par l'assurance impériale émanant de la voix profonde et de l'élocution lente, théâtrale, du prélat.

— Notre agitation dans les Balkans a porté ses fruits. L'archiduc Ferdinand a été assassiné à Sarajevo le mois dernier. La grande roue de la violence d'un Dieu médiocre tourne depuis toujours

— Amen ! conclut le balafré, l'ancien abbé Untel.

Chapitre 24

En route vers l'édifice Sir Leonard Tilley, complexe des Buttes de la Confédération, Ottawa

5 juin, 20 h 17, un peu plus de 22 heures avant l'attaque finale

Kristen et Quentin émergèrent d'une bouche d'égout près du canal Rideau, trempés jusqu'aux os à la suite de leur baignade souterraine sous la maison du docteur Plantagenêt. Ils n'eurent pas à subir les regards réprobateurs des passants en promenant leurs mines hirsutes dans le quartier du Glebe. À cause d'une pluie forte et d'un crépuscule précoce, les rues étaient désertes, sauf pour la minifourgonnette de Nobody, fidèle au poste devant la maison de Plantagenêt, à cent mètres de leur position.

Kristen et Quentin se réjouirent des couvertures, des sandwichs et de la bouteille thermos de thé bouillant qui les attendaient. Ils auraient embrassé Nobody, même s'il n'avait pas répondu à leurs appels à l'aide sans doute d'un dispositif de brouillage des ondes aménagé par Plantagenêt. Rien d'étonnant chez un homme qui avait semé des poissons vampires sous les fondations pour garder son antre contre les indésirables.

Nobody balaya de la main toute effusion et démarra. Les phares embrasèrent les flaques d'eau comme des feux follets.

Le calme du conducteur impressionna Quentin qui s'attacha à une autre caractéristique de l'agent :

— C'est vrai ce que tu m'as dit, Kristen, chuchota Quentin à l'adresse de la policière assise près de lui. Ton collègue ne porte aucun signe distinctif. Tee-shirt blanc, jeans, casquette de baseball sans logo. Ça ne m'étonne pas que vous l'appeliez « Nobody ».

— Oui, un de ces visages communs, anonymes, qu'on oublie dès qu'on les a croisés dans la rue, lui souffla Kristen. C'est une qualité appréciée chez les recrues affectées aux filatures.

— J'imagine son CV : « Je suis avantageusement doté d'un air idiot sans aucune personnalité. »

Kristen avança la tête entre les sièges avant. Elle essaya de s'orienter dans le kaléidoscope de l'éclairage urbain.

— Où allons-nous ?

— Le patron, Willis, répondit Nobody en la dévisageant dans le rétroviseur, il veut vous voir. Il y a du nouveau.

La minifourgonnette banalisée filait plein sud.

Quentin se frappa le front du plat de la main.

— C'est pas vrai ! J'ai oublié de demander quelque chose au docteur Plantagenêt !

— Quoi donc ? Il faut dire qu'il nous a appris bien des choses qu'il faudra évaluer si on veut distinguer le vrai du faux. Lui aussi a pu nous raconter de la *bullshit*.

— Je voulais lui demander s'il connaissait une femme en noir parmi les membres de son organisation secrète. Depuis deux nuits, je rêve que je suis sauvé par une femme en noir.

— C'est drôle. Moi aussi, j'y ai pensé, avoua Kristen. J'ai cru que ça pouvait être ma mère ou moi-même.

— C'est vrai que tu portes parfois un tailleur noir au travail.

— En parlant de Plantagenêt, excuse-moi, Quentin, je sais que c'est ton mentor de l'université, mais je crois néanmoins que le bonhomme a perdu le sens de la réalité. Un mythomane, comme bien des terroristes.

– Je ne sais pas.

– D'après lui, écoute bien, ce Dieu que personne n'a vu se trouverait dans un trésor dont personne ne connaît plus l'emplacement, même pas lui ni sa fameuse Compagnie.

– Évidemment, agente Vale, rétorqua son interlocuteur sur un ton sarcastique, du moment qu'on n'apprend pas quelque chose à l'École des services de renseignement, ça n'existe pas.

Vale n'était pas prête à l'admettre, mais il était vrai qu'elle rejetait toute idée de spiritualité. À l'Académie Stephenson du SCRS, elle avait été renseignée sur les sectes religieuses et sur leurs motivations.

– Tu sais, Quentin, on n'enseigne pas des histoires de diable aux recrues. On apprend un protocole à suivre quand on a affaire à des sectes religieuses comme celle de Plantagenêt.

– Sa Compagnie n'est pas une secte, voyons.

– En tout cas, bien avant le 11 septembre, depuis l'attentat dans le métro de Tokyo par la secte Aum, depuis l'affaire de l'ordre du Temple solaire au pays et même depuis aussi longtemps que les suicides collectifs de Waco et de Jonesville, les forces policières suivent un protocole quand il s'agit de gens animés de prétendues missions divines. Ce protocole revient à les traiter au mieux comme des demeurés et, au pire, comme des psychopathes.

Kristen mettait Plantagenêt et sa Compagnie dans le même panier que les caïnites, un autre groupe d'ennemis jurés du professeur d'histoire et de sa confrérie. Quant à Quentin, il était encore sous le choc de tant de révélations. Les dernières paroles du septuagénaire l'obsédaient comme un mantra, comme un défi de la taille de l'Everest pour un grimpeur.

— Je tourne sans arrêt dans un cercle vicieux, avait laissé tomber Plantagenêt en montrant d'autres signes de fatigue, plus morale que physique. Je suis poursuivi par les caïnites, qui croient que je possède le trésor. Tout ce que j'en sais, c'est que la carte est dissimulée dans des artéfacts historiques, sans que je sache lesquels exactement, ce qui me force à les protéger quels qu'ils soient, vides ou riches de sens cachés. En 1916, on a sauvé tout ce qu'on a pu de l'incendie du parlement sans rien y déceler de particulier. Ces tableaux me possèdent plus que je ne les possède. Je suis leur prisonnier. Puisque vous êtes parvenus jusqu'ici malgré les candirus, je vous les lègue.

— Vous voulez dire que votre ordre a « égaré » ce secret si important ? avait dit Kristen, sarcastique.

— Vous savez, une organisation aussi vaste et aussi vieille que la Compagnie, qui remonte aux Templiers, finit toujours par se diviser en factions plus ou moins indépendantes, ne serait-ce que parce qu'elle recrute dans divers pays et diverses cultures, obéissant en cela à ses préceptes de tolérance et d'universalité, au contraire des religions.

— C'est vrai, l'avait appuyé Quentin. Prenez les Rose-Croix. Eux aussi ont connu des schismes depuis le XVe siècle et se sont divisés en chapitres qui se font concurrence. Pensons seulement à Fraternitas Rosæ Crucis, à Societas Rosicruciana in Civitatibus Fœderatis et à l'Ancient and Mystic Rosæ Crucis, ou AMORC, aux États-Unis…

— Dans l'Europe de 1750, avait ajouté Plantagenêt, des rosicruciens et des francs-maçons comme Cagliostro, Wollner, Saint-Germain et Schröpfer ont formé des groupes à part.

— Encore plus tôt, il y avait eu des fraternités qui proposaient une solution de rechange aux Églises trop rigides, en accord avec la philosophie spéculative de l'Antiquité. Pensons aux platonistes, aux alchimistes, aux paracelsiens, aux hermétistes, aux gnostiques, aux pythagoriciens….

– Voilà, avait acquiescé le maître. Il a suffi que le trésor soit confié à un transfuge pour que le reste de la Compagnie perde sa trace. Tout ce que l'on sait, c'est que les détenteurs canadiens ont perpétué la tradition du labyrinthe, qui remontait aux cathédrales gothiques, en établissant une carte complexe.

– Il faut comprendre, Kristen, que les cercles d'un labyrinthe sont dessinés sur le sol, devant le chœur de la cathédrale de Chartres, compléta Quentin. Au lieu de faire le chemin de croix autour de la nef comme dans les églises catholiques, le fidèle suit les sentiers de ce dessin afin de parvenir à l'illumination.

– Bravo, DeFoix, avait fait Plantagenêt en applaudissant. L'illumination obtenue dans une cathédrale constitue, pour certains, le saint Graal lui-même, qui n'est donc pas un simple objet. Voilà pourquoi une hypothèse veut que le terme « cathédrale » soit une déformation de « cathé-graal ». Pour revenir au labyrinthe en tant que tel, vous pouvez ajouter que son idée remonte bien au-delà du Moyen Âge, jusqu'aux Anciens, avec le labyrinthe crétois. Tout ça pour dire que les religions se sont emprunté beaucoup de choses à leurs débuts. Par exemple, le christianisme, après la mort de Jésus-Christ, a été très porté sur les symboles dits païens. Par la suite, les Pères de l'Église comme Irénée, les papes et les conciles, puis l'Inquisition, ont censuré ces écarts jugés dangereux. Le labyrinthe de la cathédrale de Reims a été détruit. Chartres a été épargnée par je ne sais quels intermédiaires de la volonté divine, peut-être les Templiers.

– Votre Compagnie est revenue à la tolérance, en avait conclu Quentin.

– Le trésor en serait le garant, d'où les efforts de certains groupuscules ennemis pour le détruire. Mais ni les caïnites ni la Compagnie n'ont pu remonter la filière du saint Graal en deux millénaires d'histoire. Tout ce qu'on peut affirmer de façon catégorique, c'est que le chapitre canadien a tracé la carte à partir de codes insérés dans des œuvres d'art, ces codes ayant été conçus au tout début, afin de ne pas être lus par les persécuteurs.

Sur ce, Plantagenêt, jusque-là demeuré immobile comme une statue de marbre, avait demandé à Quentin et à Kristen de se retourner. Il avait un autre secret à protéger, aussi s'était-il déplacé derrière eux, hors de leur vue. Il avait verrouillé l'étrange musée caché sous sa maison en leur promettant d'appeler la police.

***

Le véhicule filait toujours en direction du sud, vers l'aéroport. Mais bien avant d'y arriver, il bifurqua sur Heron Road, où il s'immobilisa dans le stationnement souterrain d'un complexe d'édifices trapus, après avoir franchi sans encombre une clôture barbelée et un poste de garde.

– Voilà, nous sommes à la « Ferme », dit Kristen Vale.

– À la ferme ? Tu veux dire la Ferme expérimentale ? Mais cet immeuble n'a rien d'une grange et je ne vois ni vaches ni cochons !

– La « Ferme » n'est pas du tout la Ferme expérimentale. C'est le surnom qu'on donne à ce bunker.

Ils se trouvaient sous l'immeuble principal Sir Leonard Tilley, un édifice de cinq étages avec une architecture en forme de L. Quentin jeta des regards inquiets à travers le pare-brise de la minifourgonnette.

– Ne débarque pas avant le terminus, dit simplement Kristen. Il reste encore un tunnel à franchir. On va passer de l'immeuble principal à une annexe construite plus récemment, en 1985. Pas de fenêtres, un vrai bunker.

– Ce n'est pas drôle pour les fonctionnaires, ou quel que soit le nom que vous leur donnez. Pas de soleil de la journée.

– Crois-le ou non, Quentin, les « fonctionnaires », comme tu les appelles, l'ont réclamé, leur bloc sans fenêtres. Certains craignaient d'être dans la mire de télescopes et de caméras avec zoom s'ils s'attardaient près des fenêtres.

– Oh ! Ils font donc un travail ultraconfidentiel ?

– Exactement ! On est au quartier général du CST, le Centre de la sécurité des télécommunications, qui intercepte et analyse les messages électroniques de factions terroristes dans le monde entier. Cette annexe où nous allons est le centre d'opérations d'INFOSEC, un service à part qui traite vingt pour cent des données de la maison mère.

Par orgueil, Quentin aurait préféré afficher un air blasé, mais il avait les yeux grands ouverts de fascination. Il avait l'impression d'entrer dans un monde parallèle interdit aux simples mortels. « Pourquoi me montre-t-on tout ça ? pensa-t-il. Ils ont l'air certains que je ne révélerai rien… Est-ce que je vais être incarcéré… ou même tué ? »

Il ne croyait pas à cette dernière éventualité.

La minifourgonnette s'arrêta enfin devant une immense porte de métal.

– Ça me rappelle la porte du Diefenbunker, que j'ai visité à Carp.

– C'est que l'on entre dans l'édifice Terminal, le nerf des opérations, là où se concentrent les activités les plus importantes.

Il n'était pas au bout de ses surprises. Lui et Kristen franchirent un sas d'inspection. Une baie vitrée à l'épreuve des balles couvrait le mur droit donnant sur le poste de garde. Quentin ne remarqua pas les marques d'éraflures là où un responsable de la sécurité avait probablement testé la vitre en vidant le chargeur d'un fusil-mitrailleur.

Les formalités remplies, ils empruntèrent un long corridor percé d'une demi-douzaine de portes menant à des bureaux. Kristen continua jusqu'au bout, où se trouvait une porte munie d'une serrure électronique. Elle tapa le code pour se retrouver ensuite devant une deuxième puis une troisième porte commandées par des mots de passe différents et des appareils de reconnaissance biométrique. Kristen appliqua son front sur un écran où un faisceau de lumière numérisa son œil droit. Enfin, Quentin sut qu'ils étaient devant la salle des opérations parce que les murs étaient couverts de panneaux spéciaux.

– Des carreaux de métal perforés, expliqua Kristen, dont un côté est recouvert de plastique. Ça sert à rendre l'édifice hermétique, s'assurant ainsi qu'il n'y a aucune fuite.

– Je comprends qu'il y a des portes fiables pour empêcher les espions d'entrer. Mais pourquoi des tuiles visant à prévenir les fuites ?

– Les radiations électromagnétiques s'échappant de nos ordinateurs pourraient être recueillies et décryptées à partir d'un véhicule passant sur Heron Road ou depuis une ambassade en ville. La technologie dite TEMPEST permet ce type d'espionnage à distance. Il faut s'en protéger. L'absence de fenêtres donnant sur l'extérieur sert à la même chose.

La salle des opérations ressemblait à n'importe quel service de ministère. Des civils, portant des casques d'écoute, scrutaient des écrans d'ordinateur, étaient répartis à des dizaines de postes de travail délimités par des cloisons amovibles d'environ un mètre cinquante de hauteur.

La plateforme de contrôle surplombait les lieux. Un type en chemise blanche aux manches roulées jusqu'aux coudes vit arriver les visiteurs.

— Pressing broute dans l'enclos, leur dit-il simplement en guise de bienvenue.

Kristen sourit.

— Pressing, c'est mon chef, Preston Willis. L'enclos, c'est la salle de conférences, traduisit-elle à l'intention de Quentin. On l'a nommée ainsi pour s'amuser, parce que nos collègues du SCRS ont déjà eu une salle de réunion appelée l'« enclos » à leur quartier général de Toronto.

— Il paraît que vous donnez des noms tout aussi comiques à vos opérations.

— Le SCRS le faisait dans le temps. Pas nous. Enfin, parfois oui.

— Et tous ces gens devant les ordis, qu'est-ce qu'ils font?

— Besoin de savoir seulement! répondit sèchement le type en chemise blanche avant de tourner les talons.

— Évidemment, entreprit Kristen pour excuser son collègue, on ne doit rien révéler : c'est la consigne. Ce n'est pas à cause de toi, Quentin. Tu vois le regroupement de bureaux à gauche? On y traite l'information reçue de l'hémisphère Nord. Eh bien, ceux qui amassent les renseignements en provenance de l'hémisphère Sud, plus loin, ignorent ce que trouvent les premiers, et vice-versa. Ça fragmente les sources d'information.

Un immense écran mural intrigua Quentin. Celui-ci semblait indiquer les trajectoires elliptiques de satellites autour de la Terre. Il sut qu'il avait raison quand il lut le texte au bas de cette carte de l'espace.

Satellite	No.	Orbit (miles)	Manufacturer	Purpose
Advanced KH-11	3	200	Lockheed Martin	5-inch resolution spy photographs
LaCrosse Radar Imaging	2	200-400	Lockheed Martin	3 to 10-foot resolution spy photographs
Orion/Vortex	3	22,300	TRW	Telecom surveillance
Trumpet	2	200-22,300	Boeing	Surveillance of cellular phones
Parsæ	3	600	TRW	Ocean surveillance
Satellite Data Systems	2	200-22,300	Hughes	Data Relay
Defense Support Program	4+	22,300	TRW/Aerojet	Missile early warning
Defense Meteorological Support Program	2	500	Lockheed Martin	Meteorology, nuclear blast detection

– Ce tableau représente la dernière génération de satellites espion des États-Unis, expliqua Kristen en notant l'intérêt de son compagnon. Il indique les types de communications que chaque catégorie de satellites peut intercepter.

– En fait, cette salle ressemble au Centre de contrôle de mission de la NASA, à Houston.

– Il faut dire que nous ne recevons pas de données directement de la plupart des satellites. C'est le centre de Menwith Hill, en Angleterre, qui traite le gros des interceptions.

– Ah bon ? Donc, le MI-6 dirige les opérations à l'échelle mondiale ?

– Non. Officiellement, Menwith Hill a beau relever de la Royal Air Force, on y compte peut-être une demi-douzaine d'employés d'origine britannique sur les mille cinq cents qui travaillent là-bas. Les autres viennent de la National Security Agency des États-Unis.

– Je ne le savais pas.

– Viens que je te présente mon chef, l'homme le plus puissant du pays après le premier ministre. Parfois, je pense même qu'il est plus puissant que le premier ministre.

Chapitre 25

L'« enclos », salle de conférences à sécurité maximale du CST, Ottawa

5 juin, 21 h 36, moins de 21 heures avant l'attaque finale

L'« enclos » où Kristen et Quentin débouchèrent était une salle rectangulaire longue et étroite, occupée au centre par une lourde table de bois verni rouge foncé de la même forme que la pièce. Sur la table se trouvait un panneau escamotable dont on tirait au besoin l'écran portable branché à un projecteur.

Les appareils électroniques avaient remplacé les transparents d'acétate pour projeter des diagrammes lors des breffages dans toutes les organisations.

Quentin fut un peu déçu de constater que cela ressemblait à n'importe quelle salle de conférences moderne. Après le grand déploiement de moyens techniques perfectionnés qu'il avait entrevu sur le chemin de l'« enclos », il aurait espéré ne pas retomber dans une grisaille semblable à celle de sa routine quotidienne.

Au bout de la table, une seule personne était assise. C'était un type d'allure sportive qui était dans la soixantaine, à la peau du visage étirée et blanche comme un parchemin. Sans doute à cause de l'air conditionné, il portait un costume bleu marine et une chemise blanche de coton épais. Notant l'intérêt de Quentin pour sa cravate Hermès jaune à motifs de plumes d'autruche beiges, vieille de quinze ou vingt ans, il s'expliqua à l'aide d'une citation.

— Mon mentor au SCRS, dans les années 1960, prétendait que l'habit et la chemise devaient être classiques, qu'on les porte en 1930 ou en 2010, mais qu'on avait toute la latitude voulue pour la cravate. Son raisonnement, c'était que les hommes, contrairement aux femmes, n'ont que cet accessoire pour se distinguer. Il faut donc en profiter pour s'amuser un peu.

« Un dandy ! pensa Quentin. Je croyais qu'ils avaient disparu avec le romantisme du XIXe siècle. Étrange que la coquetterie ressuscite dans ce bunker ! »

Quentin remarqua aussi les chaussures, des Oxford effilées et reluisantes à force d'être polies au chamois. L'homme avait tout des *old boys* qui avaient sans doute peuplé les corridors du MI-6 dans les années 1950. « Rétro et franchement excentrique, pensa-t-il. Il ne doit pas faire de filatures comme Nobody, car il serait repéré aussitôt. Enfin, il aurait pu faire des filatures en 1980 sans être remarqué. »

— Preston C. Willis, dit l'homme en tendant la main, expliquant ainsi le monogramme « P. C. W. » brodé sur sa chemise, sans doute par son couturier personnel, probablement installé dans un loft de la rue Sparks ou de la promenade Sussex.

Quentin avait remarqué un détail qui jurait avec le style classique du personnage. Une lanière de vieux coton passée autour du cou retenait sa carte d'identité avec photo en couleurs ainsi qu'une paire de lunettes à monture de corne.

— Kristen et moi, on fait équipe, ajouta Willis qui, après avoir capté le regard de Quentin, eut la coquetterie de couvrir ses lunettes de la main.

Quentin comprit alors que le type aperçu plus tôt sur la passerelle de la salle d'ordinateurs avait plaisanté en parlant de « Pressing ». Preston, *pressing…* le repassage. Une pointe de dérision à propos d'une garde-robe étudiée, un peu empesée.

– Vous dirigez le CST ? lui demanda Quentin.

La question parut naïve, car Willis et Kristen s'entre-regardèrent et sourirent avec un brin de condescendance.

– Vous ne lui avez pas dit ? demanda Willis à la jeune femme.

– *Need-to-know basis*, répliqua Vale.

– Nous ne relevons pas entièrement du CST, expliqua enfin Willis. Disons que le CST nous prête cette salle de réunion et nous refile des messages appétissants de temps à autre. Après avoir fait partie de la brigade antiterroriste de la GRC, je chapeaute aujourd'hui le Comité de coordination des services de sécurité nationale, formé après le 11 septembre. Nous réunissons un certain nombre d'agents polyvalents œuvrant un peu partout au sein du gouvernement fédéral, formant ainsi une force opérationnelle inter-agences. Nous sommes temporairement détachés par le Bureau du Conseil privé, la GRC, le SCRS, le CST, le ministère de la Défense nationale et le tout récent ministère de la Sécurité publique.

– Lui-même inspiré du Homeland Security Department des États-Unis, compléta Quentin.

– Oui, confirma Kristen. Mais nous ne dépendons pas pour autant de la Sécurité publique ou de la Protection civile. Nous évitons ainsi les tracas bureaucratiques et les guerres de clocher entre services.

– *Too many cooks spoil the sauce* [trop de monde en cuisine et la sauce est ratée], en conclut Quentin.

– Je n'aurais pas employé cette expression, mais c'est un peu ça, convint Willis. Je vais vous relancer, tenez : une citation en vaut bien une autre. Vous connaissez la nouvelle maxime issue de la guerre contre le terrorisme ?

Quentin hocha la tête pendant que Kristen Vale souriait en entendant cet échange de citations.

— Non ? Eh bien, on dit que « *it takes a network to fight a network* » [il faut un réseau pour combattre un réseau].

Quentin aurait eu envie de continuer ce petit jeu en ajoutant « *it takes two to tango* » [il faut être deux pour danser le tango]. Ou encore « *l'union fait la force* ». Il s'abstint lorsqu'il vit Kristen Vale faire discrètement le geste des ciseaux avec son index et son majeur, histoire d'écourter les boniments.

— Oui, « il faut un réseau pour combattre un réseau », je vois ce que vous voulez dire, monsieur Willis, acquiesça Quentin. Les organisations terroristes sont pareilles à des tentacules.

— Et nous aussi, nous devons avoir des complices dans tous les services gouvernementaux. Nous avons donc accès à tout : ordre du Bureau du premier ministre. Ce qui, justement, nous a permis de tomber sur une transmission qui vaut son pesant d'or et qui vous permettra de comprendre pourquoi vous êtes ici, monsieur DeFoix.

Willis éteignit les néons du plafond à l'aide d'une télécommande. Il mit ensuite ses lunettes et s'activa sur le clavier de l'ordinateur posé devant lui.

Apparut alors, sur l'écran de l'ordinateur et sur celui couvrant le mur du fond, un simple texte tapé en caractères Times New Roman.

— Dans le cas qui nous concerne, reprit Willis, nous sommes remontés jusqu'aux agissements de Plantagenêt à l'étranger. En effet, ce bon docteur a organisé un congrès au Grand Hôtel du Brabant flamand, à Bruxelles. Une réunion, tenez-vous bien, d'individus condamnés par la médecine.

Devant le regard interrogateur de Quentin, Kristen poursuivit.

— Oui, des gens qui ont contracté une maladie mortelle que la médecine ne peut pas traiter. Tout ce que les spécialistes ont pu faire dans leur cas, c'est estimer le temps qu'il leur reste à vivre.

— Quel est le rapport avec le docteur Plantagenêt ?

— Vous ne le lui avez pas dit, agente Vale ?

— Que Plantagenêt est… était de la maison ? Oui, mais il ne veut pas me croire. Quentin fait partie de ces gens qui n'ont qu'une seule identité.

— Plutôt ennuyeux comme existence, non, monsieur DeFoix ? Plantagenêt ne s'ennuie pas, lui, puisqu'il semble berner les gens à l'université comme il nous berne dans les services de renseignement. Son opération à Bruxelles pourrait bien être une trahison…

Willis prit alors une gorgée de sa canette de soda tonique, sur laquelle Quentin put déchiffrer « avec quinine », puis continua.

— Pour revenir au congrès des condamnés de la médecine à Bruxelles, disons que ce genre de rencontre peut constituer une véritable pépinière de recrues pour des missions impossibles.

— J'ai lu ça dans Robert Ludlum, intervint Quentin. On leur promet de veiller sur leur famille après leur mort si elles offrent une dernière contribution aux services secrets lors d'opérations suicides.

— Tout à fait, acquiesça Willis. Plantagenêt connaît toutes les ficelles du métier. Il a déjà fait du recrutement pour nous dans les universités, car les jeunes idéalistes qu'on y trouve sont aussi des candidats taillés sur mesure s'ils sont séduits par nos objectifs politiques. Il semble avoir pris contact avec des groupes illégaux russes à Bruxelles. Comme on les épiait déjà, on aurait pu partir des Russes pour remonter à Plantagenêt, mais on n'a pas eu besoin de le faire.

— On a eu une chance extraordinaire, commenta Kristen.

Willis balaya cet argument du revers de la main.

— Dans notre métier, agente Vale, on crée presque toujours notre chance. En fait, le Grand Hôtel du Brabant flamand, à Bruxelles, est un hôtel commandité par les services de renseignement occidentaux.

— Comment ça ? demanda Quentin.

— C'est à cause du Parlement européen. Des hôtels situés dans de grands centres politiques appartiennent, si on veut, aux agences secrètes. Par exemple, certains hôtels d'Ottawa sont sous écoute, particulièrement ceux fréquentés par les touristes chinois, car la moitié des espions au Canada viennent de Chine. Les chambres sont truffées de micros et de caméras. Le plus drôle, c'est que Plantagenêt aurait dû le savoir, et pourtant, il a choisi le Grand Hôtel du Brabant flamand, comme par hasard.

— Qu'est-ce qu'on y a appris ?

Willis appuya sur une touche du clavier et un autre écran apparut.

— Voici une transmission faite dans l'entourage de Plantagenêt à l'hôtel et qui a pu s'adresser à des éléments terroristes.

Le recherchiste sursauta en lisant les premières lignes de ce message à caractère terroriste.

Cœur de Lion en croisade
ADM bio développée comme au Lion-Hearted Den.
Durward possiblement *clean* ou *floater*.
Activez Durward à l'aide de signes du Moyen Âge et avec une attaque de puces non infectées chez lui. Il sera d'autant plus motivé à faire le saut.

– « ADM bio » : arme de destruction massive biologique, dit Quentin en se tournant vers Kristen.

– Le bacille de la peste est cultivé au Lion-Hearted Den, convint Kristen. L'insectarium que nous avons visité constitue une sorte de labo. La croisade consisterait donc en une attaque terroriste qui est peut-être déjà en cours.

– C'est une possibilité, reconnut enfin Preston Willis en buvant une autre rasade.

Quentin parut tout à coup fébrile. Pour se rassurer, il jeta un regard piteux à Kristen, qui s'empressa de traduire sa pensée.

– Quentin ne semble pas d'accord avec nos conclusions : rien ne prouve que Plantagenêt, alias Cœur de Lion, soit un terroriste. Ce dernier vient de nous raconter une histoire où il serait le gentil, et certains caïnites, les vilains.

– Oui, vous m'en parliez au téléphone. D'après ses dires, il serait lié à un ordre réputé disparu comme les dinosaures, soit la « Compagnie ». Vous gobez ça, agente Vale ?

Kristen fit la grimace, partagée entre sa loyauté envers Quentin et son esprit pragmatique.

– Le message que vous avez intercepté, intervint Quentin pour se défendre lui-même, pourrait aussi bien être l'ordre de mener un raid sur la maison du docteur Plantagenêt, afin de percer les secrets dont il serait le détenteur sans les connaître…

– Une vendetta entre groupes religieux, alors, réfléchit Willis tout haut, son expression laissant transparaître un doute.

Quentin passa à la seconde partie du message.

– Mais, mais, ce Durward… à qui fait-on allusion ? bégaya-t-il, à la fois de fatigue et de stupéfaction. C'est une drôle de coïncidence que ce soit le surnom que mes amis m'ont donné. Étrange hasard aussi que j'aie été, moi aussi, la cible d'une attaque de puces dans mon appartement.

– Ce n'est pas un hasard. Le Durward du message est bien vous. Vos amis et vos profs d'université, dont Tristan Plantagenêt, vous appellent Durward, si Kristen m'a bien renseigné ?

– Oui.

– Pas étonnant qu'il vous désigne ainsi, dit Willis.

– Il dit en plus que je suis *clean* ou *floater*.

– Jargon du métier. *Clean* signifie que vous ne seriez qu'un passant innocent…

– Ce que je suis.

– Quant à *floater*, dans le vocabulaire du parfait petit espion, ça désigne un agent utilisé de façon occasionnelle, même à son insu.

– Mais j'en ai rien à foutre, de la mort du sénateur et de Rusinski !

– Nous le savons, trancha Willis en se tenant en équilibre sur les deux pattes arrière de sa chaise et en pliant les paumes derrière sa tête. Nous savons qu'au fond vous êtes *clean*, Quentin, mais l'autre nuit, dans la tour de la Paix, vous êtes devenu une cible pour une raison encore incertaine. Oui, quelqu'un, quelque part, semble vous prendre pour un *floater*, que vous le vouliez ou non.

– N'oublie pas les puces dans ton appartement. Voilà pourquoi je ne te lâche plus d'une semelle, conclut Kristen.

– Ce message de Cœur de Lion semble demander qu'on vous implique en ayant recours à des signes du Moyen Âge…

– Exactement, Preston, déclara Kristen. Voilà pourquoi on a eu droit à une mise en scène : le trépan à la tour, la contamination de Rusinski par la peste…

– … et sa momification comme dans le récit de la peste écrit par Boccace, continua Quentin. On a affaire à des signes du Moyen Âge. C'est ce qui m'a excité au point que je veuille aller au bout du mystère.

– Voilà, Quentin. Plantagenêt, votre directeur de thèse, a voulu utiliser vos connaissances pour vous appâter, pour que vous vous intéressiez aux deux meurtres.

– Il faut dire que ça marche, admit Quentin.

– Je vois encore mal en quoi vous pouvez nous aider.

– Il doit savoir quelque chose sans savoir qu'il le sait, risqua Kristen.

Quentin allait encore protester quand le cellulaire de Willis sonna. Les premières notes de l'hymne national britannique, *God Save the Queen*. Après un moment, il referma son appareil et décocha un regard consterné vers le jeune indexeur.

– C'est confirmé, agente Vale : notre ami Quentin sait quelque chose.

– Que voulez-vous dire, Preston ?

– On m'annonce à l'instant que la réception du CST vient de recevoir un texto adressé à Quentin DeFoix.

– Comment est-ce possible ? réagit Kristen Vale, surprise à son tour. Les adresses électroniques du CST et du SCRS sont confidentielles. Le message doit venir de quelqu'un de la maison, mais qui ?

– Notre agent double, Tristan Plantagenêt.

– Plantagenêt a monté ce petit tour de passe-passe pour prouver que le texte vient de lui, je suppose, suggéra Kristen. Il a déjà été de la maison.

– Que quelqu'un me rappelle de faire changer toutes ces maudites adresses électroniques, grogna Willis.

– Un texto pour moi ?

– Oui, mon cher, rien de moins, répondit Willis en souriant pour montrer sa bonne foi.

– Que dit Plantagenêt ?

– Qu'il a le message découvert sur une pierre de la tour de la Paix. Qu'il vous l'envoie. Qu'il vous souhaite bonne chance pour le déchiffrer. Que le secret de Dieu, quoi que ça veuille dire, se trouve au bout de ce message.

Au même moment, l'ordinateur de l'« enclos » reçut un courriel relayé par la réception du CST. Willis l'afficha sur l'écran mural devant eux.

– Vous y comprenez quelque chose, Quentin ?

Les quelques lignes de texte suscitèrent chez Quentin les mêmes réactions qu'à la première lecture des questions d'un examen à l'université. Ce fut d'abord de l'anxiété, puis de la fébrilité et, enfin, une extraordinaire sensation de satisfaction.

– Il y a de tout là-dedans, eut-il le temps de déclarer avant que le cellulaire de Willis ne lance ses airs de fanfare de nouveau.

– On me dit que c'est confidentiel, dit le patron. Excusez-moi, je vais prendre l'appel à côté.

Willis venait à peine de sortir de l'« enclos » que ce fut au tour du cellulaire de Kristen de vibrer.

– Les ondes ne sont pas censées franchir les murs de cette salle, dit-elle en portant l'appareil à son oreille gauche. Ah ! c'est l'interphone !

Elle écouta un long moment avec intensité, le visage sévère, le regard fixe.

En attendant la reprise de la réunion, Quentin mesura l'absurdité de sa situation. Qu'avait-il fait, lui, un simple indexeur, pour devenir une cible, comme Willis l'avait dit ? Il ne faisait même pas partie du personnel politique ayant accès à des secrets d'État. Un chauffeur de limousine ou un employé d'hôtel du centre-ville saurait plus de choses que lui, les rendez-vous galants d'un ministre avec des prostituées, par exemple. Toutefois, les mises en scène à caractère moyenâgeux l'intriguaient.

Et voilà que le fameux message de la tour, sans doute à l'origine de la mort de Strickland et de Rusinski, lui tombait entre les mains. «Je ne sais pas si je devrais remercier ou maudire le docteur Plantagenêt pour m'avoir impliqué jusqu'au cou. Maintenant, je suis censé être celui qui peut comprendre ce message codé.»

Après une cinquième lecture du texto, il était à peu près sûr d'être effectivement le détenteur privilégié du secret. Une sorte de prémonition. Il voyait déjà où il fallait aller à partir de là.

Il allait donner des explications aux agents secrets dès leur retour. Mais autre chose devait passer en priorité.

Quand Willis revint, il avait perdu tout son flegme. Ses gestes n'avaient plus leur calme assurance. Son teint blanc nordique était devenu cramoisi.

– Vous feriez mieux de décrypter le message de Plantagenêt en vitesse, l'informa Willis, car la guerre est officiellement déclarée. Le premier ministre a reçu un appel des terroristes…

Il regarda sa montre.

– … il y a 33 minutes, à 23 h exactement.

Malgré la gravité des événements qu'il venait de vivre, Quentin trouva étrange que Willis dramatise au point de parler de guerre. Il se tourna vers Kristen en espérant un démenti.

Celle-ci referma son portable pour confirmer les dires de Willis.

– On m'a relayé un avis d'alerte rouge transmis à tous les agents du SCRS et de la GRC. Les terroristes menacent de déclencher une épidémie de peste dans des villes inconnues à travers le pays. D'après eux, la mort des écoliers de Kingston et d'Ottawa n'était qu'un hors-d'œuvre.

Chapitre 26

Rue Wellington, direction nord vers l'édifice Langevin, bureau du premier ministre, Ottawa

5 juin, 23 h 36, un peu moins de 19 heures avant l'attaque finale

Ottawa dévastée par une arme biologique comme d'autres villes du pays ? Quentin refusa d'abord d'accepter la réalité. « C'est une comédie. Kristen Vale et son chef, Preston Willis, me font marcher, pensa-t-il en s'agrippant à de vieux clichés rassurants comme à une bouée de sauvetage. Depuis sa fondation, le Canada n'a jamais été attaqué… Les deux guerres mondiales ont fait rage bien loin d'ici… Il n'y a pas plus tranquille ni plus ennuyeux qu'Ottawa… Et voilà que des agents secrets dits sérieux montent aux barricades en parlant de guerre ! Franchement ! »

L'atmosphère normale qui régnait dans les rues du centre-ville accentua ses doutes. Lui, Kristen et Nobody étaient partis en direction de la colline du parlement. Sur leur route, à travers les vitres teintées de leur véhicule, il ne constata pas d'effervescence particulière. À leur gauche, le campus de l'Université Carleton était endormi. Plus loin, les lumières étaient éteintes dans les cottages anglais de style Tudor de l'avenue Bronson. Seuls les réverbères diffusaient une lueur jaunâtre inquiétante.

Quentin trouva absurde l'insouciance des habitants de sa ville. Comment pouvaient-ils dormir alors qu'une guerre bactériologique venait de se déclencher ? Il ragea presque, puis se força à reprendre le contrôle de ses émotions. « Les cibles des terroristes peuvent se trouver loin d'ici. Entre Terre-Neuve-et-Labrador et l'île de Vancouver… Comme Ottawa a déjà été frappé, il peut maintenant être épargné. »

À ses côtés, Kristen devina ses sentiments, car elle desserra les dents pour la première fois depuis leur départ des quartiers du CST dans l'édifice Sir Leonard Tilley.

– Les terroristes menacent à peu près toutes les villes de l'Atlantique au Pacifique. On ne peut tout de même pas évacuer tout un pays. Le pire, c'est que les enfants doivent aller à l'école comme si de rien n'était, -l'ultimatum est formel- sinon l'ennemi appuie aussitôt sur le bouton.

– Ce… ce n'est pas possible, soliloqua Quentin.

Par bonheur, Robin était loin, à l'abri de ce cauchemar qui, pour lui, avait commencé à la tour de la Paix. Il y avait vu le visage de la mort pour la première fois en la personne du responsable du Comité mixte des édifices parlementaires, le sénateur Strickland. Ensuite, dans une sorte de gradation, il y avait eu les horribles cadavres de victimes de la peste : celui de Rusinski emmailloté comme une momie égyptienne, puis ceux d'enfants de l'école privée dans les sacs mortuaires alignés à l'hôpital militaire, frappés au milieu de leurs jeux inoffensifs à l'aide d'une bombe aérosol.

Comment des êtres humains pouvaient-ils en venir à autant de haine, à autant de barbarie, à l'égard de leurs semblables ?

Il connaissait la réponse à cette question puisqu'il avait étudié l'histoire. Les intérêts économiques mêlés à la soif de pouvoir menaient le monde depuis toujours. Les religieux accuseraient l'orgueil et l'envie, les biologistes pointeraient le doigt vers la nature fondée sur la violence… Le mal héréditaire.

Cependant, Quentin était loin de se douter que des organisations occultes avaient fait vœu de se consacrer au mal et qu'elles y travaillaient au Canada au moins depuis 1914, selon Plantagenêt.

— Où allons-nous? s'entendit-il dire enfin, étourdi.

Sa propre voix semblait lui parvenir du fond d'un abîme.

— Au bureau du premier ministre, répondit l'agente fédérale. Une réunion au sommet.

Elle avait presque dit «un conseil de guerre», mais elle s'était retenue. Quentin était déjà bouleversé : inutile d'attiser sa peur avec des propos de politicien.

Si elle avait eu le choix, Kristen aurait déposé le type à l'aéroport d'Ottawa ou à la gare d'Alta Vista pour qu'il sauve sa peau. Mais une personne influente, cachée quelque part, avait décidé de mêler Quentin DeFoix à cette affaire. Il était trop tard pour reculer.

Quentin n'était pas au bout de ses surprises. Après celui du CST, il se retrouva dans un autre garage souterrain. L'entrée s'ouvrait derrière le consulat de la Grande-Bretagne, à deux rues de l'édifice Langevin et du bureau du premier ministre où Kristen avait son port d'attache.

— À quelle heure, le concert? railla Quentin pour se donner une contenance tout en montrant la salle de spectacle tout près de là. C'est Kent Nagano qui dirige?

— C'est John Donne Shackleton.

— John Shackleton?

Ainsi, Quentin allait rencontrer le premier ministre Shackleton en personne. En cinq ans à la Chambre, il ne l'avait jamais croisé dans les corridors de l'édifice sous la tour de la

Paix, quand Shackleton se rendait à la période de questions accompagné de sa chef de cabinet. Il n'était pas allé lui serrer la main lors d'un cocktail organisé par le Bureau du premier ministre afin que les employés rencontrent le grand patron après son élection. D'ailleurs, s'il y était allé, il aurait seulement eu le temps de proférer quelques formules de politesse avant que Shackleton ne soit accaparé par la foule.

— Tu t'es trompé d'embranchement, Nobody, dit Kristen au conducteur alors qu'au troisième sous-sol une barrière à clignotants leur barrait la voie.

— Non, nous y sommes, répondit-il. C'est l'adresse que j'ai reçue sur le GPS avec les autres instructions.

Devant eux, des gravats jonchaient le sol, du ciment s'était détaché du plafond et la maçonnerie se lézardait à de nombreux endroits. Le lieu n'était pas sûr. Cela n'empêcha pas Nobody de déplacer la clôture et de se garer près d'un tas de déchets.

Il ouvrit avec sa clé une porte d'intendance sur laquelle on pouvait lire « Personnel seulement ». Le petit ascenseur qui les attendait les fit descendre un niveau plus bas.

Le petit groupe emprunta ensuite un tunnel où il fallait progresser le dos courbé. Des conduits couvraient le plafond et les murs. Il y en avait de vieux en cuivre et de plus récents en PVC blanc et bleu pâle.

— Ça me fait penser au tunnel qui reliait les édifices du Centre et de l'Est dans les années 1980, remarqua Quentin. Les employés de plus d'un mètre quatre-vingts s'y faisaient des tours de reins.

— On va passer à la partie moderne, dit Nobody en guise d'excuse, tout en déverrouillant une autre porte de service. Nous sommes ici dans l'infrastructure municipale d'approvisionnement en électricité. Vous avez remarqué qu'il n'y a pas de poteaux sur les trottoirs du centre-ville. Il faut donc une jungle de fils sous les rues.

Ils franchirent ensuite un battant monumental qu'aucun employé d'Hydro Ottawa ne devait jamais avoir ouvert : il menait à un endroit hautement stratégique. Quentin aperçut au-dessus de la porte la demi-sphère opaque semblable à un gyrophare servant d'objectif grand angulaire à la caméra dôme d'un système de surveillance. Même les maisons de banlieue étaient dorénavant livrées à leur premier propriétaire avec cette caméra installée au-dessus du perron. « Souriez ! Vous passez à la télé ! » pensa-t-il comme chaque fois qu'il rencontrait une de ces caméras dôme, surtout depuis le 11 septembre.

Sur les murs, maintenant recouverts de tuiles de céramique, apparurent des panneaux de signalisation. Quentin lut ces mentions : « Abri d'urgence », « Precinct via Langevin », « Privy Council Office/Security and Intelligence Secretariat », « Bank of Canada Vault ».

Quentin était doté d'un sens de l'orientation infaillible. Il était sûr qu'ils se dirigeaient vers le nord, donc vers la colline parlementaire et vers le vieil édifice Langevin, qui abritait le Bureau du premier ministre et le Bureau du Conseil privé. Mais ils ne purent pas s'y rendre : après un sas, une porte métallique grinça devant eux. Quatre hommes et une femme surgirent en coup de vent, leur bloquant la route.

Au centre, Quentin reconnut le premier ministre et Ali Legendre, numéro deux du Bureau du premier ministre, la fonctionnaire de haut rang la plus influente au pays. Les quatre hommes en veston noir qui les encadraient devaient être les gardes du corps. « Des agents du Groupe de la sécurité du premier ministre de la Division A de la GRC », se dit Quentin.

La mine fermée, leur visage n'exprimant aucune émotion, ils faisaient office de premier périmètre de sécurité. Même sous terre, ils jouaient leur rôle jusqu'au bout. Quelque chose de grave devait s'être passé, car leur regard de feu plongea dans celui de Quentin et de Kristen.

Comme lorsque leur patron prenait un bain de foule, ils scrutaient les yeux des gens pour évaluer leurs émotions. Ils observaient ensuite la position des mains, l'une d'elles fouillant peut-être dans une poche pour en sortir un revolver. Ils remarquaient aussi tous les paquets et tous les journaux, une arme pouvant y être dissimulée. Ils étaient ainsi aptes à repérer un tueur éventuel.

C'était une simple routine pour eux, et c'est sans anxiété apparente qu'ils lancèrent des ordres.

– Montrez vos mains. Gardez-les bien en vue.

– Je la connais, intervint le premier ministre pour calmer le jeu. C'est Kristen Vale. Elle fait partie de mon équipe de sécurité.

« Alors, voilà d'où tu viens, Kristen, pensa Quentin. Des services de sécurité du Conseil privé, qui te prêtent au Comité de coordination des services de sécurité nationale. »

– Excusez mes cerbères : ils sont en mode « couvrir et évacuer », ajouta John Shackleton en serrant rapidement la main de Kristen. Les choses se précipitent là-haut et on a voulu m'éloigner.

Il se tourna alors vers Ali Legendre derrière lui.

– On a voulu m'éloigner malgré mes protestations, dit-il sur un ton amer.

Son assistante ne broncha pas. Depuis une heure, elle gardait les sourcils froncés.

– Vous êtes toujours à la barre, monsieur, dit-elle malgré le reproche. Mais il faut se regrouper à un endroit où on peut assurer votre sécurité. Et d'où vous pouvez diriger sans être importuné.

– C'est vrai qu'en haut les coups se sont mis à pleuvoir de partout, reconnut Shackleton.

Legendre, une femme forte dans la quarantaine qui portait le tailleur comme un uniforme d'équipe tactique d'intervention, poursuivit :

– Un renforcement du bouclier de protection autour de vous aurait alerté l'opposition et les médias, là-haut. Vous savez bien qu'il faut maintenir l'illusion d'une fable, une *non-story*.

– Oui, je sais, s'excusa presque le premier ministre tout en laissant percer une pointe d'ironie. Ali, vous me faites penser à mon directeur des communications.

Il continua, à l'adresse des nouveaux venus :

– Oui, lui aussi temporise en public en répétant avec la régularité d'un métronome : « Il n'y a rien qui soit digne de publication, c'est une non-histoire, tout est réglo. » J'aimerais que ce soit vrai aujourd'hui.

Shackleton avait une confiance totale en Legendre. Il l'imaginait facilement se jetant entre lui et la balle d'un assassin, tout comme ses anges gardiens de la GRC, d'ailleurs.

– Si ton travail nuit à ta vie privée, abandonne ta vie privée, disait-elle toujours dans les réunions du cabinet. La voilà résumée, la loyauté de notre Ali.

Il lui faisait ainsi de la publicité au cas où, un jour, elle désirerait obtenir un poste moins exigeant, dans un ministère. Mais en réalité, il ne croyait pas cela possible. Il y avait deux types de carriéristes à Ottawa : les maniaques des cocktails, au courant de toutes les activités sociales afin d'étendre leur réseau, et les bourreaux de travail, attelés à la tâche vingt-quatre heures par jour, sept jours par semaine, pour un salaire ridicule comparativement à ce qu'ils auraient gagné dans le secteur privé. Ali faisait partie de cette dernière catégorie.

Ces mots s'échangèrent alors que la bulle humaine autour du premier ministre avait dépassé Quentin et Kristen en se dirigeant dans la direction opposée.

— Nous n'allons plus à Langevin, semble-t-il, remarqua Kristen en formant l'arrière-garde. D'habitude, il suffit de traverser la passerelle entre l'édifice Langevin et le bureau de poste pour tenir des réunions ultrasecrètes. Mais les terroristes nous forcent à nous rendre au bunker.

— C'est la première fois que j'entends parler d'un bunker sous le centre-ville, dit Quentin en la rejoignant à la course.

— Pourquoi penses-tu qu'on a transformé en musée le Diefenbunker à Carp, construit pendant la paranoïa nucléaire de la guerre froide pour accueillir les dirigeants en cas d'attaque soviétique ? Ici, les installations du premier ministre et de son équipe d'urgence sont à portée de la main. Rien à envier non plus aux bunkers sous Cheyenne Mountain, au Colorado, qui résisteraient à l'explosion de cinq millions de tonnes de dynamite en surface.

Quentin était fasciné. Il se demandait où se trouvait exactement ce bunker. Il en avait déjà une bonne idée, puisque le groupe avait emprunté des galeries en direction sud-est. « Ça ne m'étonnerait pas qu'on ait maintenant dépassé le Centre national des arts, supposa-t-il, le nez en l'air, comme s'il pouvait voir à travers trente mètres de granit. Et voilà ce bon vieux canal. »

Il avait déduit cela quand, dans un nouveau boyau, ils furent entourés de joints qui suintaient. Il n'était pas rassuré, imaginant les tonnes d'eau du canal Rideau prêtes à les engloutir à la moindre fissure, à la moindre fatigue des structures de béton et de métal servant de tampon. Déjà que les viaducs s'écrasaient sur les automobilistes un peu partout depuis quelque temps !

C'est alors que les paroles de John Shackleton lui revinrent en mémoire : «C'est vrai qu'en haut les coups se sont mis à pleuvoir de partout.»

«Qu'est-ce qu'il a voulu dire par là? Les terroristes ont-ils déjà répandu la peste aux quatre coins de la ville, comme ils l'ont promis? La population ignorante de la menace est-elle en train d'être contaminée et condamnée à une mort atroce au moment où, nous, on se terre dans des trous de marmottes?»

Il devait le savoir bientôt : il jouissait maintenant de la confiance des services secrets et il suivait le premier ministre dans son bunker ultrasecret.

Chapitre 27

*Centre gouvernemental des situations d'urgence, bunker aménagé
cinq niveaux sous l'édifice de la Défense nationale, Ottawa*

6 juin, 0 h 00, 18 heures 30 minutes avant l'attaque finale

Quentin, Kristen et Nobody avaient rejoint le groupe du
premier ministre dans une vaste pièce souterraine dont les
murs étaient constitués d'écrans électroniques géants. En ce
moment, on y projetait des cartes d'Ottawa, de Montréal et de
Kingston. Dans les divers réseaux de rues et de quartiers, des
points rouges stratégiques clignotaient.

Quentin reconnut facilement Ottawa et les endroits
indiqués par chacun des voyants rouges : la tour de la Paix, la
maison de Rusinski, celle de Plantagenêt dans le Glebe, son
propre appartement de la rue Charlotte et, enfin, l'école privée
du centre-ville où plusieurs garçons avaient été foudroyés par
la peste pulmonaire en l'espace de quelques minutes.

– Il semble qu'Ottawa ne soit pas la seule ville touchée,
chuchota-t-il à l'oreille de Kristen. S'il y a des marqueurs
sur Montréal et Kingston, on peut supposer que les terroristes ont déjà frappé par là sans que la population en ait eu
connaissance.

Fascinée par ce qu'elle voyait, Kristen se contenta de hocher la tête. Cela permit à Quentin d'en rajouter.

— Les terroristes ciblent des lieux historiques. Les clignotants indiquent les quartiers des vieux parlements du Haut-Canada et du Bas-Canada. Il y a une raison logique derrière tout cela, si on n'a pas affaire à un tueur en série.

— Tu le mentionneras aux autres, suggéra Kristen, dès qu'on se réunira autour de la table là-bas.

— Le premier ministre est déjà assis, ainsi que des officiers de la Défense nationale.

— Que des généraux. Et les haut gradés de la Division A de la GRC, qui couvre la capitale. Ils sont accompagnés de leurs subordonnés qui les représentent au Comité de coordination des services de sécurité nationale, tout comme moi je représente l'agence de sécurité du Conseil privé.

— Alors, qu'est-ce qu'on attend pour commencer ?

— On attend Willis. Il vient par d'autres moyens, pour minimiser les pertes si un de nos contingents est attaqué. Précaution de guerre.

— De plus, intervint Nobody, il doit faire un détour par Ogilvie Road pour cueillir et informer en chemin le directeur du SCRS, Mackenzie Flanders.

Willis arriva enfin par l'entrée opposée aux tunnels, après avoir emprunté l'ascenseur dans l'édifice de la Défense.

— Monsieur, nous pouvons commencer, déclara-t-il en s'assoyant devant le premier ministre.

Willis ajusta sa cravate.

— Alors, éclata John Shackleton en guise d'introduction, quelqu'un va-t-il enfin me dire ce qui se passe ? On m'a litté-ralement kidnappé au 24 Sussex !

— Monsieur, votre bureau à l'édifice Langevin vient de rece-voir un ultimatum de terroristes. Menace d'attaque à l'arme biologique. Selon ma compréhension, toutes les villes du pays sont visées, écoles et n'importe quel lieu public inclus.

– Les écoles, c'est épouvantable.

– Il n'est pas certain que, dans l'avenir, elles seront la cible de la peste, mais il y a une forte probabilité.

– La peste ? Et le président Gregor Raspoutine qui est en visite en sol canadien.

– Peut-être n'est-ce pas une coïncidence ? intervint le grand patron du SCRS. À bien y songer, tout ceci est peut-être attribuable à la présence du président russe. On a rapporté des mouvements de Tchétchènes et de mafiosi ukrainiens en Europe de l'Ouest. J'attends des nouvelles des douanes. À un aéroport, des agents ont peut-être identifié l'un de ceux qui sont fichés par Interpol.

– Avant toute chose, monsieur, dit Willis en jouant machinalement avec une télécommande, voyons le message que votre bureau a reçu à 23 h précises. Un clip vidéo en pièce jointe à un courriel. Vous allez voir que la filière semble bien différente d'un groupe de terroristes tchétchènes.

– En effet, on dirait plutôt un groupe religieux, dit un militaire en pinçant les lèvres.

– Allons-y, annonça Willis. Vous pouvez voir la projection à votre gauche, monsieur.

– C'est pas vrai ! s'exclama Kristen dès les premières images du clip.

Quentin eut le souffle coupé comme après un coup de poing dans l'estomac. Ils venaient de reconnaître le seul personnage du clip. On l'avait filmé de façon artisanale et le faible éclairage laissait des parties dans l'ombre. Néanmoins, il n'y avait aucun doute : l'individu parlait à travers une cagoule d'un genre particulier, une cagoule en cuir dotée d'un bec de perroquet pointant à l'avant. Il était vêtu de gants et d'un tablier raide, eux aussi en cuir. Aucun millimètre carré de peau n'était visible, comme si quelque chose de terrible dans l'air pouvait envahir son corps par les pores.

— Le costume des médecins traitants lors de la peste de 1348, commenta Quentin.

— Comment ? s'exclama John Shackleton. Vous voulez rire ? Qu'est-ce que c'est que cet accoutrement d'épouvantail à moineaux ?

— C'est un type déguisé de la même façon qui nous a abandonnés aux puces de Plantagenêt il n'y a pas six heures, expliqua Kristen pour souligner que l'homme déguisé devait être tout à fait sérieux. Jusqu'à preuve du contraire, on peut supposer que c'est Tristan Plantagenêt.

— Le salopard ! Un ancien désavoué du service ! hoqueta Flanders, le directeur du SCRS.

— Qui est ce Plantagenêt ? demanda le premier ministre, étourdi.

— Nous allons vous informer en long et en large, monsieur. Pour le moment, écoutons la suite, commanda presque Willis.

La voix du clip était déformée par le masque de l'inconnu et par une mauvaise prise de son, mais on pouvait saisir tous les mots.

Ses longues études et son métier d'indexeur à la Chambre des communes permirent à Quentin d'analyser rapidement le propos. Le message était livré en deux parties principales.

Il reconnut dans la première partie le style des sermons de Thomas Brinton, style sans doute inspiré du recueil trouvé chez Plantagenêt. De nouveau, le prétendu terroriste se faisait prophète de malheur, accusant la société d'avoir péché et de mériter sa punition, ce qui jurait de façon plutôt anachronique avec l'époque permissive actuelle.

La pestilence se répandra sur la ville.
De nos jours, le mal revêt plus de formes qu'à l'époque de Noé…

Une fois passée la rhétorique apocalyptique, la deuxième partie était nettement plus intéressante. On y apprenait les mobiles de l'organisation secrète.

Si vous n'avez pas satisfait à nos exigences d'ici demain soir, la pestilence remplira des villes du pays et personne n'en réchappera.

Pour vous assurer de notre sérieux, souvenez-vous des écoles privées. Nous sommes les responsables de ce carnage. Nous sommes en mesure de faire mourir d'autres enfants par centaines. Des vaporisateurs du bacille fatal sont déjà installés en plusieurs points des villes, à des endroits stratégiques fréquentés par les foules.

Vous ne pourrez pas ordonner l'évacuation préventive des écoles, car toute activité sortant de l'ordinaire déclenchera automatiquement la contamination à plusieurs endroits de la ville. Les enfants devront donc se présenter à l'école demain matin, à l'heure habituelle.

Mais vous pouvez éviter la catastrophe en détruisant le secret de Dieu hérésiarque découvert dans la tour de la Paix par les serviteurs du faux dieu, Rusinski et Strickland. Vous avez jusqu'au 6 juin, à 18 h 30.

Le message avait duré une minute tout au plus. Mais il était très clair. Les responsables réunis à ce conseil d'urgence gardèrent le silence pendant qu'ils digéraient chaque mot et évaluaient l'ampleur de la menace qui planait sur la population.

Flanders, du SCRS, rompit la lourde atmosphère de fin du monde.

– Le «secret de Dieu»? Des motivations religieuses, c'est bien ce que je pensais. Nous avons affaire à des illuminés, si, évidemment, il ne s'agit pas d'une pure invention.

– De jeunes pirates informatiques ont déjà envahi le réseau informatique du ministère de la Défense nationale juste pour relever le défi, lança un officier.

– C'est donc sérieux ? demanda alors le premier ministre en regardant Willis d'un air de chien battu.

– Les cadavres à l'hôpital militaire prouvent que c'est sérieux, répondit Willis en époussetant machinalement sa cravate, signe de trouble chez lui.

– Y a-t-il moyen de repérer les vaporisateurs dont il parle ? demanda Shackleton en dissimulant sa terreur sous le ton assuré d'un président de conseil d'administration.

– Malheureusement, on ne peut pas balayer un secteur à la recherche de bactéries comme on le fait pour des ondes, répondit un général.

– Les chiens ne donneront aucun résultat non plus, dit quelqu'un de la GRC. C'est à peine si on commence à les entraîner à détecter le nitrate d'ammonium. Alors, pour ce qui est d'un virus…

– D'un bacille, non d'un virus, le corrigea Willis.

– Virus ou non, intervint Kristen, des biocapteurs pourraient être déployés, mais le pays est trop grand. On aura peu de temps.

– Sortez-les, ces fichus biocapteurs, râla Shackleton, comme s'il défiait le parti d'opposition, en Chambre, de mettre ses menaces à exécution.

– Les biocapteurs ne donneront rien, dit une voix qui glaça l'assemblée.

Un autre militaire venait de débarquer de l'ascenseur de la Défense nationale.

– Major Cloutier ! Bienvenue ! lança Willis en invitant de la main le nouveau venu à s'asseoir. Vous êtes notre expert en maladies exotiques. Vous avez résolu bien des cas de syndrome de stress post-traumatique consécutifs à nos opérations en Afghanistan. Alors, votre avis ?

— Oui, eh bien, est-ce que les biocapteurs y parviendraient ? Je regrette d'être rabat-joie, mais la peste est difficile à détecter avec la méthode traditionnelle du repérage de protéines. La morphologie du bacille se modifie avec la température et l'environnement.

— Il faut essayer, commanda le premier ministre.

— Le pays est vaste, monsieur, dit Willis, même si nous avons jusqu'à ce soir, si on prête foi au message des terroristes.

— Va pour les biocapteurs, donc, trancha John Shackleton, qui craignait d'en être réduit à l'inaction.

— On n'a même pas le temps de couvrir les grandes villes, rétorqua Flanders.

— Il faut faire quelque chose, insista Shackleton.

— On peut communiquer discrètement avec les concierges et les gardiens de nuit des écoles, des tours d'habitation, des centres commerciaux et des ministères, proposa Willis. Qu'ils se mettent à la recherche de bombes aérosol comme celles découvertes dans les collèges privés à Ottawa et à Kingston, ou de tout objet inhabituel pouvant servir à répandre le bacille. Un contenant de laboratoire, probablement, ça devrait être évident.

— D'accord, d'accord, monsieur Willis… Preston… c'est bien ça ? se rallia Shackleton. Mais on ne peut pas se permettre d'être pris en otage, on ne peut pas négocier avec des terroristes.

Le premier ministre se tourna alors vers le major Cloutier. Il le regarda d'un air résigné, comme on regarde son médecin de famille en lui demandant le temps qu'il nous reste à vivre après le dépistage d'un cancer.

— À combien estimez-vous nos pertes si on transmet un avis d'évacuation éclair et si on fait patrouiller les villes par des unités médicales d'urgence équipées de combinaisons spéciales, prêtes à intervenir dès l'apparition des premiers symptômes ?

— Je vous dirais bravo si le bacille évoluait lentement et se traitait avec les antibiotiques traditionnels. Mais s'il s'agit de la variété pulmonaire, qui se transmet très facilement – sans oublier le fait que quelqu'un a bricolé la maladie pour qu'elle résiste à tout traitement connu –, ce que vous suggérez mènera à des centaines, voire à des milliers de morts.

— J'ose à peine poser la question, dit un général en articulant lentement chaque mot, mais quel serait le nombre acceptable dans les circonstances ?

— Vous demandez sérieusement, général, répondit le premier ministre, combien de personnes nous sommes prêts à sacrifier ?

Le général baissa la tête et se tut.

— C'est à vous de décider, monsieur, dit un autre officier supérieur.

— Vous êtes bien assis ? reprit Shackleton. Alors écoutez-moi bien, tous. Combien ? Je vais vous le dire, moi : pas une seule. Il y a déjà eu assez de morts d'enfants, ne croyez-vous pas ? Mais comment diable n'avez-vous pas vu venir le coup ? Le SCRS, le ministère de la Sécurité publique, la GRC, personne n'était au courant ?

— L'ennemi a sans doute camouflé les bacilles dans des aérosols de plastique indétectables aux frontières, répondit Flanders.

— D'abord, à qui a-t-on affaire ? Vous avez parlé d'un certain Plantagenêt…

— Tristan Plantagenêt a reçu une formation scientifique, répondit Willis. Il a pu mener des expérimentations.

— Vous avez dit qu'il était du service, Mac ? Vous ne surveillez pas vos ex-agents ?

– En principe, oui, dit l'homme du SCRS. Mais après le 11 septembre, nous avons dû réorienter beaucoup d'années-personnes vers de nouvelles cibles. Vous savez ce qu'il en coûte, en ressources humaines et financières, de filer un individu vingt-quatre heures par jour ? Une fortune. Il faut choisir nos priorités.

– Il reste, Mac, intervint Willis, que nous avons intercepté des télécommunications au-dessus de l'Asie du Nord semblant impliquer Plantagenêt. C'est une piste. Nous allons remonter la filière.

– Demandez donc au Pentagone de libérer un ou deux drones pour photographier le point d'origine ! suggéra un général. On trouvera peut-être des têtes fichées dans les bases de données.

– Redites ça en français, messieurs, exigea Shackleton avec mauvaise humeur.

– Il parle du Predator des Américains, monsieur, expliqua Willis. Un petit avion sans pilote, dirigé à des milliers de kilomètres de distance et bourré de caméras sophistiquées. Cet engin peut photographier encore mieux que les satellites espion les nids de trafiquants de drogue ou de terroristes à l'étranger. Les pays alliés permettront leur utilisation dans leur espace aérien.

Shackleton consulta sa montre en repliant son bras dans un geste ample. Certains administrateurs le font pour donner congé à leurs subordonnés sans leur parler directement.

– Il est 1 h. Nous avons jusqu'à ce soir, à ce qu'il paraît.

– J'ai quelques idées pour nous faire gagner du temps, avança Willis, ce qui fit l'effet d'un vent de fraîcheur dans l'atmosphère tendue du Centre gouvernemental de situations d'urgence. Je vous en ferai part tantôt. Mais pour parer au plus pressé, je suggère de suivre une autre piste.

– Vous avez une autre piste ? s'exclama Shackleton avec un sourire las.

– Dans leur message, les terroristes se disent prêts à surseoir à un attentat si nous trouvons et détruisons, et je cite, « le secret de Dieu ».

– Oui, « le secret de Dieu », répéta Shackleton, qu'est-ce que ça veut dire ?

– Allez savoir, avec des sectes, grogna un général. Ce ne sont peut-être que des élucubrations, comme le sexe des anges.

– Malheureusement, quand on parle de sectes, objecta Flanders, on parle de forces extraordinaires, que leurs buts soient réalistes ou non. Des actes de violence aveugle et irraisonnée peuvent s'ensuivre. N'oublions pas les suicides collectifs de Jonesville et de Waco.

– C'est peut-être plus que des élucubrations, surenchérit Willis. Il semble que les morts par la peste aient commencé après le nettoyage des pierres de la tour de la Paix par les services de restauration de Patrimoine Canada.

– Et alors ?

– Eh bien ! Le sénateur Strickland, qui surveillait les travaux, a parlé d'une découverte historique sensationnelle qui aurait été faite par le spécialiste de Patrimoine Canada, le docteur Rusinski. Ce dernier est aussitôt mort de la peste. Il en va de même de Marc Mercier, ministre du Patrimoine à l'Assemblée nationale. Oui, les autorités québécoises ont confirmé auprès du ministère de la Santé qu'il s'agissait, dans son cas, de la peste pulmonaire. Or, Mercier avait été convoqué comme témoin devant Strickland et son comité parlementaire avant d'assister à un cocktail donné en l'honneur du président russe, à la résidence du premier ministre.

– Quel est le rapport avec toute cette histoire, Preston ? Vite ! le pria le premier ministre. Le temps presse !

– J'y arrive. En visionnant la réunion du comité télédiffusée sur CPAC, on peut voir que Mercier mentionne l'existence d'un document vieux de plusieurs siècles qui aurait été transmis dans sa famille. Une pièce «théologique» d'importance, ajoute-t-il, mélangée à des milliers de vestiges cléricaux de la Nouvelle-France. Or, on sait que les archives du Bas-Canada ont été transférées à Ottawa au milieu du XIXe siècle, quand cette ville est devenue la capitale du pays, après Kingston et Québec. Mercier était sûr que des trésors insoupçonnés pouvaient avoir été cachés quelque part dans l'édifice du Centre ou à la bibliothèque du Parlement.

Quentin s'en voulut de ne pas s'être souvenu de cela puisque, dans le cadre de son travail d'indexeur, il avait lu et traité le témoignage du ministre Mercier devant le comité. À sa décharge, le témoignage datait d'un an, bien avant que les travaux de réfection de la tour de la Paix n'aient véritablement débuté.

– Alors, vous l'avez, ce document? demanda le premier ministre, soudainement pris de frénésie.

– Non, mais on peut faire une fouille en règle à l'édifice du Centre et dans les chambres fortes de la bibliothèque du Parlement. On ne sait jamais.

– Mon Dieu, ça pourrait prendre des semaines, rétorqua Shackleton, qui semblait se tasser au fond de sa chaise comme une baudruche remplie d'eau.

– Évidemment, mais il faut essayer. Nous pourrons toujours nous rabattre sur une de mes autres idées si nos services ne découvrent rien de tangible avant l'échéance de 18 h 30, aujourd'hui même.

– Monsieur le premier ministre, monsieur Willis, si je peux me permettre…, intervint Kristen. Nous avons un document.

Chapitre 28

Centre gouvernemental des situations d'urgence, bunker aménagé cinq niveaux sous l'édifice de la Défense nationale

6 juin, 1 h 49, un peu plus de 16 heures 30 minutes avant l'attaque finale

— Nous avons un document, répéta Kristen. Oui, un document qui serait la carte menant au secret de Dieu.

— Kristen Vale, qui siège avec moi au Comité de coordination, est chargée d'enquêter sur la mort de Strickland, s'empressa de dire Willis en guise de présentation.

— Je la connais, dit Shackleton. Allez-y, agente Vale.

— En fait, c'est Quentin qui l'a.

Quentin comprit après quelques secondes. Il hésita.

— Ce n'est peut-être rien.

— Un texto reçu d'un ancien agent à nous, Tristan Plantagenêt, expliqua Willis.

Kristen Vale s'approcha de Quentin et le regarda droit dans les yeux, avec gravité.

— Quentin, tu as devant toi les dirigeants du pays rassemblés autour de cette table, plaida l'agente. Compte tenu de la menace de bioterrorisme, dehors, c'est le moment ou jamais… On doit suivre toutes les pistes, farfelues ou non.

Vaincu par la sagesse de ces paroles, Quentin se leva et s'approcha de la console électronique contrôlant la projection. Il sortit son BlackBerry et le brancha au système central.

Il entendit de nouveau les paroles optimistes de Kristen Vale : « Nous avons un document ! »

Tout le monde dans le bunker du premier ministre fixait attentivement Quentin.

Il projeta sur l'écran déroulé sur le mur, au bout de la table, le texto du docteur Plantagenêt pour que tous puissent en prendre connaissance.

Il n'y avait qu'une phrase. Mais elle était plutôt longue. Indigeste pour les militaires et pour les esprits pratiques réunis dans le bunker.

— Je n'y comprends rien, finit par dire le premier ministre en résumant l'impression générale. Mais s'il s'agit du secret de Dieu, alors moi, je suis… je suis cet âne de chef de l'opposition, tiens !

La boutade, comparable aux bêtises lancées à l'adversaire lors de la période des questions orales en Chambre et retransmises avec éclat lors des bulletins de nouvelles, suscita quelques rires nerveux autour de la table de conférences.

— Qu'il aille se faire foutre ! rugit enfin Shackleton en glissant le dossier à Flanders. Ah ! ça fait du bien de se défouler ! Un langage pareil en Chambre, imaginez ! Et il faudrait ensuite que je m'excuse auprès de ces enfants de chienne, de l'autre côté du parquet !

Quentin se souvenait du texto mot à mot. Selon Plantagenêt, il avait été gravé sur un bloc de maçonnerie, tout en haut de la tour de la Paix. Plantagenêt et Strickland avaient interrompu le travail de ceux qui voulaient l'effacer à coups de ciseau. Il n'était resté qu'une seule phrase, très longue. Le sens avait paru très clair à Quentin. Il semblait être le seul dans ce cas.

— D'où ça sort, ces inepties ? renchérit Flanders, frustré de ne pas être dans le coup. Cette phrase idiote, qu'est-ce que ça veut dire ?

— Écoutez Quentin, voyons, trancha Willis. On n'a pas beaucoup de temps devant nous, et il détient là notre seule piste.

Quentin était aussi à l'aise devant le texte qu'un profileur l'était devant la scène d'un crime. C'était son métier d'analyser les discours, aussi bien à titre d'indexeur à la Chambre qu'en tant qu'historien à l'université.

— Le passé est une véritable obsession pour ces gens, se contenta-t-il de répondre, conscient qu'il entretenait un suspense quasi intolérable.

Ensuite, il lut la phrase de Plantagenêt à haute voix.

Loin sur la Grande Île, l'eau sèche s'est tue où les Géants de glace ont traversé vers les colonies américaines pour que les enfants d'Israël avancent à travers la mer en terrain sec. (Exode 18,46)

— *Damn it !* s'emporta Flanders, on n'a pas le temps de jouer aux devinettes !

— Il y a une référence claire à la Bible, expliqua Quentin. « L'eau sèche » désigne le miracle de Moïse rapporté dans le livre de l'Ancien Testament nommé l'Exode.

— J'ai vu le film, commenta un militaire. Il a séparé la mer en deux pour que les Juifs tenus en esclavage par le pharaon d'Égypte puissent traverser et regagner leur pays.

— Vous avez raison.

— Est-ce que ça veut dire, demanda Flanders, que ce que veulent les terroristes se trouve au Moyen-Orient ?

— Il semble bien que oui.

– Alors pourquoi faire appel à nous ? Ce serait aux autorités de là-bas de s'en charger, non ?

– Je vais communiquer avec le premier ministre d'Israël et le président de l'Égypte, confirma le premier ministre. Je les connais bien, ils vont accepter de nous aider. Mais il faudrait plus de précisions sur le lieu exact. La mer Rouge, c'est vaste.

– Et si le message à la tour de la Paix désignait un endroit au Canada ? proposa Quentin.

– Ce serait plus logique, en effet, dit le premier ministre. Et plus de notre ressort. Mais la question demeure : où ?

– Là où il y a une sécheresse.

– Attendez, je crois vous suivre, dit le premier ministre en reprenant la lecture du texte. Le secret de Dieu dont parlent les terroristes, qu'il faut découvrir puis détruire afin de sauver de nombreuses vies humaines, ce secret, dis-je, se trouverait dans un lieu décrit par le passage « l'eau sèche s'est tue » du message. Donc, un lieu désertique.

– Écoutez, Pressing, pesta Flanders, on parle d'eau sèche, pour l'amour ! Qu'est-ce que ça veut dire ? À mon avis, on se moque de nous avec des jeux de mots à la con !

– En effet, approuva le premier ministre. Comment savoir où frappe cette sécheresse ? En tout cas, il n'y a pas de sécheresse au pays en ce moment.

– La dernière fois qu'il y a eu une sécheresse, c'est l'été dernier, dans l'Ouest, dit quelqu'un.

– Vous avez raison. Les médias ne rapportent pas de sécheresse au Canada actuellement, reconnut Quentin, intensément concentré. Il n'y a rien de tel dans le Canada d'aujourd'hui, serait-il plus précis de dire. Le passé est la clé.

– Quelqu'un va-t-il enfin m'expliquer ? tonna Shackleton.

— Tu veux dire, intervint Kristen Vale en se creusant la tête, que le texte fait référence à la sécheresse passée, à celle de l'an dernier, due aux changements climatiques ?

— Non. Quand je parle du passé, je parle d'un passé lointain. Il se peut qu'on ait à remonter les siècles.

— Je serais curieux de savoir ce qui vous fait dire ça, demanda Shackleton d'un ton plus calme.

— Eh bien ! Il y a d'abord la façon de désigner les États-Unis comme étant des « colonies ».

Devant les regards interrogateurs fixés sur lui, où se mêlaient la curiosité et l'impatience, Quentin relut le texte projeté sur le mur avant de laisser tomber son verdict.

— Excusez-moi, monsieur le premier ministre, je ne veux pas faire de mystères. C'est que j'essaie de me rappeler mes notions d'histoire. Pour déchiffrer le message et remonter le labyrinthe de la Compagnie, il faut connaître les faits de l'histoire canadienne.

— Et vous savez de quelle sécheresse il s'agit ?

— Je crois le savoir. C'est bien simple, finalement.

Chapitre 29

Au-dessus de la chute canadienne, Niagara Falls (Ontario)

6 juin, 5 h 47, un peu moins de 12 heures 30 minutes avant l'attaque finale

— Kristen, je te présente le paradis des amoureux ! s'écria Quentin en faisant un large geste des bras devant lui.

L'hélicoptère touristique multicolore se maintenait devant la chute aussi haute qu'un édifice de vingt étages. Les six cent trente chevaux du moteur de l'engin combattaient le formidable déplacement d'air. Les gouttelettes de la bruine venaient s'agglutiner sur le nez pointu de l'appareil. L'eau scintillait de mille feux dans la lumière claire du soleil matinal. Des arcs-en-ciel traversaient les nuages de vapeur.

Malgré le stress, Quentin et Kristen étaient séduits par la Grande Dame.

— Oui, approuva Kristen d'une voix forte pour percer le grondement de la chute et le battement des pales des hélices. C'est le rendez-vous des nouveaux mariés.

— Depuis deux cents ans, tu t'en rends compte !

— Tu ferais ton voyage de noces ici, Quentin ?

— Certainement.

Le jeune homme n'exprima pas le fond de sa pensée. Mais dès sa première rencontre avec Kristen Vale, son cœur avait fait un bond, et il se voyait venir ici avec elle dans des circonstances plus festives. Si elle pouvait partager ses sentiments…

L'histoire, avec ses règles et ses faits concrets, n'empêchait pas Quentin de rêver.

— Qu'est-ce qui les attire ici, les nouveaux mariés ? demanda Kristen, qui s'octroyait une pause au milieu de ses responsabilités.

— Le paysage est super romantique, expliqua Quentin avec une tonalité joyeuse dans la voix. C'est rare qu'on puisse être aussi proche d'un tel phénomène de la nature, jusqu'à presque pouvoir se tremper les pieds dedans. Pour moi, juste après Niagara, c'est un voyage sur la Lune…

— Super romantique, hein ?

— Évidemment, des experts ont émis toutes sortes d'hypothèses sur l'attrait de ce lieu pour les nouveaux mariés. Selon certains, le seul bruit de la cataracte serait franchement aphrodisiaque. D'autres vont jusqu'à dire que les ions négatifs produits par les chutes du Niagara sont aussi stimulants qu'une triple dose de Viagra.

L'image sacrée devant eux, cette icône du tourisme sentimental, les avait un moment distraits de leur but. Quentin reprit aussitôt son expression grave.

Deux heures avant l'arrivée de Quentin et de Kristen, des projecteurs avaient été allumés sur les deux rives de la chute par la Niagara Falls Illumination Board, à la demande du gouvernement. Mais les policiers et les militaires déployés sur les lieux ne pouvaient que fouiller les abords de la rivière en attendant que soient mises en œuvre les mesures exceptionnelles décrétées par les autorités. Ces mesures, fantastiques pour les habitants de la région, avaient été exigées par Quentin.

— Il faudra se rapprocher encore, cria Quentin à l'adresse du pilote à ses côtés. Le temps presse.

— Il faut se méfier de l'effet de succion, répliqua le pilote.

— On est plutôt repoussés en aval, non ?

— Les deux à la fois, comme dans les tourbillons d'eau au-dessous de nous. Si le vortex nous entraîne, c'est la chute de quarante-cinq mètres.

Assise à l'arrière de l'habitacle où six autres personnes auraient pu prendre place, Kristen calma l'anxiété de Quentin et la peur du pilote.

— Il n'y aura plus de problèmes, dit-elle en consultant sa montre. On nous a promis le miracle pour 6 h 15 et il est 6 h 05.

Elle se rapprocha derrière Quentin en songeant aux questions qui ne l'avaient pas quittée depuis leur voyage éclair à Niagara Falls, à bord de l'avion du premier ministre.

— Je ne vois toujours pas ce qu'on fait ici.

— Élémentaire, ma chère Watson. Tu ne vois donc pas que tous les indices dans cette affaire nous ramènent à l'histoire, sans doute parce que le secret de Dieu recherché par les terroristes date de bien longtemps et qu'il a été légué au fil des générations ?

— Et alors ? Que vient faire la chute du Fer à Cheval là-dedans ?

— Je peux me tromper, mais je crois savoir ce que veut dire « l'eau sèche ».

— « L'eau sèche » dans le message de la tour de la Paix ? Ce n'est qu'une image !

— Je n'en suis pas si sûr. À preuve, cette allusion à l'eau sèche se termine par une citation de la Bible qui va ainsi : « […] pour que les enfants d'Israël avancent à travers la mer en terrain sec […] », un extrait de l'Exode, chapitre 18, verset 46.

– Et alors ? Nous avons affaire à un groupe religieux, ne l'oublie pas. Ce n'est pas étonnant qu'il cite la Bible.

– Tu as raison, sauf que le passage du livre de l'Exode qui parle des Juifs conduits par Moïse hors d'Égypte, eh bien, ce passage ne se trouve pas au chapitre 18, verset 46.

– Une erreur.

– Je ne crois pas. Justement parce qu'ils ne concordent pas, je pense que ces chiffres sont très importants.

– Ce serait peut-être un numéro de compte de banque ? Un casier de chambre forte ?

– Ou une date. Que s'est-il passé en 1846 ? Tout est là, je pense. Et ça expliquerait le sens de « l'eau sèche s'est tue ». Peu de touristes savent que les chutes du Niagara se sont asséchées en 1846, en mars, pour être plus précis.

– Comment est-ce possible ? Il n'y avait pas de barrages à l'époque pour contrôler le niveau d'eau ?

– Non, Kristen, mais la nature a réalisé l'impossible. La rivière s'est asséchée à cause d'un embâcle de glace dans le canal du lac Érié, qu'elle draine. Cette nuit-là, les gens n'ont pas été tirés de leur sommeil par du bruit, mais par le silence. Ils étaient habitués à être bercés par le grondement de la cataracte en arrière-fond.

– Et le message de Plantagenêt parle de traverser vers les colonies américaines. Ça peut être Niagara, en effet.

– Oui… « l'eau sèche s'est tue »… N'est-ce pas que ça devient évident ? En 1846, les habitants ont pu marcher sur le lit de la rivière. Beaucoup ont cru à la fin du monde, à une catastrophe attribuable à leurs péchés. Les écrits de l'époque rapportent qu'ils se sont précipités à l'église pour implorer pardon. Ce scénario ne te rappelle pas quelque chose ?

— La peste du Moyen Âge était attribuée aux péchés du monde… La peste propagée à Ottawa, les terroristes l'attribuent aux péchés du monde…

— Ils sont conséquents jusqu'au bout. Les épidémies de peste de 1345, de 1530 et de 1665, l'assèchement des chutes du Niagara en 1846, la peste d'aujourd'hui, c'est du pareil au même. Des catastrophes, des signes de Dieu.

— Trouver Dieu, le secret de Dieu, équivaudrait à mettre fin aux catastrophes…

— Tu commences à penser en anthropologue, Kristen.

— Espérons que ce « secret » est bien enseveli ici, car la vie des populations de nombreuses villes à travers le pays en dépend.

En disant cela, elle jetait un coup d'œil sceptique sur les remous du côté américain. Le petit bateau de touristes avait été amarré au quai de façon permanente, en prévision de l'événement extraordinaire qui allait bientôt se dérouler sous leurs yeux, comme en mars 1846. Des amateurs de photographie et des couples s'alignaient eux aussi sur la promenade au nord de la chute.

Le trottoir avait depuis longtemps remplacé Table Rock, une véritable tablette rocheuse qui s'était élancée au-dessus du gouffre comme un tremplin long d'un hectare ou deux. Cet éperon, transformé en merveilleux belvédère depuis lors, avait malheureusement cédé sous le travail de sape des eaux furieuses, d'abord une partie en 1818, puis en 1828, et enfin en 1850.

Prospect Point, une autre attraction géologique du côté américain, avait connu le même sort, mais beaucoup plus tard, en 1954. Tout près de là, la caverne des Vents sous les Luna Falls américaines avait été rongée à tel point qu'en 1955, devenue trop dangereuse, on en avait interdit la visite.

Les poings serrés, Kristen reprit.

– Willis m'a confirmé en cours de route que le SCRS et le Comité de coordination n'ont pas encore identifié le cadavre du terroriste bouffé par les candirus sous le château de Plantagenêt. Il vaudrait mieux que tu aies raison à propos des chutes, sinon la liste des morts risque de s'allonger.

– J'ai raison.

– Alors on a bien fait, Willis et moi, de t'embarquer avec nous.

Quentin avait toujours cru à son intuition, étayée par de solides connaissances. En outre, il commençait à croire à la destinée. Il avait été entraîné dans cette histoire contre son gré, comme si Plantagenêt voulait qu'il soit là, et il comptait bien prendre sa revanche en résolvant le puzzle. Néanmoins, il éprouva les doutes que tout intellectuel connaît un jour ou l'autre.

– Comment espérer que les chutes du Niagara s'évaporeront selon mon bon vouloir ? Et si le miracle se produisait, comment trouver un indice sur la falaise de roc mise à nu ?

Il devait être 6 h 25 quand le miracle dont Kristen avait parlé se produisit enfin, avec dix minutes de retard. Depuis quelque temps, la rivière en amont n'était plus alimentée. Les formidables chutes d'eau s'amincirent, le rideau compact s'effilocha, des filets d'eau subsistèrent un moment, puis on put détailler la cassure du terrain pendant qu'une rumeur d'étonnement parcourait l'assistance qui s'était massée aux parapets.

– Un escarpement impressionnant, déclara Quentin d'une voix chevrotante.

– Tu as réussi ! jubila Kristen en tapant dans le dos de son équipier.

– Disons plutôt merci à John Shackleton. En tant que premier ministre, il a obtenu que les centrales Sir Adam Beck et Robert Moses détournent les eaux du Niagara dans les conduits souterrains qui traversent les deux villes.

– Imagine : c'est la première fois depuis 1846 que la source des chutes se tarit et se tait. Même l'hiver, même avec le pont de glace, elles coulent sans arrêt.

– Non, on les a aussi stoppées depuis pour sauver des naufragés, précisa l'historien.

Mais Kristen n'écoutait plus. Elle s'était mise à inspecter la falaise à l'aide de grosses jumelles militaires fournies par le SCRS. Le projecteur de l'hélicoptère et ceux des rives, de puissantes lampes au xénon, révélaient les détails de l'escarpement humide.

Le canyon apparut à leurs pieds et sa nudité provoqua en eux autant d'émotions fortes que les bouillons de la cataracte l'avaient fait plus tôt.

– Qu'est-ce qu'on cherche ? cria le pilote.

– Tout et rien, souffla Quentin, les dents serrées.

Après l'émerveillement suscité par ce brusque changement de paysage, le doute les reprit. Tout cela était invraisemblable.

– Personne, que ce soit Plantagenêt ou un autre, n'a pu graver un message dans la falaise. La police a déjà vérifié le couloir Behind the Sheet à hauteur d'homme avant notre arrivée.

Le Bell 407 n'en finissait plus de passer et de repasser à l'horizontale et à la verticale en effectuant un quadrillage pareil à celui mené sur les scènes de crime. La falaise ne livrait aucun signe d'intervention humaine.

Ils furent consolés en voyant le cordon humain sur la berge. En rangs serrés, des policiers de la Sûreté provinciale de l'Ontario et des réservistes de l'armée étaient là pour ratisser le fond à l'aide de détecteurs de métal.

— Regarde, Quentin, dit Kristen en remarquant la mine déconfite de son compagnon d'aventures. Ils réussissent à se frayer un chemin entre les rochers vaseux et les mares d'eau.

— Il ne faudrait pas que les barrages cèdent, dit le pilote, fasciné par la taille minuscule des hommes et des femmes au pied de la falaise. Ils seraient emportés comme des fourmis.

— On ne sait même pas ce qu'on cherche, maugréa Quentin, ni si c'est en métal, si c'est enfoui dans le sol…

— Ces engins-là, intervint le pilote en désignant les magnétomètres portatifs, peuvent trouver une aiguille dans une botte de foin, une botte de foin de six mètres de hauteur.

Quentin dut se rendre à l'évidence : le travail effectué en bas était très efficace. Non seulement les chercheurs avançaient rapidement, mais ils rejetaient canettes de soda et détritus de toutes sortes sans perdre de temps. Le fond étant composé de la même roche que la falaise, ils n'avaient pas à creuser.

Une fois rendus au terre-plein naturel entre les deux chutes, les membres de l'équipe levèrent les yeux vers l'hélicoptère.

Kristen avait ajusté sur ses oreilles le casque d'écoute et le fin micro que le pilote lui avait passés.

— Les chercheurs demandent s'ils doivent continuer du côté américain, transmit-elle à Quentin.

Ce dernier réfléchit un moment avant de trancher.

— Non, qu'ils reviennent. Le message a été trouvé à Ottawa, les terroristes ont visé seulement des villes canadiennes avec leur arme biologique. Je miserais sur la chute canadienne. De toute façon, il faut se limiter, sinon on va perdre du temps précieux, et il ne nous en reste pas beaucoup.

— Bien reçu.

Les chercheurs retournèrent sur leurs pas, rentrant bredouilles.

Un silence de mort régna dans l'hélicoptère. Il était près de 10 h. Le soleil dardait ses plus chauds rayons de l'année. Les chercheurs au sol suaient à grosses gouttes. Certains se demandaient ce qu'ils faisaient là, mettant en doute sans le savoir les hypothèses d'un jeune employé de la Chambre des communes.

Comme pour leur donner raison, la falaise de Niagara n'avait pas divulgué son secret. Quentin sentait les heures perdues s'appesantir sur ses épaules. C'était lui qui avait déclenché ces fouilles si loin d'Ottawa.

— Les habitants de la ville encore inconnue ciblée par l'arme biologique, je les ai laissés tomber.

Quentin restait le nez collé au plexiglas, s'arrachant les yeux, se creusant la tête pour trouver où il avait fait une erreur. Vale posa une main sur l'épaule de son compagnon.

— On a fait ce qu'on a pu. Ça valait la peine d'essayer. Reprenons le Challenger pour Ottawa. Vous pouvez nous ramener à l'aéroport, s'il vous plaît ?

— Compris, dit le pilote en soulevant le pouce. D'autant plus que je suis presque à sec.

Le Bell 407 frôla la paroi de l'escarpement une dernière fois et pointa son nez effilé vers Hamilton. Pendant de longues minutes, Quentin resta prostré, enfoncé dans son siège, les épaules voûtées. Kristen respecta son humeur noire, même si elle était sûre que les démarches de Willis et le travail concerté du CST, du SCRS et de la GRC avaient plus de chances de leur livrer une piste.

Un peu plus de huit heures de jeu, c'était suffisant pour que la grosse machine des services de sécurité donne des résultats, d'autant plus que des agences de contre-espionnage étrangères avaient profitablement été mises au courant, soit la CIA, le

MI-6 et le Federalnaïa Sloujba Bezopasnosti russe, aussi appelé le FSB, l'agence qui avait succédé au KGB.

Un silence lourd, douloureux, était tombé depuis cinq minutes entre les passagers du Bell 407. Tout à coup, Kristen entendit un grognement. Quentin venait de se taper le front.

— C'est con, c'est con, c'est con…

— T'en fais pas.

— Non, je veux dire, on ne pouvait rien trouver puisqu'il n'y avait rien…

— Que veux-tu dire, « il n'y avait rien » ? Tu le savais et tu nous as fait faire ça pour rien ?

— Il y a quelque chose, j'en suis sûr, mais pas à cet endroit précis.

— Où, alors ?

— Vous pouvez accéder à Internet ? demanda-t-il au pilote.

— Oui, la console est à vous.

— Que fais-tu, Quentin ?

— J'aurais dû y penser avant. Kristen, tu pourrais communiquer avec un géologue de la région ? Pendant ce temps, je vais m'assurer d'une chose. Quant à vous, monsieur le pilote, vous nous ramenez à l'escarpement.

— Si on ne va pas à l'aéroport, je dois auparavant faire le plein à l'héliport.

— Très bien, on va se joindre aux chercheurs sur le terrain.

— J'ai le géologue, Quentin.

Quentin parla à son tour dans le micro, puis montra des signes de frénésie.

— J'ai hâte de débarquer, dit-il en remettant l'appareil de communication à sa compagne. Appelle nos troupes et dis-leur de chercher plus en aval de la chute, entre cent et deux cent cinquante mètres en aval.

— Pourquoi ?

– La roche du plateau du Niagara est grugée par l'eau à un rythme de cent vingt à cent cinquante centimètres par année.

– L'érosion ?

– En voyant le roc de l'escarpement, on a peine à imaginer que la roche s'use sans cesse et que, depuis des milliers d'années, la chute a reculé de onze kilomètres, à partir de Queenston jusqu'ici. Si le message a été englouti vers 1846, il pourrait se trouver jusqu'à deux cent cinquante mètres de la chute.

D'abord optimiste, Kristen se demandait maintenant ce qu'elle et Quentin pouvaient espérer trouver. La localisation de l'objet était plus qu'approximative, peut-être avait-il même été charrié par le courant jusqu'à Lewinston. S'il y avait bel et bien un objet…

Quentin sentit les hésitations de la policière. En mettant le pied sur le lit asséché de la rivière, il crut bon la rassurer.

– Si on a jeté à l'eau quelque chose d'impossible à trouver, pourquoi prendre la peine de laisser un message dans la tour de la Paix, à Ottawa ?

« Pour faire marcher de pauvres imbéciles prêts à croire n'importe quoi », eut envie de répondre Kristen.

Mais elle se retint. Néanmoins, une fois avec l'équipe de terrain, elle sentit l'espoir lui revenir. C'est alors qu'elle vit un policier lever le bras de façon vigoureuse à plusieurs centaines de mètres en aval de leur position : c'était le signe d'une touche de qualité.

– Tu vois ce qu'il a ? demanda Quentin.

– Non, je ne peux pas dire ce que c'est, répondit Kristen, mais ça semble assez gros. De la grosseur d'un baril.

– Vous avez une prise ? lança-t-elle dans son *walkie-talkie*.

– Nous avons quelque chose, en effet. Nous avons aussi une pompe pour nettoyer la chose et y voir un peu mieux. En tout cas, c'est plus une baleine qu'une truite.

– Est-ce que je leur demande de chercher quelque chose en particulier ? demanda Kristen à l'adresse de Quentin.

– Il y aura peut-être le symbole dessiné sur le parchemin.

– Caporal, pouvez-vous voir si on a gravé des images ou des mots ?

– Négatif. Il y a une bonne couche de mousse et de dépôts visqueux qui recouvre tout. Mais je peux vous dire que c'est un baril encore intact et étanche. Heureusement, on a aussi prévu d'apporter un chalumeau. Je suppose que vous voulez qu'on perce sans tarder ?

– Absolument ! cria-t-elle en prenant le chemin vers la trouvaille au bas de la cordée.

– Un contenant de métal des années 1800, remarqua Quentin.

Puis, il ajouta sur un ton rabat-joie :

– Il sera oxydé et plein de trous, sinon complètement dégradé.

– Pas nécessairement, l'encouragea Kristen. Tout dépend du type de métal et de son épaisseur.

– C'était une idée idiote de venir ici alors que le temps file.

… 11 h 51… 11 h 52…

Il s'agissait bel et bien d'un baril, mais c'était un baril spécial de la dimension d'une personne.

– Tu penses ce que je pense, Quentin ?

– Oui, c'est l'habitacle d'un de ces nombreux casse-cou qui ont dévalé la chute à l'intérieur d'un truc comme ça.

Le baril était calé entre deux éperons rocheux. Cela l'avait empêché de dériver sous la pression du courant. Ses cloisons renforcées avaient dû ajouter au poids et le faire sombrer, ce qui révélait un mauvais calcul de la part de l'amateur qui avait favorisé le revêtement protecteur au détriment de la flottabilité. Sans doute fabriqué en laiton, le baril ne semblait pas avoir été percé par l'oxydation. Le chalumeau découpa le couvercle. Un spectacle extraordinaire s'offrit aux policiers encerclant l'objet arraché aux profondeurs.

– Un squelette dans des lambeaux de vêtements ! s'exclama Quentin. C'était bien un casse-cou. On n'a pas pu le repêcher, ou alors il a tenté son coup sans prévenir personne.

Quentin imagina avoir devant eux un membre de l'organisation chargée de protéger le secret de Dieu. Le cas échéant, le cascadeur pouvait avoir apporté le trésor avec lui pour le cacher, au risque de mourir. Ou peut-être s'en était-il servi comme porte-bonheur afin de franchir avec succès cette cassure topographique. Peine perdue : la chute l'avait englouti.

Le jeune homme inspecta la dépouille, sûrement ancienne compte tenu de l'étoffe fruste de ses vêtements. Autant qu'il put en juger, il s'agissait d'une robe à crinoline. Mais le squelette n'en était pas vêtu. Elle servait plutôt de matelas, car les lambeaux de vêtements sur le squelette rappelaient plutôt les habits des marins de la Royal Navy, chandail rayé rouge et culottes.

– Un homme ou une femme ? dit Kristen avec un hoquet d'émotion. L'anthropologue légal pourra nous le dire en étudiant les os du bassin.

– Une femme… Je ne sais pas… mais la mort date de bien longtemps, commenta un policier.

– Est-ce qu'on sautait en tonneau à cette époque ? demanda Vale.

– Les chutes ont attiré les nouveaux mariés dès la première moitié du XIXe siècle, répondit Quentin. Quant aux casse-cou et à leurs numéros de cirque, ils sont seulement répertoriés depuis le début des années 1900. Les touristes pouvaient payer autant pour regarder les sauts en baril que pour voir la flamme sortant de terre, oui, une fuite de gaz qu'on allumait au besoin.

Mais rien n'empêche que d'autres aient tenté le coup bien avant, sans que la mémoire collective l'eût retenu.

La main du cadavre était refermée sur quelque chose. Kristen eut du mal à écarter les doigts recroquevillés, comme si le mort défendait à tout prix sa possession la plus précieuse. Sans doute la chose la plus précieuse de toute l'histoire de l'humanité.

– On dirait un... un coffret, suggéra Quentin.

C'était bien une petite boîte en métal poli. Un motif embossé sur le couvercle convexe représentait un soleil entouré de ses rayons.

– Bien conservé, remarqua Kristen, pragmatique, revenant à la réalité en désignant l'artéfact doré que les rayons du soleil faisaient briller. Sans doute en or pur.

Elle déglutit avant d'émettre une idée qui lui parut énorme.

– C'est ça, le secret de Dieu ?

– Aucune idée. Espérons, car le temps file. L'échéance est fixée à 18 h 30. Il est près de midi.

... 11 h 58... 11 h 59...

Chapitre 30

Derrière la chute canadienne de la rivière Niagara, un sentier touristique au pied de la falaise appelé Behind the Sheet (Haut-Canada)

Nuit du 29 au 30 avril 1842

Un passage avait été aménagé par la nature entre le rideau liquide et la falaise. Emportée par sa vitesse, la masse d'eau ne tombait pas à la verticale : en s'éloignant de la paroi, elle s'incurvait en forme de parabole. Un espace sec, assez large pour y marcher, subsistait comme une bulle d'air emprisonnée au fond de l'océan.

Le bruit sous la chute était assourdissant. À tel point que les touristes osant emprunter le sentier avaient l'impression de vivre leurs derniers instants sur cette terre. Chaque atome de leur corps semblait vibrer pour finalement imploser.

Il aurait fallu être insensé pour descendre là la nuit. Encore plus pour y pêcher. C'est pourtant ce que trois hommes firent. Trois frères, les Kane. Pendant que l'aîné se postait à l'embouchure du passage, les deux autres s'y engouffrèrent en portant un lourd paquet. Ils jetèrent une ligne dans les eaux tourmentées où se perdait la lueur de leur lanterne bien protégée sous sa boîte vitrée.

Curieux pêcheurs qui avaient appâté avec le corps d'un quatrième homme et qui avaient besoin d'un guetteur pour s'adonner à leur activité nocturne.

Le petit Kane était un homme maigre au visage affûté en lame de couteau. Édenté, il chiquait le tabac avec ses gencives pour fouetter sa volonté et tonifier ses muscles tendus comme des cordeaux d'attelage. Son frère, le gros Kane, était agile pour son poids. La bouteille de rhum qui le suivait partout lui servait de remontant. Le petit Kane ne lui reprocha pas les gorgées qu'il prenait à chaque effort déployé sous la chute. Avant la venue des sociétés de tempérance au milieu du siècle, l'alcool était considéré comme l'équivalent des boissons énergisantes modernes.

Après de longues minutes, les frères Kane tirèrent leur ligne de l'eau, faite d'une solide corde de la marine.

– Dis donc, il est lourd, ce chrétien ! se plaignit l'homme maigre.

Ils se tenaient pressés l'un contre l'autre afin de pouvoir se crier dans l'oreille pour être entendus.

– Il y a de quoi ! Il est enfoncé par la chute ! hurla le gros Kane. Il doit peser dix fois son poids hors de l'eau.

La bruine et la sueur mélangées trempaient leur visage et leur vareuse. Mais après un dernier effort, leur prise jaillit du tourbillon comme un bouchon de liège.

– Tire-le à terre !

Au bout du filin, un autre homme était attaché sous les aisselles. Le poids de l'eau avait déchiré sa culotte, arraché sa chemise de grosse toile de lin et ses chaussons de chanvre filasse. Il était presque nu, comme un poisson.

– Il respire encore ?

– Il tousse et crache, ça veut dire qu'il respire, idiot. Il est vivant.

Le plus gros des pêcheurs souleva leur proie par les épaules et la secoua lorsqu'elle fut en position debout, comme on secoue une poupée de chiffon.

– Où se trouve le secret de Dieu? Vas-tu parler? On sait que tu es un gardien de la Compagnie, alors ne fais pas comme si tu ne comprenais pas!

– Parle, sinon tu retournes sous la chute, et tu vas perdre plus que tes *habiliments*[2]. Ta peau commence déjà à s'arracher sur le ventre…

– Il est tellement rouge qu'on dirait qu'il a attrapé la *pock*[3]. Où se trouve le secret de Dieu?

La victime de cette torture n'était pas en état de parler. En plus d'être écorchée vive, elle avait été à moitié assommée par l'impact de l'eau, aussi lourde qu'une enclume. Elle reprenait peu à peu ses esprits.

– Tu es sûr que c'est un gardien? demanda le petit Kane à son frère.

– Pas de doute. Il a un triple 6 sous ses cheveux. J'ai vérifié, tu comprends bien.

– Alors il faut essayer autre chose. Tout ce qu'on va faire, c'est de le noyer ou de le faire écraser par cette maudite cataracte qui me fout la trouille. Si on partait?

– On est bien, ici. Il n'y a pas de curieux à 2 h du matin. De plus, notre grand frère, le soldat de Sa Majesté, surveille l'entrée du passage.

– Cette vermine de la Compagnie ne parlera pas.

– Je croyais que sa plongée sous cette chute monstrueuse avec des tonnes de flotte le ferait pisser dans sa culotte. Et qu'il serait prêt à vendre sa mère, sinon son Dieu.

---

2. Certains Américains nommaient ainsi les vêtements au début du XIXe siècle.
3. Terme utilisé à l'époque pour désigner la varicelle (*pox*).

– En tout cas, moi, je l'aurais fait. Vendre ma mère, je veux dire. Cette chute en furie me donne tellement la chair de poule que je me sens plus près de Caïn, notre père à tous, au royaume des morts. J'aimerais mieux me voir ailleurs le plus vite possible.

– C'est bon, on le ramène à terre.

– Je le soulève pour lui brasser les puces ?

– Non, étends-le par terre.

– Que vas-tu faire ?

L'obèse vit son complice promener un regard circulaire sur le sentier rocheux. Le maigre reconnut avec satisfaction les restes vermoulus d'une barque jetée contre la falaise après son naufrage.

Il inséra un morceau de la coque sous le corps pantelant. Avec quelques grosses roches qu'il cala à une extrémité de la planche, il souleva sa victime la tête vers le bas. C'est alors qu'il remarqua que le pied du malheureux formait un angle anormal avec la jambe. Une malformation de naissance, probablement, car lui et son complice n'avaient pas tordu les membres du type pour le traîner jusqu'ici. «Un pied bot, ça prouve que c'est bien notre homme», réalisa le maigre. Certains curés ont décidé d'entrer dans les ordres parce que leur corps ne leur permettait pas de travailler aux champs. En plus du chapelet trouvé dans ses poches, ça montre que c'est une âme damnée de monsignor O'Reilly.»

Avec patience, les trois frères Kane avaient suivi l'homme boitillant dans le train d'Albany à Schenectady. Puis, à dos de cheval, ils avaient poursuivi la diligence de Schenectady à Utica, d'Utica à Rochester, puis de Rochester à Lockport, à Lewiston, à Oswego et à Niagara. C'était la diligence de la Telegraph Line, celle qui roulait nuit et jour. Ils s'étaient dit qu'il s'agissait de leur homme, puisqu'il était de toute évidence pressé de se rendre à un rendez-vous urgent.

– Ça prouve que la guerre est commencée, avait rugi le gros Kane, qui n'avait pas dormi depuis deux jours.

– Pas une guerre de soldats comme il y a trente ans, avait lancé son frère. Une guerre souterraine.

– Nous sommes les seuls à pouvoir écraser ces maudites fourmis qui s'agitent et qui peuvent mettre en danger le monde tel qu'il a toujours été, conclut le troisième Kane.

Ils avaient intercepté le voyageur avant qu'il ne se rende à son hôtel, l'Eagle House.

La bruine de la cataracte mouillait autant les bourreaux que leur victime plongée dans l'eau.

– Heureusement que j'avais tout prévu, déclara le gros Kane en ajustant la planche sous le secrétaire de l'évêque de Boston. Si l'eau ne cause pas de dommages en dehors, elle peut en faire beaucoup à l'intérieur.

En voyant le maigre tirer des objets d'une grosse poche de marin, l'obèse grogna en roulant des yeux exorbités par la volupté.

– À ce que je vois, tu vas lui faire goûter à la torture des Inquisiteurs !

– Ouais. Ces maudites graines de Templiers ne méritent pas mieux.

D'abord, il ferma les narines du supplicié avec des pinces à linge. L'autre attacha les mains et ficela le corps à la planche. Puis, le premier installa dans la bouche une sorte de muselière métallique pour empêcher les mâchoires de se refermer. Enfin, le maigre plongea un entonnoir au fond de la gorge et puisa de l'eau avec une écuelle.

Revenant à lui peu à peu, l'homme étendu se mit à comprendre ce qui se préparait. S'il n'avalait pas l'eau de l'écuelle, il se noierait. Il se concentra donc pour ingurgiter tout ce qu'on lui versait à travers l'entonnoir.

L'opération durait depuis une quinzaine de minutes quand les deux bourreaux constatèrent que le ventre nu avait gonflé à la façon d'une gourde.

Le supplicié râla.

— Où se trouve le secret de Dieu ? répéta un des tortionnaires.

— Arrgghh !

— Il est aussi têtu que les Templiers soumis à la question par notre grand maître, Philippe le Bel.

— On continue !

— Combien de flotte ?

— Il a avalé à peu près cinq litres jusqu'à maintenant. Au Moyen Âge, c'était la quantité que les Français appelaient la « question ordinaire ».

— Je sais. Vient ensuite la « question extraordinaire » ?

— En plein ça, ce qui veut dire qu'il va avaler quatre ou cinq litres de plus.

Le gavage implacable reprit, cruellement, une écuelle à la fois. Malgré la douleur aiguë, pareille à celle d'une rage de dents ou d'épingles plantées sous les ongles, la victime réussit à mettre quelques idées en ordre. D'abord, l'homme savait avoir affaire aux caïnites. Ils accompliraient leur sale besogne sans broncher. Rien ne lui servirait de gémir ; il n'avait aucune pitié à attendre d'eux.

Au début, chaque cellule de son cerveau refusa d'activer la partie de sa mémoire ayant traité et emmagasiné le secret de Dieu. Il préférait mourir dans d'atroces souffrances. Puis, il pensa avec effroi que son ventre était devenu une barrique d'aubergiste. Il aurait aimé se soulager, mais il n'en était pas capable et il maudit son sexe. Il finirait par mourir avec toute cette eau. Le pire, c'est que ses bourreaux le feraient vomir une fois son quota atteint. Ensuite, ils recommenceraient leur routine avec l'écuelle. Il se remplirait de nouveau et ses viscères hurleraient encore, prêts à exploser. Puis, on le ferait vomir une deuxième fois.

Le processus avait été répété cinq fois quand le supplicié quitta la réalité ambiante, corps et âme se réfugiant dans un état second comparable au coma. C'est dans cette stupeur qu'il s'entendit proférer des sons qui pouvaient être des mots. Un des caïnites approcha son oreille des lèvres du moribond et crut comprendre deux séries de mots, dont il déchiffra seulement le sens de la première partie :

– « Les passagers du vapeur en provenance de Toronto ! » « Le plus grand auteur du monde ! » répéta-t-il.

– Je crois qu'il délire, couina le petit Kane. Il a perdu la boule !

– Qui sait ? Il faudra surveiller le quai quand les passagers du vapeur débarqueront.

– Je te dis qu'il divague. On l'a trop secoué, ce petit curé.

La suite sembla donner raison au caïnite, car le supplicié, tout à coup bavard, lança en crachant de l'eau et en roulant des yeux exorbités :

– Soyez maudits, tous autant que vous êtes ! Que cette chute soit maudite, elle qui sert les desseins de Belzébuth ! Que son eau se fige, qu'elle s'assèche pour avoir renié le vrai Dieu !

Chapitre 31

*Clifton House, Clifton Town, la nouvelle « City of the Falls »
en construction sur la rive occidentale (britannique) des chutes du
Niagara (Haut-Canada)*

Nuit du 30 avril au 1er mai 1842

Les passagers du vapeur *William IV* étaient arrivés
de Toronto en fin d'après-midi, après une brève escale à
Queenston, à la tête du lac Ontario. Ils ignoraient qu'ils étaient
épiés. Les Kane, les trois hommes de main des caïnites dans la
région, traquaient habituellement comme une meute de loups
des proies seules, isolées et vulnérables comme le secrétaire de
monsignor O'Reilly. Depuis des siècles, c'était le propre des
caïnites de se méfier des chevaliers célibataires comme l'avaient
été les Templiers, puis comme l'avaient été les fondateurs de
la Nouvelle-France, dont Maisonneuve. Mais les temps chan-
geaient et, cette fois-ci, ils ne négligèrent pas le couple dans la
trentaine apparemment inoffensif.

Harassés par le voyage, quoique le vapeur eût été moins
éprouvant que la diligence, Ebenezer et Margaret Dorsay se
couchèrent tôt. Cette visite au sud avait représenté pour eux le
voyage de noces romantique qu'ils n'avaient jamais fait.

Minuit. Le hall de style colonial de l'hôtel, avec ses meubles en rotin et ses têtes d'animaux sur les murs, était plongé dans la pénombre. Seule une lampe à pétrole déversait une lueur avare sur le comptoir de la réception où le préposé de nuit dormait.

Au plus fort de l'été, l'endroit serait bien différent. La musique jouerait presque toute la nuit alors que des couples de vacanciers enlacés danseraient sur les pelouses du jardin devant l'édifice.

Mais en cette première nuit de mai, le temps restait frais. Les taillis et les rochers autour des chutes conservaient une fine couche de glace, cette glace accumulée au cours de l'hiver qui avait transformé la cataracte en une immense cathédrale bleuâtre. Des stalactites et des stalagmites congelées ressemblaient aux colonnes d'un temple et on pouvait presque traverser la rivière à gué, comme on traverse une nef d'église.

Ebenezer Dorsay, un membre de la Royal Artillery en affectation à Toronto, roulait dans le lit conjugal et tirait sur sa chemise de nuit sans trouver la paix du sommeil.

— Quelque chose se prépare! se répétait-il, tiraillé par l'angoisse. Quelque chose de gros, puisqu'on fait appel aux réservistes de la Compagnie comme moi. Quelque chose, mais quoi, pour qu'on me dépêche ici?

Les mouvements d'Ebenezer finirent par réveiller sa compagne, Margaret, qui souleva le torse en s'appuyant sur ses coudes. Elle flaira des sentiments troubles. Elle alluma la lampe, et la vue de son mari l'étonna.

— Vous vous êtes vu, mon cher? Vous êtes en sueur, le front blême à cause de quelque désagrément de digestion, et vous êtes incapable de dormir, et cela, depuis des jours.

— Ce n'est rien.

— Ce n'est rien? Tiens donc. Je crains fort que vous ne me cachiez quelque chose. À Toronto, vous étiez déjà nerveux.

Vous sursautiez au moindre bruit des domestiques dans notre maison. Comme si vous étiez assiégé.

– Ce n'est rien.

Margaret Dorsay changea de tactique.

– Levez-vous, nous allons boire un doigt de brandy.

– Il est trop tard pour appeler le service…

– J'en ai dans mes bagages, mais c'est du blanc.

– Vous me surprendrez toujours.

– C'est du blanc, oui. J'en prends deux parts mélangées à une part d'eau de rose pour éclaircir le teint.

– C'est cher.

Ces préoccupations mondaines rassurèrent Ebenezer. La coquetterie de sa femme avait l'effet d'un baume sur ses nerfs à vif, et ses objections financières de mari faisaient partie du cours normal des choses, ce qui l'apaisait.

– J'aime bien observer certaines règles de beauté, se justifia Margaret Dorsay. Tenez, rien de tel pour une peau éclatante que la dernière potion magique d'un apothicaire de Saint-Pétersbourg : son de blé, œufs et vinaigre de vin. Ça me rappelle la campagne. Mais je me libérerais bien de l'obligation de porter religieusement un bonnet pour les sorties à l'extérieur parce que le climat changeant peut, semble-t-il, endommager le visage.

Elle se souvenait que, toute jeune, elle courait à moitié nue dans les champs de Kingston. Après la mort en couches de sa mère, elle avait été élevée par un père libéral, intendant d'un riche aristocrate. C'est par l'entremise du maître de son père qu'elle avait connu Ebenezer Dorsay. Ce dernier était un membre de la Royal Artillery affecté à Fort Henry, point névralgique pour interdire toute invasion maritime par les Grands Lacs et par le Saint-Laurent.

Le caporal Dorsay n'aimait pas son métier et il se porta volontaire quand des savants de l'Académe royale des sciences réclamèrent un appui militaire pour protéger un nouvel observatoire construit à Toronto, en 1840. D'abord réticente, Margaret fut conquise par l'établissement parce qu'il était situé dans des prés sans fin, près de King's Cross. Une palissade isolait de ces champs en friche trois édifices dont le plus étendu était surmonté d'un dôme conique qui suscita la curiosité du tout Toronto à l'époque.

— C'est que, ma chère, des variations dans le magnétisme faussent la lecture des boussoles, lui expliqua Ebenezer. Voilà pourquoi Londres a créé ces centres un peu partout sur le globe, pour mesurer les déclinaisons et obtenir des prédictions dignes de ce nom. Si l'Empire est maritime, il nous faut des boussoles fiables, ne pensez-vous pas ?

— Et ce dôme ? demanda Margaret, émerveillée.

— C'est pour le théodolite. Oui, un instrument de mesure sophistiqué.

— Théodolite, théodolite, le nom me plaît. Vous croyez que je pourrais visiter ce dôme ?

L'époque était aux découvertes. À Toronto, Margaret fit les siennes, ce qui contribua à lui ouvrir l'appétit pour en faire d'autres. C'est alors qu'arriva son beau-père avec une mission hors de l'ordinaire pour sa belle-fille, qu'elle ne devait pas révéler à son époux.

Au même moment, le fils, d'abord emballé par sa nouvelle carrière dans le domaine du magnétisme, commença à se refermer sur lui-même, comme s'il détenait un secret trop lourd à porter. Un nouveau voyage au sud tombait à point.

Pendant cette première nuit à Clifton Town, Margaret aborda de biais l'idée de la fondation d'une famille.

— Je vous dis, mon cher, que les médecins peuvent être des bourreaux pour les enfants et pour les femmes, leur mère. Il faut se garder de ceci et de cela. Par exemple, dans ma jeunesse, on n'avait pas à se tenir loin des courants d'air comme aujourd'hui, surtout si on avait eu chaud, continua-t-elle après avoir vidé son verre de brandy. Heureusement que vous et moi n'avons pas d'enfants, sinon il aurait fallu sans cesse vérifier si la porte était restée ouverte. Il paraît, d'après votre mère et son docteur, que les pauvres petits risquent d'attraper leur mort à cause du simple déplacement d'air occasionné par la chute d'une feuille d'arbre. Voilà pourquoi elle vous a couvé, mon cher.

— Et c'est aussi la raison pour laquelle mon père m'a envoyé dans l'armée.

Il allait ajouter : « Et c'est aussi pourquoi il m'a envoyé dans cette maudite Compagnie », mais il avait juré le secret.

Quant aux critiques de Margaret, on pouvait les mettre sur le compte de la frustration. Elle regrettait autant ne pas avoir eu d'enfants depuis leur mariage, qui remontait à cinq ans, que d'avoir quitté la vie des basses classes, plus mouvementée que celle des petits-bourgeois.

— Ah! l'odeur de la paille brûlée par le soleil d'été valait bien la lotion parfumée des salons !

Son époux n'avait presque pas desserré les mâchoires, ni sur le vapeur ni à leur arrivée à Clifton House. Mais cette nuit-là, il était prêt à tout révéler. Il ne lui aurait pas fallu grand-chose pour parler de la Compagnie dans laquelle il avait été conscrit par son père, le grand maître du Haut-Canada, dépêché des années auparavant par le chapitre de Londres.

Au prix où était le brandy, il l'avala lentement pour ne pas le gaspiller. Ses pensées tourbillonnaient. Il avait toujours été introverti et ne s'ouvrit pas à sa femme à propos de ses problèmes. « Les tueurs fanatiques, les caïnites, semblent être au courant de ma mission, pensa-t-il. Je crois les avoir distancés en fuyant Toronto. Malgré le danger, je ne peux partager mon terrible secret avec personne, pas même avec Margaret. La Compagnie est formelle.»

Aussi entreprit-il de se justifier auprès de sa conjointe et de la rassurer.

– Du surmenage. Je croyais qu'un changement d'air, un répit loin du travail, me ferait du bien… nous ferait du bien.

Margaret jubilait. Elle aimait l'aventure, mais la société la forçait trop souvent à faire tapisserie dans des soirées assommantes. Quant à son mari, il aurait eu la vocation d'un poète pauvre et insouciant. Mais dans cette société, il était obligé d'aller contre sa nature en supportant la discipline des gradés.

– Délicieuse idée que de descendre ici par voie d'eau, claironna Margaret avec des aigus d'enthousiasme dans la voix. Imaginez, nous faisons enfin notre voyage de noces aux chutes du Niagara après cinq ans de mariage !

– Je suppose que nous n'étions pas assez riches en vivant de la solde d'un artilleur, il y a cinq ans, pour venir ici. Ma mutation à l'Observatoire magnétique et météorologique de Sa Majesté a été une promotion. Et n'oubliez pas, ma chère, que la rébellion scandaleuse de ce diable de Mackenzie faisait rage à l'époque. Niagara Falls était sur le pied de guerre parce que les insurgés avaient élu domicile sur Navy Island, en 1837 ou en 1838. Tout pour gâcher un voyage d'agrément, vous en conviendrez, d'autant plus que notre bon ami Ogden Creighton, celui qui a fondé Clifton-sur-les-Chutes, était redevenu un militaire, comme au temps du 81e Régiment, pour mater la rébellion.

Cet aveu évoquait déjà plus de choses que tout ce qui avait été dit entre eux depuis cinq ans. L'heure devait être grave.

– Les chutes sont la coqueluche de Toronto, de Kingston, de New York et même de Londres, rétorqua Margaret Dorsay. Tous les nouveaux mariés y accourent pour leur lune de miel. C'est exquis, vous ne trouvez pas ?

– Justement, *il* doit arriver ces jours-ci avec sa femme Kate pour les mêmes raisons que nous, lui rappela Ebenezer avec des trémolos dans la voix. C'est même demain, je crois, qu'*il* est attendu à la gare en provenance de Buffalo.

– Oui. Vous croyez que vous allez me présenter? demanda-t-elle.

– Certainement. Ce n'est pas tous les jours qu'on loge tout près du plus grand auteur du monde entier.

– C'est tout simplement excitant. Notre femme de chambre me disait que le grand scientifique Charles Lyell est lui aussi passé par les chutes en octobre. Et, avant lui, l'auteure que j'aime tant, Fanny Trollope. Tous les grands noms de l'Empire viennent admirer ce joyau. Les Indes et les colonies d'Afrique n'ont rien de tel à offrir.

Ebenezer Dorsay semblait répondre favorablement à ce traitement. Sa poitrine se soulevait régulièrement, sans respirations courtes, emballées, trop rapprochées. Encouragée, Margaret poursuivit sans savoir que, par le fait même, sa vraie nature cachée faisait enfin surface et que son mari y prêtait attention.

– Je lisais l'autre jour une théorie nouvelle selon laquelle des glaciers énormes auraient labouré l'Europe. Qui sait si la même chose n'est pas arrivée ici? Des géants de glace, imaginez, mon cher… Quand leur fonte est survenue, les Grands Lacs se seraient remplis, s'écoulant l'un dans l'autre, le lac Érié d'un côté empruntant la côte Niagara pour se déverser dans le lac Ontario, de l'autre côté.

– Il ne faut pas se fier à toutes les inventions des journaux. J'ai été journaliste à Londres, souvenez-vous : je sais de quoi je parle. Tous les gens sérieux admettent que c'est le déluge de la Bible qui a créé les mers, les lacs et les rivières.

– Comme tous les gens sérieux croyaient que la Terre était plate et que le Soleil tournait autour. Je n'en sais rien. En tout cas, n'est-il pas plus fascinant de penser que des géants de glace ont parcouru le globe plutôt qu'une pauvre arche d'à peine cent pieds de long, sans doute pas plus grande que le vapeur *William IV*, si ça se trouve ? Où aurait-on entassé des centaines d'espèces d'animaux, d'insectes et d'oiseaux, je vous le demande ? La grange de mon père abritait deux vaches, deux chevaux et quatre cochons, et vous auriez eu du mal à ajouter un âne.

– Des géants de glace sur une grande île ? Ma parole ! Vous seriez aussi poète que mon ami que nous rencontrerons demain ?

Margaret tourna un visage radieux vers son époux pour ajouter, rêveuse, comme si tout l'Univers était à elle au sein de la couche conjugale :

– Oui, imaginez la scène survenue il y a sans doute des centaines de millions d'années : des géants de glace qui auraient traversé l'océan puis descendu des futures colonies britanniques jusqu'aux colonies américaines pour former la mer de Champlain, les Grands Lacs et la rivière Niagara.

À ce moment, Margaret ne se doutait pas que cette histoire allait être reprise dans le message des Templiers gravé sur la tour à Ottawa, un siècle plus tard.

– Ma chère, à vous voir à ce point passionnée par la science, je ne serais pas du tout surpris que vous puissiez vous joindre avantageusement à nous à l'observatoire.

Sans épiloguer sur cette pensée prémonitoire, Margaret déposa le plat de sa main sur la poitrine calmée de son mari. Puis elle déposa un doux baiser sur sa joue froide.

– J'ai lu dans le guide touristique, ajouta-t-elle sans en démordre, que les Indiens auraient eu conscience que la péninsule du Niagara avait été entourée d'eau un jour. Il y aurait eu un lac long et mince au sud qui noierait Rochester aujourd'hui. Voilà pourquoi ils appelaient Niagara la « Grande Île ». Ou peut-être étaient-ce toutes les terres du monde qu'ils appelaient la « Grande Île » ? Qu'en pensez-vous ?

Ebenezer répondit par un ronflement léger, presque harmonieux. Margaret avait donc suffisamment distrait son mari de ses mystérieuses angoisses. Elle éteignit la lampe de chevet.

Dorsay se réveilla en sursaut un peu plus tard. Il était toujours angoissé au sujet de Margaret, si innocente. Elle ne se doutait pas que son époux vivait une double existence en secret. « Je n'aurais pas dû l'emmener ici. Je risque ma vie, mais elle n'a rien à voir dans tout ça. »

Mais Margaret s'était montrée intraitable : elle l'accompagnerait, qu'il le veuille ou non. Autant sa femme était espiègle comme une enfant, ce qui en faisait une compagne extraordinaire, autant elle pouvait être entêtée.

De plus, la Compagnie souhaitait qu'il ne voyage pas seul, sans doute pour passer plus facilement inaperçu si les caïnites l'avaient déjà repéré. « On dirait qu'elle sait que ce voyage est extrêmement important. Elle a beau être légère comme une mariée à son voyage de noces, je vois bien qu'elle sait quelque chose. Elle se doute que quelque chose de grave se prépare. Elle m'a toujours surpris par son intuition. Le brandy n'est-il pas le meilleur remède qui puisse m'être prescrit en ce moment ? »

Chapitre 32

Quai de Niagara Falls (État de New York), embarcadère du traversier pour Clifton Town (Haut-Canada)

1er mai 1842, fin d'après-midi

« Quelque chose de grave se prépare ! » pensa Dorsay en ne pouvant pas se détourner de l'horrible spectacle devant lui.

Quelques minutes auparavant, ce qui s'avéra être une croix avait descendu le courant de plus en plus furieux en amont de la cataracte. Elle avait failli s'échouer dans une crique fleurie de trilles rouges, sur Goat Island. Mais l'attraction des chutes était telle que la croix avait été arrachée à l'emprise de l'île séparant les chutes américaines de la chute canadienne. La croix s'était précipitée du haut de la falaise.

Les premiers à la remarquer furent des touristes qui traversaient en bateau de Clifton Town à Niagara Falls, dans l'État de New York. Pour dix-huit à vingt-cinq cents, on s'offrait une perspective différente à partir du traversier. Le trajet durait à peine huit minutes, mais cela suffisait à donner la chair de poule, même au pied des chutes.

Au fracas assourdissant de ce géant qui menaçait d'écraser le bac s'ajoutait une navigation incertaine dans les immenses remous qui tordaient les eaux sous le méandre appelé Great

Crescent. La rivière était un chaudron bouillonnant, un « trou du diable » disaient certains, où la couleur émeraude de l'eau se changeait en un blanc de crème.

Le bateau était entouré de flots de craie, et les touristes les plus sensibles faisaient leur signe de croix à la vue de ce phénomène titanesque.

Le capitaine Crysler attribua à un arbre l'impact brutal qui secoua la coque à tribord. Un marin qui cherchait à dégager le tronc à l'aide d'une gaffe jura en s'apercevant que ce qu'il avait pris pour un vulgaire arbre mort avait la forme d'une croix. Une croix formée d'un tronc d'arbre et d'une grosse branche attachée perpendiculairement avec de la corde à voilier. Pour en mettre plein la vue aux passagers, il la hala jusqu'au quai. C'est là, sous le promontoire dominé par les chutes américaines, que les curieux firent une macabre découverte.

La pièce verticale de la croix était constituée d'un gros tronc de bouleau de soixante centimètres de diamètre qui avait été scié en son centre depuis la cime, les moitiés restant unies à la base, au niveau du renflement près des racines. Un homme avait été inséré entre les énormes éclisses après qu'on eut sans doute écarté les deux côtés à l'aide d'attelages de chevaux. Puis, les parties de l'arbre sous tension avaient dû être relâchées, écrasant le corps et broyant les os. Tout ce qu'on voyait était un bras et un pied jaillissant du tronc d'arbre comme des branches.

Ebenezer Dorsay et sa femme Margaret attendaient le traversier sur le quai de la rive américaine après avoir visité la ville de Niagara Falls et la caverne sous la cataracte. Ebenezer fut plus ébranlé que les autres passagers. Il savait ce que cette croix improvisée signifiait. Les sociétés secrètes utilisaient cette forme d'exécution depuis toujours. De plus, il avait reconnu le mort en apercevant son seul membre qui n'avait pas été réduit en bouillie. « Le pied, le pied bot, il n'y a pas de doute, se dit-il à lui-même en se mordant la lèvre inférieure. On a martyrisé le secrétaire de monsignor O'Reilly, que je devais rencontrer en secret. Mais pour quelle raison ? Quelque chose de grave se prépare ! Mon Dieu ! Donnez-moi la force ! »

– C'est horrible ! dit Margaret en se couvrant la bouche de sa main gantée.

– Un accident, expliqua quelqu'un. Sans doute un bûcheron des rives du lac Érié.

« Il n'y a pas d'accidents dans notre monde, songea Ebenezer Dorsay en empoignant le bras de Margaret, surtout pas d'accidents comme celui-là. »

– Mais vous me faites mal, Ebenezer !

« La Compagnie peut compter sur des gens en armes et elle envoie un soldat raté devenu fonctionnaire », fulmina Ebenezer intérieurement.

Mais ce qui était fait était fait. Le temps était venu d'agir. Un regard circulaire sur le quai et sur les curieux qui se pressaient autour de lui et de Margaret lui permit de constater à quel point ils étaient vulnérables en ces lieux, d'autant plus que les affaires de la Compagnie dépassaient les capacités des pauvres forces policières locales.

Il achevait son inspection fiévreuse quand il sursauta. Il venait d'apercevoir un curieux qui se démarquait parmi la foule, comme s'il avait voulu attirer l'attention sur lui. « L'arrogance des caïnites les perdra », pensa Ebenezer.

L'aîné des frères Kane ne passait pas inaperçu parmi les gens d'affaires et les couples de la haute société. Il portait l'uniforme de l'armée. Il tenait une canne de dandy comme Ebenezer, la mode ayant gagné même les soldats. Mais ce ne sont pas ces détails qui l'auraient fait repérer. Niagara Falls était une ville de garnison et les habits rouges faisaient partie du décor.

Au lieu d'avoir une pipe au coin de la bouche, une prothèse grotesque recouvrait le bas de son visage, du nez au menton. On aurait dit que Kane portait une muselière. Celle-ci était faite d'une pièce de bois ajustée par-dessus la bouche et la mâchoire inférieure, à laquelle elle était articulée pour s'ouvrir et se fermer, pour monter et descendre quand l'homme mangeait ou parlait.

À l'intérieur de cette petite boîte en bois était logée une étoffe épaisse qui, imbibée d'un certain liquide, humectait les lèvres, si lèvres il y avait.

– Une blessure de guerre, conclut Ebenezer. Une partie du visage a dû être arrachée par un coup de sabre.

Ce dispositif accentuait les yeux gris, glacés et mauvais comme ceux d'un aigle, et la balafre des caïnites qui barrait le front, descendant sur l'œil gauche qu'elle fermait à demi.

Leurs regards se croisèrent, mais le balafré ne détourna pas la tête. Au contraire, il soutint le regard de Dorsay. Ses sourcils se froncèrent et la fixité de ses prunelles de grand fauve fit frissonner Ebenezer. Ce dernier, comme hypnotisé, ne réagit pas quand le militaire s'avança vers lui et Margaret.

Ebenezer savait ne pas avoir à attendre de pitié de la part de cette machine à tuer. Mais il demeurait immobile, les bras ballants, incapable de secouer l'état de stupeur engendré par cette face horrible. Il imagina même que la muselière de bois servait à cacher une bouche aux dents démesurées, une gueule de loup prête à déchirer des chairs humaines.

Ils n'étaient plus qu'à quelques mètres l'un de l'autre. C'est alors qu'Ebenezer perçut une forte odeur d'alcool. Il crut que le soldat avait bu, alors qu'il s'agissait du tampon placé devant sa bouche, dans la cage de bois, qui en était gorgé comme une éponge pour neutraliser les bacilles qui giclaient à chaque parole prononcée. «Margaret! Je ne suis pas seul! Margaret est là!» se dit-il.

Le sentiment d'amour profond qu'il éprouvait pour Margaret s'imposa. C'est cela qui provoqua une décharge électrique en lui et qui le réveilla, mettant fin à sa paralysie. Il jugea que le plus urgent était de mettre Margaret à l'abri. Il était trop tard pour fuir l'endroit à bord du vapeur de Toronto. On était mercredi et le seul voyage était celui du *William IV* du capitaine Paynter, mais il avait quitté Niagara Falls, en partance pour Queenston et Toronto, à 16 h, et il était 17 h passées. Quant à la diligence, elle suivait une route isolée dans les bois et ne pouvait garantir leur sécurité. Ils allaient donc se retrancher dans l'hôtel, où rien n'arriverait à cause de la foule. Du moins, il l'espérait.

– Vous embarquez sur le traversier, ma chère, et je vous rejoins au prochain voyage. J'ai oublié quelque chose là-haut.

Il désignait Niagara Falls et ses boutiques de plus en plus nombreuses. Margaret ne s'alarma pas, sûre que son époux avait en tête l'achat d'un cadeau pour souligner leur anniversaire de mariage. Ils avaient passé une partie de l'après-midi dans cette station touristique en plein développement. Les terrasses de thé, les boutiques de souvenirs autochtones et les hôtels géants avec leur dôme en fer-blanc poussaient comme des champignons. «Il faut que j'éloigne cet assassin des caïnites de mon épouse, se dit Ebenezer. C'est à moi que ce misérable en veut, donc aussi bien se séparer pour que je l'attire de mon côté.»

Il tourna le dos à la rivière et fonça résolument vers le type en uniforme à l'entrée du quai. Ce dernier fut tellement surpris de cette audace qu'Ebenezer en profita pour le bousculer et pour passer.

Le fugitif se jeta dans l'escalier Biddle, nommé ainsi d'après le nom de son constructeur, Biddle Esq. Il accéda au promontoire et allait courir vers la ville, où il saurait déjouer une filature, quand il entendit derrière lui :

– C'est lui, c'est le type du vapeur ! Arrêtez-le !

Le soldat Kane l'avait suivi et appelait deux individus mal rasés et mal habillés, le petit et le gros Kane, qui achetaient des billets pour le traversier à un petit comptoir au faîte de l'escalier. Ils s'interposèrent pour intercepter l'envoyé de la Compagnie. «Je suis pris entre deux feux», comprit ce dernier.

Ebenezer fut rassuré de voir Margaret grimper à bord du bateau, loin de la tourmente et sans inquiétude.

Il bifurqua à sa droite pour courir le long de la falaise en direction de la chute Schlosser, celle des deux chutes américaines la plus près du rivage. Le souvenir du sort réservé à son contact, broyé par la croix de bouleau, lui donna des ailes.

Il connaissait le parcours de saute-mouton par-dessus les chutes, jusqu'à Goat Island, pour l'avoir emprunté avec Margaret en après-midi. Il y aurait un premier pont au-dessus de Schlosser Fall menant à Prospect Island, puis le pont Terrapin, au-dessus de Central Fall, jusqu'à Goat Island. Rendu là, il comptait descendre au pied de l'île et s'enfoncer dans une série de ces cavernes inexplorées qui avaient été creusées par des cours d'eau sous la rivière Niagara dans le roc de cinquante mètres de haut. Il attendrait la tombée de la nuit pour s'éclipser après le départ des caïnites.

Il franchit au pas de course le pont de Goat Island. Distrait du spectacle, il n'éprouva pas le vertige qu'il avait ressenti plus tôt en journée quand il avait regardé sous lui, à une vingtaine de mètres, là où grondaient les rapides se déversant dans la cataracte.

Comme il restait beaucoup de temps avant la nuit, une foule se pressait au poste de péage commandant un autre escalier, le Fiddle, qui menait aux cavernes en contrebas. Il allait se frayer un chemin sans s'arrêter quand il fut happé par le col de sa redingote.

Derrière la guérite de péage, un homme lui retira son imper à toile cirée et la casquette de capitaine de la marine marchande qu'il avait achetée en ville pour faire rire Margaret. Un second individu endossa ces vêtements et s'élança dans l'escalier.

Le sauveteur d'Ebenezer était en fait un jeune adolescent aux cheveux très blonds, à peine pubère. Déjà, quelques poils formaient sur son menton un début de barbiche de bouc, ce qui lui donnait un air théâtral. Il portait un collant de cirque de couleur rose. Il avait le corps aussi effilé que son fil de fer d'amuseur public, mais des muscles bien développés gonflaient ses bras et ses cuisses. Le fuyard le reconnut.

– Blondin ? Vous êtes Blondin ?

– Venez !

Tout en l'invitant à le suivre, le dénommé Blondin lui montra sa peau presque rose derrière l'oreille qu'il venait de rabattre. Ebenezer distingua nettement trois petits chiffres tatoués. Trois 6.

Mais ce fut plutôt la renommée de Blondin qui incita Ebenezer à le suivre. Le midi même, lui et Margaret avaient assisté, depuis la véranda verte de Clifton House où ils mangeaient leur gigot d'agneau, à la traversée de ce jeune blanc-bec, sorti de nulle part, au-dessus du gouffre de la chute du Fer à Cheval, sur un fil de fer. On savait qu'il venait de France et que son vrai nom était Jean-François Gravelet. On disait qu'il était là pour faire son apprentissage avec l'espoir de devenir un jour la coqueluche de Niagara Falls.

Pour Ebenezer, il était déjà un as. Il suffirait que les touristes affluent en plus grand nombre, dans une dizaine d'années, pour que sa réputation fasse le tour du monde civilisé.

Blondin semblait l'entraîner vers la plateforme où il avait amorcé son exploit, à la pointe sud-ouest de Goat Island. Ebenezer préféra ne pas imaginer ce qui semblait se préparer.

Ils parcoururent pendant quelques minutes un sentier serpentant au gré des méandres de la falaise de Goat Island. Enfin, ils débouchèrent sur une esplanade couverte de tentes aux couleurs et aux motifs criards. Certaines portaient les mots « Ravel Troupe » ; d'autres, « Niblo's Garden ». Des gens de cirque s'affairaient à des manèges et à des kiosques de tir sur pipes de plâtre.

Plus les craintes d'Ebenezer se concrétisaient, plus il ralentissait. Blondin le pressa.

– Venez ! Venez !

Ebenezer fit mine de revenir sur ses pas. L'autre prévint aussitôt son geste.

– Il est à peu près certain que vos ennemis ont posté des sentinelles à l'entrée des ponts pour sortir du côté américain. Ils n'ont pas pensé qu'on pouvait sortir de l'île par là.

Il montrait une plateforme installée sur une galette de limon argileux, assez plate et bien dure. Ebenezer fut surpris par tout l'équipement déployé pour le numéro de funambule. De l'hôtel, il n'avait pas remarqué la quarantaine de cordages en manille qui assuraient la stabilité du fil de fer principal. Attachés sur les deux rives à des arbres et à des poteaux, les câbles d'arrimage devaient couvrir un kilomètre en longueur. Plus nombreux que les supports des ponts suspendus, ils formaient une sorte de toile d'araignée.

Ce dispositif de sécurité ne rassura pas Ebenezer.

– Vous êtes complètement fou ! Si vous pensez que… Vous devez avoir à peine…

– J'ai eu dix-huit ans en février. Et j'ai déjà fait ça.

– Je sais, je vous ai vu transporter un homme sur vos épaules ce midi…

– Oui, c'était mon gérant, Henry Colcord. J'y ai même fait rouler une brouette contenant un poêle…

– … et au milieu du parcours, vous vous êtes fait cuire des œufs que vous avez mangés, tout bonnement, compléta un Ebenezer blême dont le cœur venait d'arrêter de battre, et ce, à cent cinquante pieds dans les airs…

– Oui. Venez !

En montant sur les épaules de Blondin, l'envoyé de la Compagnie ferma les yeux tout en demandant des précisions de la plus haute importance.

– Vous êtes de la maison, Blondin, de la Compagnie ? Vous savez ce que je suis venu faire ici ? Dites-le-moi, parce que je vais peut-être mourir dans la minute qui vient…

Blondin esquissa un sourire. Il s'assura que le poids de l'homme était bien réparti sur ses épaules, puis il empoigna le lourd balancier de dix-huit kilos, qu'il soupesa.

– Allons-y ! Le temps presse ! cria-t-il pour percer le terrible grondement sous eux. Mon frère ne les abusera pas bien longtemps en bas de l'escalier.

Ebenezer poussa un hurlement en se sentant soulevé au-dessus du sol rassurant de Goat Island.

– Ne regardez ni en bas ni en arrière !

– J'ai les yeux fermés !

– Ne bougez pas un seul poil. J'ai le pied sûr, mais il ne faut pas tenter le sort.

– Mais allez-vous me dire pourquoi on m'a envoyé ici ?

Ebenezer ne fut pas certain de bien entendre la réponse. Il comprit tout de même les mots suivants :

– Vous avez confiance en la Compagnie ?

– J'avais confiance en mon père… et puisque lui et la Compagnie, c'est du pareil au même… Oui, j'ai confiance en la Compagnie.

Blondin vit le hochement de tête plus qu'il n'entendit la réponse de son partenaire.

Il chuchota, certain de ne pas être compris :

– Pourquoi êtes-vous ici ? On ne vous l'a pas dit ? Vous êtes ici pour mourir !

***

C'est le capitaine Ogden Creighton qui se chargea du pénible devoir d'annoncer à Margaret la mort d'Ebenezer.

Il était 23 h. En se rendant à la chambre de Clifton House, il était mal à l'aise d'envahir à une heure indue l'intimité des appartements d'une dame pour lui apprendre l'impensable. Devant une Margaret atterrée, il parla des causes du décès avec la froideur d'un scientifique devant un phénomène naturel.

– Lui et Blondin sont tombés en essayant de traverser la gorge sur un câble. Pourtant, le jeune Français avait réussi cet exploit des douzaines de fois auparavant. Ça n'aurait pas dû se produire, normalement.

– Que faisait-il là ? éclata Margaret, retenant ses larmes.

– Je n'en ai pas la moindre idée. Certains ont cru entendre un coup de feu. Mais avec le tonnerre de la chute, il est douteux qu'on puisse accorder foi à un tel témoignage.

Margaret s'était affaissée dans un fauteuil du salon.

– Il était préoccupé depuis notre départ de Toronto.

– On a essayé de les repêcher à partir du traversier. Ils ont été entraînés vers le vortex de Devil's Hole. Ça ne pardonne pas. Quelqu'un les a vus un instant remonter à la surface, être soulevés presque debout au milieu du tourbillon. Puis, ils ont été aspirés vers les profondeurs.

Creighton ajouta son verdict avec un air dégoûté, ce qui pouvait surprendre de la part d'un ancien militaire.

– Je crois que je vais quitter ces lieux. Remonter vers Toronto.

Quant à elle, Margaret passa par toute la gamme d'émotions. Enfin, elle éprouva une sourde colère de ne pas avoir deviné la gravité des événements. Quand elle se coucha enfin, assommée, fiévreuse, elle niait encore la réalité, sûre que les deux hommes réapparaîtraient sur la rive en aval. Elle reverrait Ebenezer demain.

À 2 h, l'ombre qui avait patienté dans une penderie de l'antichambre, pendant que Margaret recevait les condoléances d'Ogden Creighton, se hasarda dans la chambre à coucher. Elle perçut la respiration lente de la femme assoupie.

La silhouette revint vers la porte et ouvrit à deux autres individus qui se glissèrent dans les appartements des Dorsay.

– Le moment est venu, trancha l'un d'eux alors qu'ils s'étaient arrêtés, interdits, sur le seuil de la chambre à coucher.

Ils entourèrent le lourd lit à baldaquin. La main droite d'une des ombres tira un objet de sa poche tandis que la main gauche bâillonnait Margaret Dorsay, la conjointe de l'envoyé de la Compagnie.

Chapitre 33

Rendez-vous au Musée des beaux-arts du Canada, promenade Sussex, Ottawa

6 juin, 9 h, 9 heures 30 minutes avant l'attaque finale

Simu Zeklos avait repris l'autobus qui l'avait déposé près de la cathédrale. Il avait aussitôt traversé la promenade Sussex. Imitant d'autres touristes, il avait feint de prendre des clichés de l'énorme sculpture en forme d'araignée installée sur le parvis du Musée des beaux-arts, en face.

Il entendit le carillon de la tour de la Paix sonner neuf coups.

– C'est l'heure de m'instruire, dit-il le plus sérieusement du monde.

Il en avait appris, des choses, depuis son arrivée au Canada. L'architecture gothique et la procédure parlementaire, parce qu'il devait opérer à la Chambre des communes. Les facteurs en jeu dans la propagation aérienne de la peste, parce qu'il devait la transmettre à de jeunes écoliers.

Une fois à l'intérieur du musée, il s'orienta. Il monta au premier étage, passa devant l'Atrium pour se diriger vers la salle dédiée à l'art canadien. Enfin, il parvint au lieu du rendez-vous.

« Ça par exemple ! Mon contact est vraiment un maniaque du Moyen Âge : il m'a donné rendez-vous devant une chapelle gothique. »

La fameuse chapelle de la rue Rideau, déménagée dans une salle d'exposition du Musée des beaux-arts telle qu'elle était du temps des religieuses, constituait un des principaux éléments gothiques d'Ottawa, en plus du parlement. L'homme fut captivé par le spectacle, mais pas suffisamment pour qu'il n'entendît pas distinctement la voix éteinte derrière lui.

– Et Rusinski ?

Il reconnut la voix du cellulaire qui l'avait déjà accueilli à l'aéroport international Pierre-Elliot-Trudeau de Montréal, quelques jours plus tôt. C'était celle de son chef de mission. C'est cette voix qui l'avait dirigé vers la consigne où l'attendaient les billets d'autobus Montréal-Kingston et Kingston-Ottawa.

– Il est mort : il ne parlera à personne de sa découverte.

– Tu as bien obéi aux ordres ?

– Oui. Strickland et Rusinski sont morts. Ils ne savaient rien du secret de Dieu, confirma-t-il sans se retourner.

Il ne voulait pas attirer l'attention s'il était épié.

– Ils sont morts entourés de signes du Moyen Âge, comme on t'avait demandé de le faire ?

– Les mises en scène, ça me connaît. J'ai épluché des livres d'histoire. J'ai choisi quelques détails intéressants : le trépan et la peste… et aussi le cadavre enveloppé dans un drap comme une momie.

– Excellent. Notre agente russe t'a bien secondé ?

– Oui. Elle m'a accompagné à la tour et chez Rusinski. Redoutable machine à tuer, si vous voulez mon avis. Et elle y prend un tel plaisir. Elle n'a peur de rien. Elle ne craint même pas d'être repérée en portant un parfum sophistiqué de citron.

– Ouais. Il paraît que ça fait partie de sa signature d'assassin. Une coquetterie réservée au moment de la mise à mort. Jamais ailleurs.

– J'adore. J'aime le souci du détail. C'est comme les indices du Moyen Âge. Mais pourquoi le Moyen Âge ?

– Je l'ai recommandé, cela pour attiser la curiosité d'un petit génie en histoire appelé Quentin DeFoix. Son aide est indispensable pour décoder le message des Templiers gravé sur la tour du parlement et ainsi nous mener au secret de Dieu, avant la Compagnie.

– Une idée brillante.

– Venant de toi, le prof, c'est tout un compliment.

– Brillante aussi l'idée de profiter de cette course au secret de Dieu pour débusquer les derniers membres de la Compagnie et les liquider un à un.

L'inconnu derrière lui réprima un juron de colère.

– Ça, ce n'est pas mon idée. On m'a engagé pour leur arracher le secret de Dieu, non pour tuer ceux qui pourraient y mener. La peste faisait déjà assez de victimes, mais nos alliés russes ont le goût du sang. Ils font partie d'une autre faction des caïnites, les ophites, qui profitent de chaque mission pour s'adonner à un carnage tout à fait gratuit. Si ce n'était que de moi, ils n'auraient pas été du voyage.

« Pourtant, ils m'ont sauvé la vie, là-bas, sur l'île au Poison, songea Zeklos. Ils avaient sans doute senti que j'allais provoquer une hécatombe moi aussi. Ils m'ont aussitôt accueilli comme un membre de la famille. »

– La peste que vous dirigez n'est pas mieux, rétorqua-t-il à l'adresse de son contact. C'est une arme de destruction massive.

– J'ose croire que c'est une attaque contrôlée, menée dans l'ordre. L'ordre, la discipline, telle une opération militaire poursuivie dans un but précis. Alors que ces cow-boys adorateurs de reptiles sont incapables de suivre un plan sensé. Pas étonnant, puisque leur secte professe l'absurdité du monde. Un monde de chaos. Si tu veux mon avis, ils sont le chaos. Complètement disjonctés. Et je soupçonne que notre chère agente russe fait partie de ces éléments imprévisibles. Inutile de dire que je ne leur fais pas confiance.

— Merci de me l'apprendre. J'aime tout savoir. Je suis un maniaque des détails, réagit Zeklos avec hypocrisie.

— Dernière mission : la Chambre des communes. Contamination foudroyante par voie aérienne, grâce au vaporisateur rapporté du centre d'essai de l'île Vozrozhdeniye. Mais pas avant l'ajournement. Tu m'entends, Simu ? Je répète : pas avant l'ajournement. À partir de là, nous ne pourrons plus communiquer, car nous risquerions d'être repérés. Tu seras seul.

— Comme un commando.

— Je répète : quoi qu'il arrive, tu déclenches l'épidémie dès que le président suspend les travaux de la Chambre et quitte son siège. Pas avant. Pas après. C'est l'heure de l'échéance prévue dans l'ultimatum. Entendu ?

— Entendu.

— À ce sujet, le centre de Novgorosk a livré la marchandise. Le bacille a été manipulé pour résister à tout remède connu. Le ministre Mercier de Québec et les enfants à Kingston et à Ottawa sont tous morts sans que les médecins aient pu faire quoi que ce soit.

— Ce n'était pas dans les journaux… On parlait seulement d'un vulgaire rhume. Vous êtes sûr de ce que vous avancez ?

— Simu, on ne peut pas être plus sûr. Ce qui compte, c'est que tu sois immunisé. Tu peux donc détruire autour de toi sans être le moindrement incommodé. Comme le serpent qui ne s'empoisonne pas avec son propre venin.

L'homme maigre devant la chapelle regarda machinalement sa montre. Il répliqua, avec un mélange de fierté et de colère non contenues :

— En parlant de serpent, c'est le jus de serpent et de scorpion que les ophites m'ont fait avaler qui m'a immunisé contre la peste. Je ne peux pas en crever. Avec mon vaporisateur, je suis une bombe vivante au service de ma vengeance. Mes enfants seront vengés !

Le ton hargneux tranchait avec les échanges monocordes qu'il tenait depuis son arrivée à l'aéroport de Montréal. Aussi le chef de mission crut-il nécessaire de tempérer la folie de son agent, qui pouvait compromettre l'opération à l'instar des ophites.

— Tchernobyl est bien loin, Simu ! Ce qui compte, ne l'oublie pas, c'est le secret de Dieu.

— Pas pour quelqu'un qui a vu mourir sa famille et qui a lui-même développé un cancer généralisé. Il me reste un mois à vivre.

— Tu seras vengé dès 18 h 30, à la fin de la session parlementaire. Tu répandras des nuages de mort autour de toi autant que tu voudras.

— Et je serai vengé de Moscou.

— Tu seras vengé de Moscou et du président russe, qui sera dans les tribunes de la Chambre pendant ta prestation. Surtout, ne déroge pas aux directives, pas même d'une seule virgule. Tu attaques seulement quand la Chambre suspend ses travaux, ce soir, répéta-t-il.

— Pourquoi pas avant ?

— Il faut leur donner le temps de rechercher le fameux secret de Dieu.

— Compris. Quand la Chambre lèvera la séance, pas une seconde avant, pas une seconde après, claqua Simu, qui poursuivit en faisant honneur à sa réputation de « professeur Jeopardy », de maniaque des détails. Rien ne me fera déroger de la consigne. J'attendrai jusqu'au moment où le président de la Chambre des communes se lèvera pour annoncer la fin de la séance.

Un léger déplacement d'air se fit sentir et l'homme maigre eut la certitude que l'entretien était clos. Il se retourna : personne.

Sur le banc, il n'y avait qu'un sac de *fast-food* oublié. Il s'en empara en se demandant combien de mauvais cholestérol saturait les frites dans ce sac. Les doubles hamburgers avec tranches de fromage étaient composés à cinquante pour cent de viande maigre et à trente pour cent de…

Ses réflexions furent interrompues par l'arrivée de jeunes touristes tapageurs. Ils entraient quand il sortit sur l'esplanade. Cet ancien père leur jeta un regard envieux. Un profond sentiment d'injustice le submergea.

– Pourquoi eux sont-ils vivants et pas les miens ?

La jalousie se changea en haine. Il était à Ottawa pour se venger.

Aussi se réjouit-il quand l'un des jeunes visiteurs, qui venait de retirer une gomme à mâcher de sa bouche comme s'il entrait dans une église, exprima assez fort sa lassitude pour qu'il l'entende :

– C'est plate, les musées. Heureusement qu'on reste pas longtemps si on veut pas être en retard au parlement. J'ai bien plus hâte d'entendre les députés s'engueuler comme du poisson pourri !

Chapitre 34

Édifice du Centre, sous la tour de la Paix, Chambre des communes, Ottawa

6 juin, 10 h 39, moins de 8 heures avant l'attaque finale

Ayant parcouru l'allée entre la flamme du Centenaire et l'édifice du Centre, Simu Zeklos dut franchir les détecteurs de métal. Depuis le 11 septembre, tous les visiteurs des différents édifices sur la colline parlementaire devaient s'y soumettre.

– Monsieur, veuillez passer par cette porte, je vous prie, lui demanda le garde en chemise blanche. La scanographie est obligatoire.

Zeklos sursauta et esquissa un geste de fuite. Il se retint à temps et secoua la tête.

– Excusez-moi, c'est bête, voilà !

Zeklos souleva la carte d'identité plastifiée blanche suspendue à son cou. À gauche figurait sa photo et à droite, son nom, celui de son service à la Chambre et la date d'échéance de la carte. Les employés la présentaient avec nonchalance au poste de garde chaque fois qu'ils entraient dans un édifice de la colline. Il n'y avait pas de garde à l'entrée des nouveaux bureaux au sud de la rue Wellington, puisqu'il n'y avait pas de députés.

Mais il fallait glisser la carte à puce devant un lecteur optique si on voulait prendre l'ascenseur, la seule façon de monter.

La veille, son contact au Musée des beaux-arts lui avait remis cette carte d'employé de la Chambre, qui l'attendait dans le sac de *fast-food*. Il avait poussé le souci du réalisme jusqu'à mettre deux cordons dans le sac pour que Zeklos puisse la suspendre à son cou.

— Je te donne le choix du cordon. Ou tu prends le vert avec l'inscription «Chambre des communes», ou tu prends le bleu avec...

— Je mettrai le bleu, s'était empressé de répondre Zeklos. Comme le bleu porte le logo et le nom du syndicat, ça fera vraiment fonctionnaire. Vous ne trouvez pas?

L'échange d'objets avait eu lieu discrètement sur le banc pendant qu'ils se parlaient l'un derrière l'autre.

— Je vois que tu t'es bien renseigné, «professeur Jeopardy». Ta réputation n'est pas surfaite.

— Après avoir empoisonné les petites merdes des collèges privés, j'ai marché un peu sur la colline. J'ai remarqué les employés avec leur lanière au cou.

— Je savais que tu aimerais ça. L'important, c'est qu'avec ce petit détail, tu ne seras pas inquiété. Ni fouillé, ni radiographié, ni passé au détecteur de métal.

Zeklos s'en rendit compte en se glissant sous la tour de la Paix.

Une femme âgée derrière lui dut remettre son sac à main au préposé. On lui confisqua de petits ciseaux de couture qu'elle avait oublié avoir apportés en quittant Cornwall.

«Une touriste», en déduisit le terroriste.

Derrière la dame, Zeklos dénombra une vingtaine d'enfants d'école. Il savait grâce à ses lectures que de jeunes voyageurs venus en autobus nolisé envahissaient les lieux dès les beaux jours du printemps. Il pensa avec ravissement que d'autres enfants allaient bientôt payer pour la mort des siens.

– Il faut tout de même que tu te dotes d'une arme traditionnelle, avait précisé la voix de son contact à Ottawa. Si on te démasque en tant que foyer de contamination, tu devras prendre un otage pour sortir. Il faudra que tu montres quelque chose de tangible. Ce sera dans le sac de *fast-food*, devant la chapelle du musée. Un sac de frites et de doubles hamburgers au fromage, c'est tellement courant que ça n'attire plus l'attention.

– Je ne prendrai pas le risque de porter une arme en entrant, avait rétorqué Zeklos en secouant la tête avec véhémence. Je sais que la carte d'employé m'évitera les mesures de sécurité, mais on ne sait jamais. Il suffirait d'un garde un peu trop zélé.

– Je connais ton souci du détail, Simu. Fais comme bon te semblera.

Zeklos avait donc refusé le petit revolver caché dans le sac, sous un hamburger. Il l'avait déposé sous une serviette de papier, sur le banc, à sa droite, comme un enfant boudeur qui met de côté les brocolis de son assiette. « Mais l'idée est bonne d'avoir quelque chose de plus effrayant qu'un vaporisateur de plastique pour me ménager une voie de sortie, avait-il admis. Je vais apporter autre chose. »

En passant devant la salle de lecture de l'édifice du Centre où s'était tenue une séance de comité, il remarqua une desserte oubliée dans un coin. Elle était jonchée de pots d'eau, de verres, d'un percolateur et de tasses. Il s'empara d'une cuillère d'argent qu'il glissa dans sa poche. « La cuillère est un boni, je ne m'attendais pas à ça. Si elle portait les armoiries du Canada, je la garderais en souvenir, mais elle jouera un rôle plus actif. »

Il cherchait les toilettes pour y transformer la cuillère en arme létale quand il entendit derrière lui un garde de sécurité en uniforme, képi et chemise bleue, le héler avec la politesse habituelle. Le ton était grave ; les traits du visage, légèrement crispés. Zeklos nota que le garde était jeune et qu'il pouvait donc être très à cheval sur les principes pour cette raison. Les débutants innocents s'avèrent souvent plus dangereux que les vieux routiers.

D'ailleurs, l'autre insista :

– *Sir, sir, please stop!*

Le cœur de l'homme arrêta de battre dans sa poitrine. Aurait-on réussi à détecter quelque chose ? Allait-on, pour la première fois, le soupçonner, après les succès obtenus à Kingston et à Ottawa ? Ce serait trop bête, si près du but ultime, le Parlement constituant la priorité absolue.

Il aurait pu exhiber sa carte d'employé et on ne l'aurait plus inquiété. Un réflexe de survie lui fit poursuivre sa route. Il se dit qu'on croirait qu'il n'avait pas compris l'appel en anglais. Il s'excuserait en français et tout serait dit.

S'il avait le temps de s'engouffrer dans les toilettes, il jetterait le contenu du sac de *fast-food* dans la corbeille à papier.

– Monsieur, monsieur, s'il vous plaît ! entendit-il de nouveau.

Des mots qu'il craignait à chacune de ses missions. Cela le glaça. Il demeura interdit un moment.

Il s'aperçut qu'un second garde venait à sa rencontre. Il était pris entre deux feux. Il stoppa pour penser, feignant d'être absorbé par la contemplation de portraits d'anciens premiers ministres sur les murs. Il évalua la situation. Allait-il devoir interrompre l'opération, se mettre à courir ? «Je pourrais les contaminer avec une quinte de toux à la figure, mais d'autres viendraient et je ne me rendrais pas jusqu'aux tribunes. C'est pourtant les tribunes qui comptent, puis le déclenchement de la bombe biologique au moment de l'ajournement. Pas avant. Simu Zeklos a beau être roumain, il est réglé comme une horloge suisse ! »

La porte du petit ascenseur desservant l'édifice s'ouvrit derrière lui. Des députés en habit marine rayé de gris en sortirent. Il eut envie de s'y précipiter, mais il se raisonna. Fuir ne pourrait que le trahir. Pour se résigner à attendre les deux gardes, il se répéta pourquoi il était là : sa vengeance contre le Kremlin, dont les membres avaient permis l'accident affreux de Tchernobyl. Ses victimes ne devaient donc pas être de simples députés ou des gardiens de sécurité canadiens.

Le président russe Gregor Raspoutine se trouverait dans les gradins.

De toute façon, après toutes ses hésitations, les deux gardes l'avaient rejoint.

Le second garde, plus âgé, lui sourit de façon non menaçante, presque amicale, en désignant le sac.

— Nourriture et boissons sont interdites dans les tribunes, monsieur, dit-il en prenant les commandes pour que son jeune confrère ne crée pas d'emmerdes.

Zeklos souffla d'aise. L'adrénaline coulait à flots dans ses veines. Elle lui permit de bluffer avec le sang-froid d'un joueur de poker.

— Je travaille pour la Chambre, déclara-t-il en pointant le menton vers sa poitrine, où oscillait sa carte suspendue à une lanière bleue, lanière portant le logo du syndicat.

— Oh ! excusez-moi ! retraita un des deux gardes. Je croyais que vous étiez un touriste qui se rendait dans les tribunes pour suivre les débats. Mais même un employé ne peut pas y apporter de la nourriture et des boissons.

— Je me rends à la tribune sud, en effet. Je vais jeter le sac avant d'entrer. Il faut d'ailleurs que j'aille aux toilettes avant le début des débats.

– Si vous voulez, vous pouvez le reprendre en sortant, proposa le deuxième garde en étirant un bras. On va s'en occuper pour vous.

Le ton était ferme, le geste ne permettait aucune discussion. Le visiteur tendit son sac, dont les couleurs de la populaire chaîne de hamburgers l'avaient trahi.

«Pourtant, mon contact aurait dû savoir que je me ferais griller! fulmina-t-il. Qu'est-ce qu'il lui a pris de cacher les choses dans un sac comme ça?»

– Dites donc, ça sent bon. Un hamburger avec des frites, je parie?

Le garde ouvrit le sac.

– C'est bien ça, conclut-il.

– Il y a des toilettes un peu plus loin, dit l'autre garde.

Zeklos s'y rendit sans plus être inquiété et s'enferma dans une cabine. Son cœur semblait peser dix tonnes dans sa poitrine.

Il parvint peu à peu à se calmer. Ses mains tremblaient moins et il put tirer de sa poche deux petits tubes, l'un de dentifrice, l'autre d'adhésif à dentiers, qu'on lui avait remis dans le sac de *fast-food*.

– J'ai eu raison de sortir les tubes avant d'entrer dans l'édifice, sinon les gardes m'auraient pincé.

Les objets le rassurèrent, comme la présence de vieux amis. «Grâce à ces tubes, j'ai déjà réussi mon tour de passe-passe bien des fois sous le nez des services de sécurité des aéroports. Il suffit de mélanger le faux dentifrice, en fait composé d'époxy et d'une base de poussière métallique impossible à détecter, avec l'autre substance dans le tube de colle à dentiers, qui sert à faire durcir le tout.»

Il plia un bout de carton en deux et lui donna la forme d'une pointe de lame de couteau. «Voilà le moule où je coule mon mélange. Il n'y a plus qu'à y planter la cuillère pour en faire un manche.»

Il consulta sa Rolex : 10 h 55.

«Aujourd'hui, mardi, les débats commencent à 11 h et se terminent à 18 h 30.»

Zeklos avait parcouru un manuel de procédure parlementaire chez Rusinski deux jours auparavant, en attendant que la peste bubonique fasse son œuvre. En apprendre le plus possible sur tous les aspects d'une mission constituait un atout certain dans son métier. «Pour tout savoir ce qui va se passer, pour respecter le règlement, s'était-il dit. Le chef a dit qu'il fallait observer le décorum en vigueur au Parlement.»

Il savait aussi qu'en juin il y avait beaucoup de touristes dans les tribunes qui assistaient aux travaux de la Chambre.

Une fois dans la tribune surplombant l'enceinte parlementaire, l'homme s'adonna à un rapide calcul mental. En face de lui, dans la tribune nord, il dénombra avec satisfaction une cinquantaine de journalistes. Beaucoup plus que d'habitude, savait-il, car des représentants des médias russes avaient suivi le chef du Kremlin. Autour de lui, dans la tribune sud, se trouvaient à peu près autant d'écoliers et de touristes. Mais c'est sur sa droite, dans la tribune est, que son regard s'attarda. «Ils ne sont pas encore arrivés. C'est pourtant bien la tribune des visiteurs de marque. Ils devraient déjà être là. Onze heures. Se douteraient-ils de quelque chose et auraient-ils modifié leur programme?»

Inquiet, il scruta les lieux en contrebas, à l'affût de tout détail anormal pouvant indiquer la présence d'un piège. Il constata que la plupart des députés, soit environ trois cents, avaient franchi les rideaux séparant les antichambres de l'enceinte parlementaire pour se diriger vers leurs bureaux respectifs. «Tout va bien : pas de policiers, pas de gardes en uniforme à l'intérieur de la Chambre, puisque ce serait considéré comme une intrusion, comme un geste d'intimidation de la part du pouvoir contre la tenue de débats libres.»

Fidèle à son habitude, il en avait appris le plus possible sur la procédure parlementaire. «Et j'ai mémorisé le visage de tous les députés. J'ai le temps de vérifier si, en bas, il s'est glissé des agents des services secrets en civil. La mort du sénateur les a peut-être mis sur le qui-vive. Quoique les gardes à l'entrée n'aient pas semblé être sur les dents.»

Un rapide coup d'œil sur les visages en Chambre le rassura. «Que des députés, rien d'autre que des députés.»

Il n'y avait pas d'arnaque.

Il chassa ses soucis. Au fond, la Chambre n'avait pas à se sentir visée par quelques cas d'une maladie exotique apparue dans une école. Personne n'avait relié non plus la mort du sénateur Strickland et du docteur Rusinski à une attaque éventuelle de grande envergure. Dans ce cas, le gouvernement aurait annulé la séance d'aujourd'hui. Ou, du moins, on aurait interdit les visiteurs, surtout les enfants. De toute façon, ce qu'il avait à faire ne pouvait être contré d'aucune façon. «"Le fléau de Dieu!", se souvint-il. Qui peut contrecarrer un dieu de colère avide de vengeance?»

Il se détendit tout à fait quand il remarqua l'arrivée d'une demi-douzaine d'hommes et de femmes dans les tribunes réservées aux personnalités, à sa droite. «Enfin, les voilà: le président de la Fédération de Russie et des membres de l'administration présidentielle.»

Il se permit même de courir un risque inutile en mentionnant à sa voisine que, d'où ils étaient, ils ne pouvaient rien manquer du spectacle spécial qui les attendait aujourd'hui.

Chapitre 35

Clifton House, Clifton Town, rive britannique des chutes du Niagara (Haut-Canada)

Nuit du 1ᵉʳ au 2 mai 1842

Margaret Dorsay avait perdu toute sa belle insouciance en quelques heures à peine. D'abord, son mari était mort dans un mystérieux accident. Ensuite, trois hommes avaient fait irruption dans sa chambre de Clifton House, en pleine nuit.

Ils avaient changé sa vie pour toujours.

À moitié éveillée, dans un geste instinctif pour se libérer, Margaret mordit la main qu'un des hommes appuyait sur sa bouche. Puis elle descendit du lit à baldaquin et se mit à courir en direction de la porte. Cette réaction surprit les agresseurs, qui n'esquissèrent d'abord aucun mouvement. La voie vers le hall était libre, mais en sautant du lit, Margaret s'empêtra dans sa lourde chemise de nuit et s'étendit de tout son long sur le plancher de bois franc.

Quand elle se releva, le trio formait un mur infranchissable entre elle et la porte. Elle ne s'attendait pas à ce qu'ils éclatent de rire, non pas un rire gras de sergent dans une taverne, mais un rire léger, un rien paternel.

Tous les trois portaient le lourd trench des conducteurs de diligence, mais là s'arrêtait la ressemblance. Ils étaient tous d'âge différent, de la trentaine à la soixantaine. Le plus jeune était pâle et délicat, voire frêle, tandis que les plus vieux, sans être très grands, montraient un visage tanné par le soleil et l'ossature forte de cultivateurs.

– Nous ne vous voulons aucun mal, nous ne vous voulons aucun mal, répéta le visiteur trapu qui frottait sa main ensanglantée.

Margaret allait retraiter vers la fenêtre quand le plus jeune la prévint :

– Nous sommes nous aussi de la Compagnie ! Écoutez-nous, s'il vous plaît !

Comme le trio ne semblait pas avoir d'intentions hostiles, Margaret s'apaisa. Mais elle resta sur la défensive, toujours prête à sauter par la fenêtre.

– Je me présente, madame Dorsay : je m'appelle Thaddeus McNamara, dit l'homme dans la cinquantaine aux yeux doux et intelligents et à la chevelure blonde qui tournait au blanc platine. Je suis le cardinal de Toronto. Je suis venu dans cette ville pour accueillir ce crâne chauve de sexagénaire que vous voyez briller dans la pénombre près de moi. C'est celui de monsignor Cummings, de Saint Louis. Et voici notre jeune recrue, qui a le même âge que vous, madame : monsignor Thibodeaux, de La Nouvelle-Orléans.

Celui qui s'appelait monsignor Thibodeaux s'était posté à la fenêtre donnant sur la façade de Clifton House, où il jetait parfois des regards inquiets. En entendant son nom, il se retourna vers l'intérieur, puis courba légèrement le torse.

– Mes hommages, madame, dit-il en français avec un accent cajun.

« En effet, pensa Margaret, ce monsignor est à peine plus âgé que moi, voire plus jeune. Les papistes les prennent donc au berceau ? »

– Nous sommes suivis, Armand ? demanda McNamara.

– Non, il semble qu'on ait eu plus de chance que le secrétaire de monsignor O'Reilly.

– Des prêtres catholiques ? laissa échapper Margaret avec méfiance.

Un geste de McNamara confirma leur identité. En se présentant, il avait tendu le dos de sa main droite vers Margaret. Une habitude professionnelle que Cummings prévint :

– Arrêtez de demander le baisemain comme ça, Thad. Nous voyageons incognito et nous avons retiré nos bagues sacerdotales pour nous transformer en cochers. Avec ce réflexe, vous allez nous trahir.

McNamara hocha la tête et, après avoir déboutonné son manteau, retira le crucifix qu'il portait en pendentif. Il l'enfouit dans une de ses poches. L'air penaud, il répondit à Margaret :

– Oui, madame, nous sommes des évêques. Nous avons cet air misérable parce que nous nous sommes cassé les reins sur des routes affreuses pour venir jusqu'ici.

– Vous avez encore de l'avoine de vos chevaux sur vous, confirma-t-elle en tendant le bras pour épousseter la vareuse de monsignor McNamara, comme elle le faisait avec affection pour son père dans la grange.

– Oh ! cela ? rit Cummings. C'est le fichu tabac à priser de Thad. Il en met partout !

– Armand dit toujours que je ressemble à Grégoire XVI, qui est couvert des mêmes saloperies, avoua McNamara, l'air contrit.

– Ce qui n'est pas un honneur, renchérit monsignor Thibodeaux.

– Enfin, bref, comme je le disais, notre voyage nous a tués, reprit McNamara en hochant la tête avec lassitude.

– Oui. Vous avez entendu parler, madame, des *corduroy roads*, les «routes de velours côtelé»? demanda Cummings en grattant sa nuque chauve.

Margaret n'eut pas le temps de répondre, car le jeune Thibodeaux s'en chargea.

– De Columbus à Sandusky, on a aménagé une route à travers des marais en y jetant des troncs d'arbres.

– Vous appelez ça une route, vous, Armand? le reprit Cummings. Bon sang, nous sautions littéralement d'un tronc d'arbre à l'autre! J'ai même eu envie d'invoquer le nom de Dieu en vain tellement je me suis cru changé en diable, sursautant et écumant à la façon des possédés du grand mal!

McNamara fit un signe d'apaisement de la main en émettant des sons de reproche avec de petits claquements de langue.

– Excusez-les, madame: ils ne sortent pas souvent de leur patelin au fin fond de nulle part. L'important, c'est que nous venons nous adresser à la Compagnie. Avons-nous frappé à la bonne porte? Enfin, façon de parler, puisque nous nous sommes cachés dans l'antichambre…

– Je suis de la Compagnie, reconnut Margaret.

– Nous savons que votre père, boutiquier à Port Hope, vous a initiée à notre ordre secret.

Margaret comprit aussitôt que McNamara la mettait à l'épreuve. Elle sourit et le détrompa:

– Mon père était fermier et intendant à Kingston. Et c'est mon beau-père, un notaire londonien maintenant établi à Toronto, qui m'a invitée à joindre l'organisation.

– Excellent. Je devais vérifier. Pardonnez ma méfiance. Vous aurez sans doute à tester quelqu'un vous-même, un jour.

– C'est normal.

– Votre beau-père excellait à cerner le caractère des gens. Il a vu en vous une personne hors de l'ordinaire.

– Il aurait pu choisir son fils, mon conjoint, mais il ne l'a pas fait.

La tristesse voila les prunelles de Margaret. Les trois prêtres échangèrent un regard entendu. Ils ne détrompèrent pas la jeune femme. Ils savaient que le grand maître de Toronto avait caché à sa belle-fille le rôle clé qu'Ebenezer devait jouer dans les graves opérations de 1842, malgré sa mort anticipée, *grâce* à sa mort anticipée. Ebenezer n'avait pas su non plus que sa conjointe faisait partie de leur groupe sélect. McNamara repassa dans son for intérieur le credo de la Compagnie.

« Le bien de l'humanité a toujours requis le secret, pensa-t-il en tirant un fauteuil devant la porte où il s'installa, manteau ouvert et jambes écartées. Le moins de confidences possible et, quand il le faut, des confidences verbales, jamais écrites. »

Il se pencha vers Margaret, toujours assise sur le plancher devant lui. Elle restait là, pieds nus, une jambe relevée et le menton posé sur son genou. La grâce de l'enfant de la campagne n'avait pas été entachée par l'étiquette rigide de la classe sociale des Dorsay.

– Vous vous demandez sans doute, dit McNamara, pourquoi des prêtres catholiques sont venus vous réveiller en pleine nuit ?

Margaret ne dit mot, mais son regard fasciné en disait long sur sa curiosité.

– Eh bien, nous sommes des parias de l'Église, déclara le prélat. Nous nous cachons. Nous avons même conduit des chariots pour venir ici.

– Le seul fait d'être ensemble dans ce lieu, ajouta Cummings, qui avait l'air le plus alerte, même s'il était le plus vieux, va à l'encontre des directives expresses du Saint-Siège.

– Excusez-moi à mon tour, dit Margaret, car je ne comprends pas. Ebenezer et moi ne sommes pas catholiques.

– Je le sais, et c'est toute la force de la Compagnie de ne pas faire de discrimination, rétorqua McNamara, qui venait de renifler du tabac à priser et d'éternuer sur sa manche. Le sort du monde relève de la responsabilité non seulement de toutes les religions, mais aussi des deux sexes.

– Le sort du monde ?

– Laissez-moi vous expliquer rapidement pourquoi nous sommes ici.

Après avoir éternué de nouveau et replacé sa petite boîte de poudre amère dans sa poche de poitrine, McNamara se résolut à faire un récit qu'il avait dû faire maintes fois par le passé, mais jamais du haut de sa chaire de prédicateur, devant ses paroissiens.

– En fait, nous nous rendons tous trois à Montréal, où aura lieu une réunion secrète de divers cardinaux et évêques du continent américain, enfin, ceux qui ne sont pas ultramontains. La chose est interdite, comme je vous le disais, et nous nous cachons du mieux que nous le pouvons, avec l'aide de la Compagnie. Dans son encyclique *Mirare*, le pape Grégoire a déclaré une guerre ouverte au progrès scientifique et industriel. Pour l'Église officielle, qui craint des bouleversements mondiaux déjà amorcés avec la Révolution française, les nouvelles valeurs libérales, surtout défendues en Amérique, sont en totale contradiction avec la concentration du pouvoir au Vatican. Or, le clergé américain appuie le libéralisme. Nous voulons donc nous concerter et faire front commun, d'où la consigne de ne jamais nous rencontrer, sauf à Rome.

– Grégoire s'attaque à la liberté de conscience, intervint Thibodeaux en grimaçant.

– Oui, et on s'attend à ce que le prochain pape aille encore plus loin, reprit McNamara. On sait déjà que ce sera un ultra-conservateur qui voudra empêcher la libre circulation des idées. Cela revient à combattre la démocratie en la privant de ses outils que sont le journalisme ainsi que la liberté d'expression et de religion. C'est absolument intolérable.

– Si je vous comprends bien, monsignor, il vous faut nommer un pape ayant l'ouverture d'esprit…

– Nous avons déjà abandonné cette avenue, faute de majorité. Aussi travaillons-nous déjà en fonction de l'élection d'un pape qui se proclamerait infaillible.

– Le grand débat du XIXᵉ siècle, clama Thibodeaux, le plus exalté des trois, ce sera l'infaillibilité du pape.

– L'infaillibilité, vous dites ?

– Oui, l'infaillibilité, le pouvoir de ne pas se tromper, répondit Thibodeaux en soulevant le menton comme un acteur dramatique. Si, grâce à ce dogme, le pape est perçu comme l'égal de Dieu parce qu'il ne peut pas se tromper, il sera bien placé pour bloquer toute forme de progrès.

– Notre tâche, conclut McNamara en esquissant un geste las de la main comme s'il n'était pas aussi sûr que son jeune collègue, consistera à plaider contre l'infaillibilité, à trouver et à faire valoir des arguments prouvant que Dieu Lui-même s'oppose aux prétentions de Rome. On prévoit que le nouveau pape tiendra un concile sur ce sujet. Ce sera en fait un procès qui opposera des avocats pour et contre l'infaillibilité pontificale.

– Je vois. En quoi puis-je vous aider ?

– Les papes ont toujours condamné la secte millénaire des caïnites, qui combat tout ce qui est progrès humanitaire. Ils n'ont jamais rien eu à voir avec ses activités. Pour cette raison, les caïnites risquent de nous empêcher de dresser un dossier contre l'infaillibilité papale. Déjà, le secrétaire de monsignor O'Reilly – monsignor O'Reilly qui, en ce moment même, doit avironner dans un canot sur le lac Champlain vers Montréal – l'a payé de sa vie. Voilà pourquoi nous voyageons incognito et devons brouiller les pistes. Par exemple, la version officielle veut que monsignor Cummings ici présent ait péri en traversant le Mississippi et que son corps n'ait pas encore été retrouvé. À notre retour, il sera retrouvé bien vivant, quoique amnésique. Monsignor Thibodeaux et moi avons contracté une maladie infectieuse qui nous empêche de nous montrer en public. La Compagnie – donc vous, madame Dorsay – est là pour déjouer les caïnites.

McNamara se tut pour reprendre son souffle et le fil de ses idées. Il consulta sa montre.

– Déjà 3 h. Il nous faut reprendre la route avant l'aube.

Il se leva. Puis il souleva ses deux paumes comme lors de l'offertoire à la fin de la messe. Sur chacune d'elles reposaient des objets qu'il venait de retirer de ses poches. À la faible lueur de la lampe, Margaret reconnut deux coffrets longs d'à peu près trente centimètres. L'éclat du matériau lui fit supposer que c'était de l'or.

– Le meilleur argument contre l'infaillibilité d'un homme à Rome, reprit le cardinal de Toronto, ce serait le secret de Dieu. Le contenu de ce coffret se transmet au sein des Templiers et de la Compagnie depuis que les croisés l'ont reçu au Moyen-Orient. Si on ne sait pas au juste de quoi il s'agit, on dit qu'il ferait trembler et s'écrouler les trônes et les pouvoirs séculaires. Inutile de souligner le danger qu'il y a à simplement connaître son existence, encore plus à le transporter. On a crucifié le Christ pour les mêmes raisons.

– Vous voulez que je me charge de ces deux colis ?

– Exactement. Nous vous préviendrons quand ce sera le moment de s'en servir. Le concile n'aura peut-être lieu que dans vingt ans.

McNamara déposa les pièces d'orfèvrerie dans les mains tendues de Margaret. Celle-ci remarqua aussitôt leur poids, sans doute en raison de leur facture en or massif. Elle distingua sur leur couvercle un motif gravé ressemblant à un soleil avec ses rayons.

– Voilà pour dans vingt ans. Mais au cours des prochaines heures, vous aurez une tâche plus urgente à accomplir. Vous resterez à Clifton Town pour remettre des documents précieux de la Compagnie à quelqu'un qui s'en chargera.

– Qui donc ?

– Le plus grand auteur du monde, après les quatre évangélistes, bien entendu.

Chapitre 36

Clifton House, Clifton Town
3 mai 1842

Le lendemain de la rencontre clandestine entre Margaret et les prêtres catholiques, tout à fait ignorants du drame qui se jouait, le plus grand auteur du monde, Charles Dickens (Boz pour les intimes) et sa femme Kate Hogarth – ou, si l'on préfère, « Charles Dickens, esq., et lady », comme le voulaient les titres honorifiques décernés aux gentlemen et à leur épouse – arrivèrent à Clifton House en provenance de Buffalo. Accompagnés de leur bonne, Ann Brown, et de leur secrétaire, George Putnam, ils revenaient d'une odyssée de plusieurs mois aux États-Unis, de janvier à avril 1842, qui les avait menés jusqu'à Saint Louis.

– Imaginez, m'dame, le Middle West ! avait dit la bonne à bord du bateau qui leur avait fait traverser l'Atlantique, le vapeur *Britannia*. J'aimerais voir certains de ces sauvages. Y paraît qu'y s'promènent tout l'temps en tenue d'Adam et d'Ève, si vous voyez c'que j'veux dire.

Kate savait qu'Ann se permettait des écarts en gestes et en paroles seulement en sa compagnie. Une complicité.

Même si elle y était habituée, son pâle visage en forme de demi-lune n'en rougit pas moins. Cela enhardit Ann, qui en remit une couche en lui décochant un clin d'œil comme à une partenaire de débauche.

– J'les voudrais ben voir, oui, s'ils l'ont entre les jambes comme celle du grand benêt à Harry, le fils du majordome, que j'y ai vu un soir qu'y avait bu et qu'y était tombé sans connaissance sur la toilette du personnel, sa culotte sur les pieds, qu'y avait fallu le traîner et le mettre dans sa couchette. Puis, paraît que ces sauvages mangent le cœur de leurs ennemis pour souper, après leur avoir découpé la peau du crâne.

– Ma pauvre fille, vous avez vraiment trop d'imagination, la gronda Kate Dickens d'un ton faussement indigné. Vous pourriez gagner votre vie en écrivant, tout comme monsieur.

Le reproche était exprimé pour la forme car, quand elle et Ann étaient seules, ses yeux rêveurs se plissaient de plis coquins. Elle écoutait avec avidité toutes les aventures de sa bonne. Ann était délurée comme le sont bien des membres des classes populaires. Elle avait encore ses taches de son de bébé, et Kate attribua les folies de son employée à son jeune âge.

– Vilaine fille, Ann, vous auriez pu vous faire renvoyer hier! Dire que vous avez mis un coussinet de caoutchouc sur la chaise de monsieur à la table du capitaine! rappela Kate en mettant une main devant sa bouche pour réprimer un rire qu'on aurait jugé inconvenant de la part d'une lady.

– Vous vous rappelez le bruit qu'il a fait en s'assoyant, on aurait dit qu'il avait trop mangé de fayots… *Prout! Prout!*

Ann avait éclaté d'un rire gras de marin en permission.

– Chut! Chut! ricana Kate. Vous avez failli nous tuer toutes les deux! Quelle idée de m'amener mâcher du tabac sur le pont pendant que la tempête redouble!

– J'vous ai même taillé une bonne *plug* en me servant de mes ciseaux de couture, vu qu'j'avais pas de p'tit canif de poche.

– Une *plug*?

— Ouais, c'est c'qu'y disent. Un beau cube de tabac, quoi ! Vous en aviez bien avalé pour un *nicker* [une livre, en cockney] !

— Un *nicker*, ma pauvre Ann ? la relança Kate en prenant l'accent cockney pour s'amuser un peu. Dites plutôt que j'avais un *poney* [25 livres], sinon un *monkey* [100 livres] de votre tabac !

— C'est vrai qu'la *plug* était grosse comme la bedaine du cuisinier chez vous à Londres. Pis c'que vous étiez drôle avec vos grosses joues, on aurait dit un écureuil qui transportait ses noix, m'dame ! M'sieur a pensé que vous alliez vomir à cause d'la tempête alors qu'c'était juste une *plug*, mais y l'savait point.

— C'est un fait, gloussa Kate. J'étais toute retournée sur le grand sofa de la cabine.

— Verte, que vous étiez.

— Mon époux a essayé de nous faire absorber du brandy, à titre médicinal exclusivement, il va sans dire…

— Il va sans dire…

— Et ensuite, il a…

— Pis ensuite y a tout renversé, toujours à cause d'la houle. Y lui restait seulement un dé de brandy.

— Je ne l'ai jamais vu aussi amusé, je dois l'avouer, bien que monsieur ait les mots d'esprit faciles. Il a ri de nous, puis il a glissé le coussinet de caoutchouc sur la chaise de madame Hastings.

— Ouais, j'suis certaine que m'sieur va aimer cracher du jus d'tabac dans les *spittoons* en Amérique. Y paraît qu'tout l'monde le fait là-bas, même le président à Washington, c'est pour vous dire. Ouais, c'mon frère qui m'n'a envoyé une bonne livre.

D'autres pensées assaillirent Kate et son front se barra de toute sa première ride à vie, alors qu'elle n'avait que vingt-cinq ans.

– Le vapeur *Britannia* est désespérément lent à traverser l'Atlantique. Et mes pauvres enfants que j'ai abandonnés à Londres…

– La vieille gouvernante Goodridge, c'te corneille avec ses gros rognons, a rien d'autre à faire que s'occuper des p'tites demoiselles pis des p'tits monsieurs. Et puis…

– Et puis ?… demanda Kate, pendue aux lèvres d'Ann.

– Et puis, si m'sieur Dick prend des vacances d'un an pour pus beurrer ses pages blanches, osa penser Ann, vous pouvez ben prendre un congé, vous aussi, m'dame, si j'peux m'permettre.

Kate réprima un frisson d'anxiété en revoyant le visage de ses enfants demeurés à Londres : Charles, cinq ans ; Mary, quatre ans ; Kate, trois ans ; et, surtout, Walter, le petit dernier, né il y avait moins d'un an. Elle s'en culpabilisa au point de songer à prendre le premier navire de retour. « Nous ne partirons plus jamais sans eux », se jura Kate.

C'est pourtant ce qu'ils allaient faire, en Italie, quelques années plus tard.

Ann réussit à dissiper les tourments de Kate. D'abord, elle tendit à sa maîtresse un cadre tiré de leurs bagages.

– Tenez, m'dame. Y sont ici, les p'tits.

– Bien sûr.

Ann avait songé à apporter le croquis des quatre enfants exécuté par leur ami, l'éminent Maclise.

– On les a emmenés avec nous, à notre façon.

Kate embrassa le portrait de ses enfants, puis déposa le cadre sur la commode. Il se renversa aussitôt à cause de la houle.

La domestique le remit à l'endroit avant d'éclater avec son cockney aussi dense que la barre de tabac de son frère.

– On va ben rire, m'dame, chuchota-t-elle à l'oreille de Kate. Y a trop de monde empesé à Londres. Sauf vot' respect, on n'est pas la reine Victoria pour se t'nir les fesses serrées à longueur de journée.

– Ann, Ann… Dites-moi, mon mari vous aurait-il prise comme exemple pour écrire *Oliver Twist*, par hasard ? On dirait que vous ne pensez qu'à mal agir du matin au soir. Je ne serais pas étonnée que vous dérobiez mon argenterie, dès que j'aurai le dos tourné, pour l'apporter à un vilain personnage comme Fagin dans le roman, qui force les pauvres enfants à se livrer au vol à la tire. Oui, je dois le dire, en toute vérité: vous ne pensez qu'à mal agir…

– Pas à mal agir : à vivre, m'dame, à vivre, si vous voyez c'que j'veux dire.

En sortant de la cabine, la bonne donna une petite tape amicale à Kate en passant.

Arrivés dans l'ancienne colonie américaine à la fin de janvier 1842, les Dickens remontèrent vers le Canada au mois de mai suivant. À leur descente du train de Buffalo, ils empruntèrent une carriole jusqu'à l'hôtel Clifton de Niagara Falls, où l'écrivain, dès qu'il le put, se laissa tomber dans un fauteuil en soufflant avec force.

– Enfin, une chambre digne de ce nom, jugea Dickens en prenant son air espiègle. Vous vous souvenez, sur le *Britannia* ? Une cabine grande comme un cabinet d'aisance de King's Cross. *A portmanteaux could no more be got in at the door, not to stay stowed away, than a giraffe could be forced into a flowerpot*[4]. [Il était tout aussi difficile de faire passer une valise par la porte, dans le secret, que de faire entrer une girafe dans un pot à fleurs.]

Dickens allait plus tard reprendre ce trait d'esprit dans son livre racontant ce périple aux États-Unis et au Canada, *American Notes*.

---

4. Citation authentique de Dickens.

Il devait en être de même de cette autre boutade :

– Et cet hôtel en Illinois ? *In point of cleanliness and comfort it would have suffered by no comparison with any village alehouse, of a homely kind, in England*[5]. [En fait de propreté et de confort, il aurait souffert de la comparaison avec un cabaret des plus ordinaires en Angleterre.] Ne me demandez pas de mettre le pied dehors avant demain pour aller voir ces fameuses chutes. Prenez la bonne et allez-y, vous, si ça vous chante, dit-il à son épouse. Moi, je n'ai pas du tout la tête à un voyage de noces.

Ann Brown, qui défaisait les valises, fit un clin d'œil à Kate par-dessus son épaule. Son nez retroussé frémissait déjà de plaisir.

Les deux femmes traversaient le hall d'entrée, Ann tenant le bras de sa maîtresse pour la pousser à aller plus vite, quand l'employé de la réception les héla :

– Il y a ceci pour vous, madame, déclara-t-il en lui tendant deux missives.

L'une était adressée à son mari, l'autre, à elle-même.

– Je me demande ce que c'est. On ne connaît personne à Niagara Falls. À moins que quelque chose ne soit arrivé à Londres et qu'on nous mande d'y retourner ?

Elle arracha le sceau d'un doigt fébrile. Puis, elle déchira un bord de l'enveloppe qui portait son nom.

– C'est quoi, m'dame ? demanda Ann d'un ton sec, partagée entre la curiosité et la mauvaise humeur à cause de ce retard imprévu. Y a pas à dire, en tout cas : c't'une belle lettre. Quelque trou de cul de poule de la haute.

Kate n'écoutait pas, concentrée sur les quelques lignes rédigées d'une écriture ample, pleine de rondeurs, pareille à celle d'une artiste.

– C'que c'est, m'dame ? Vite, parlez !

---

5. Citation authentique de Dickens.

Les grands yeux de Kate avaient repris leur air rêveur comme si elle voyait, à travers la feuille de papier, une apparition d'outre-tombe.

– C'est signé Margaret Dorsay. L'autre lettre adressée à monsieur doit elle aussi venir de cette personne. C'est la même calligraphie, si je ne m'abuse.

– Vous voulez que j'me fasse l'escalier pour y rapporter c'te papier, à m'sieur?

– Faites, Ann. Mais ne dites rien de ma missive. Cette dénommée Margaret Dorsay me presse de ne rien révéler à monsieur de ce qu'elle contient.

Ce mystère fit frémir Ann, qui sautilla sur place. En la voyant aussi excitée devant cette perspective d'aventure, Kate se rappela ses propres pensées en quittant la chambre d'hôtel. «Ne me demandez pas de mettre le pied dehors avant demain pour aller voir ces fameuses chutes. Prenez la bonne et allez-y, vous, si ça vous chante, avait proposé Charles Dickens de façon impérative. Moi, je n'ai pas du tout la tête à un voyage de noces.»

«Assurément, avait pensé Kate. Je prends la bonne. Mais c'est à savoir si je prends Ann Brown ou si c'est elle qui me prend. Me tenir dans les jupes de cette coquine risque de faire des orphelins de mes enfants!»

Chapitre 37

Burning Spring, partie britannique des chutes du Niagara (Haut-Canada)
2 mai 1842

Margaret Dorsay sortit de Clifton House, la mâchoire serrée et les traits durcis par le devoir impérieux confié par les trois cardinaux américains. Elle était aussi consciente d'un danger qui pouvait fondre sur elle sans crier gare.

Elle se méfia même des nombreux conducteurs des calèches alignées à la porte de l'hôtel. Comme la veille avec Ebenezer, ils se mirent à la harceler afin d'obtenir sa clientèle.

— Combien pour Burning Spring ? lança-t-elle afin que tous l'entendent.

— Trois dollars, m'dame, et c'est un prix d'ami, parce que vous et m'sieur avez roulé avec moi, hier ! cria un énergumène dépenaillé.

— Par tous les os de saint Patrick, cria un autre, je vous y mène pour deux dollars !

— N'écoutez pas ces minables, ajouta un troisième. Ces voitures vont vous casser les reins. La mienne a des roues de caoutchouc qui vont vous amener en un morceau pour un dollar cinquante.

Ce dernier conducteur avait dit vrai : la promenade fut moins cahoteuse que la veille, lors de la descente sur Ferry Road. Mais le siège était dur comme une planche, car il avait perdu son rembourrage. Le marchepied et les garde-boue avaient été rafistolés et ne tenaient en place que grâce à quelques nœuds dans une corde.

Margaret passa devant la vaste propriété de Clifton Place au sud de la route, avec son manoir, ses larges fontaines et son écurie en briques jaunes importées d'Angleterre, dont le financier Zimmerman achevait la construction. Après avoir franchi quelques kilomètres, la calèche s'arrêta devant une cabane située à la hauteur des Dufferin Islands. C'est là qu'une fuite de gaz sulfureux avait été découverte dans les années 1790. On l'avait captée, puis aménagée, et ce geyser de flammes était vite devenu une attraction, au même titre que le phare érigé entre les chutes ou le cottage d'un ermite ayant résidé sur Goat Island.

Elle paya grassement le préposé à l'attraction pour qu'il lui réserve l'endroit pendant la prochaine demi-heure. Puis, le forain sortit de sa cabane après avoir retiré le bouchon de liège retenant le gaz dans une conduite reliée à un baril et l'avoir allumé avec un briquet d'amadou.

Margaret, qui n'était pas là pour s'extasier devant ce phénomène naturel, s'enfonça dans un coin d'ombre de la remise. La flamme jetait des traînées de lumière jaunâtre sur les murs sans réussir à éclairer chaque détail. C'était tout à fait l'atmosphère qu'il lui fallait pour accomplir sa mission en tant que gardienne du trésor de la Compagnie enfoui dans les coffrets confiés par monsignor McNamara.

Elle n'attendit pas longtemps. Elle vit avec satisfaction se découper la silhouette familière d'un homme dans l'embrasure de la porte.

Elle devina ses longs cheveux de fille, épais comme un bonnet. L'éclat du soleil sur les nombreuses chaînes de montre pendues sur son ventre disait bien qu'il s'agissait de l'excentrique qu'elle avait épié un peu plus tôt de la fenêtre de Clifton House. « Ce semble bien être son âge, on lui donnerait *sept et vingt* ans, l'inspecta-t-elle pour se rassurer en comptant les années à la façon de l'époque. *Deux et trente* tout au plus. C'est donc monsieur Charles Dickens, Esquire ! D'ailleurs, il porte encore cet affreux gilet bariolé de toutes les couleurs de l'arc-en-ciel.

Soulagée de ne pas avoir affaire à un autre caïnite – auquel cas elle aurait eu à jouer sa vie –, elle parla la première pour signaler sa présence. Mais sans sortir de l'ombre.

Elle avait coupé sa chevelure à la hâte et endossé une redingote de son mari afin de ne pas attirer l'attention et, surtout, de ne pas être handicapée par une robe ample si elle devait se battre ou fuir. Le contact du revolver dans la poche de son gilet la rassura.

– C'est fort aimable à vous d'être venu, monsieur Dickens. Non, je vous en prie, n'avancez pas plus loin.

– Je veux bien, mais ne mettez-vous pas trop ma patience à l'épreuve ? D'abord, vous n'êtes pas Ebenezer. Le message laissé à la réception de l'hôtel disait que cette vieille fripouille de Dorsay m'attendrait ici. *I say, Dorsay, old fellow, show yourself* ! [Dis donc, Dorsay, vieille branche, montre-toi !]

Margaret Dorsay n'était pas dupe de ces protestations pour la forme. Charles Dickens adorait l'aventure. Son voyage aux États-Unis le démontrait. De plus, elle savait qu'il avait insisté pour visiter des endroits particuliers, des geôles par exemple. Elle savait aussi qu'au chapitre huit de son dernier roman, intitulé *Barnaby Rudge,* il s'était intéressé aux rites initiatiques des sociétés secrètes. Tout cela avait encouragé Ebenezer Dorsay, puis Margaret qui représentaient justement une société secrète à entrer en contact avec le célèbre écrivain.

– Je suis Margaret Dorsay, sa femme.

– *How do you do*?

– *How do you do*? J'ai une faveur à vous demander de sa part.

– Vous êtes prévenue que je ne saurais lui avancer la moindre livre sterling. Ce vilain avaricieux d'Ebenezer me doit de l'argent du temps de notre jeunesse. Est-ce la raison pour laquelle il se cache? Je n'y vois rien, dans cette cabane. Montrez-vous, madame Dorsay!

– Vous vous êtes connus tout jeunes avant qu'il ne s'enrôle, poursuivit Margaret Dorsay. Vous étiez tous deux reporters pour le *Morning Chronicle*…

– Erreur: c'était pour le *Mirror of Parliament*.

– En effet. Je le savais.

– *Why*, vous me testiez, ma parole?

– J'en ai bien peur.

– Alors, vous me permettrez à mon tour… Si vous êtes sa femme, vous connaissez donc l'expression qu'il m'a inspirée pour décrire Westminster dans le journal.

– Attendez, ça allait ainsi: «*pantomime strong on clowns*[6]» [pantomime de clowns], n'est-il pas vrai?

– Tout à fait. Il était le seul à le savoir. Vous êtes bien sa femme.

– Monsieur Dickens, il faut avouer qu'avec votre chef-d'œuvre, *Oliver Twist*, vous vous êtes fait vous-même une réputation d'humaniste. L'histoire de ce garçon sauvé des fabriques pour rejoindre une bande de jeunes voleurs à Londres accuse la société industrielle pour son exploitation des classes démunies. N'avez-vous pas ajouté: «*I have also a notion that any number of bundles of the driest legal chaff that was ever*

6. Citation authentique de Dickens.

chapped would be cheaply exchanged for one really accessible, really humanizing, really mentorious engraving.[7] » ? [J'ai l'impression que ce tas d'arides vétilles légales mériterait d'être échangé contre des propos humanitaires plus accessibles et dignes d'être gravés.]

– *By God*, madame ! Que vous voilà douée d'une mémoire phénoménale ! Cela date d'il y a longtemps !

– Permettez-moi d'ajouter que votre nom de plume au *Monthly Magazine*, Boz, vient de votre petit frère Augustus, que vous appeliez « Moses » et que lui prononçait « Boses ».

D'abord amusé, puis flatté, Dickens profita de cette oreille sympathique pour se défouler.

– Ah ! ce qu'un honnête travailleur a raison de craindre le gouvernement et les lois ! À vrai dire, ni Westminster ni Washington n'ont pris la peine d'aider les artistes. Voilà une des raisons non officielles de mon voyage en Amérique, en plus de faire campagne contre l'esclavage. Nos œuvres sont volées, reproduites sans notre consentement. Les librairies font fortune *from books whose authors received not a farthing*, et que dire de certains *newspapers, so filthy and bestial, that no honest man would admit one into his house for a water-closet door-mat*[8] ? [grâce à des livres dont les auteurs n'ont pas reçu le quart d'un penny, et que dire de certains journaux, immondes et bestiaux, dont aucun honnête homme ne voudrait se servir comme paillasson pour ses toilettes ?] J'ai peut-être attiré des foules partout sur mon passage, mais je n'ai pas pu faire promulguer les droits d'auteur, un but important de ma visite. Mon éditeur, Chapman & Hall, se fait arnaquer sur le Vieux Continent tandis que Fields, de Boston, subit le même traitement en Amérique.

7. Citation authentique de Dickens.
8. Citation authentique de Dickens.

– Je ne sais que dire.

– Oui, oui. Prenez un auteur prolifique et populaire comme monsieur Honoré de Balzac. Il serait devenu riche comme Crésus sans ces profiteurs.

– Vous m'en voyez navrée, monsieur Dickens.

– Ce voyage en Amérique est un échec, probablement. Je crains que ça ne m'ait frustré au plus haut point et que j'aie été un affreux compagnon pour mon épouse.

– Mais j'y pense, monsieur Dickens…

– Mes amis m'appellent Boz…

– Peut-être y aurait-il moyen de faire avancer votre cause…

– Vous connaissez des gens en vue dans les cercles politiques ?

– Justement, mon beau-père et moi faisons partie d'une confrérie internationale dont le but est de favoriser l'émergence d'une nouvelle société ouverte, accueillante pour les gens de toutes races et de toutes religions, pour n'en faire plus qu'une.

– Je dois admettre qu'Ebenezer m'en a glissé un mot jadis. J'avais mis cette folle excentricité sur le compte d'un tempérament d'anarchiste, la seule chose que j'aie trouvée honorable chez mon ami. Il était plus fortuné que votre serviteur, et pourtant, il quêtait toujours une aumône auprès de ses compagnons de taverne, Henry Austin, Thomas Mitton et moi, à la fin de nos journées à noter les délibérations de la Chambre dans la Strangers' Gallery.

– Elle existe bien, cette confrérie. Pour faire avancer notre cause, nos membres fréquentent les coulisses du pouvoir. Pourquoi pensez-vous que deux des nôtres, Thomas More et Francis Bacon, aient fréquenté des monstres sacrés comme Henri VIII et Jacques Ier ? Pourquoi Vincent de Paul, ce saint homme dont vous avez sans doute entendu parler, a-t-il été le confesseur de la reine de France après avoir appris l'alchimie ?

Pourquoi un autre, Nicolas Fouquet, a-t-il été le trésorier du roi Louis XIV ?

Margaret utilisait ainsi les rudiments d'histoire que lui avait appris son beau-père pour convaincre son invité. Elle ne pouvait pas lire les sentiments sur les traits de Dickens. Mais l'écrivain, sous le coup de la concentration, avait arrêté de faire les cent pas, devenu aussi immobile qu'une statue. Sûre que la Compagnie et son beau-père, qui l'envoyaient à l'insu de son époux, avaient bien jugé l'homme, Margaret poursuivit l'énoncé de faits dissimulés derrière les histoires officielles.

— Pourquoi pensez-vous que la lettre de Richelieu au pape Urbain VIII demandant la permission d'assassiner les membres de la Compagnie du Saint-Sacrement, les successeurs des Templiers, sous le couvert de l'Inquisition, a été interceptée et que le Saint-Siège a reçu pour conseil de la lui refuser ? Aujourd'hui, nous avons des activistes même à Washington.

— *I see.* Insupportable, ce *Richeliou*, si je puis m'exprimer ainsi. Dites-moi, qu'attendez-vous de moi, vous et votre Compagnie ?

— Mon beau-père s'était pris à espérer que vous vous joindriez à nous.

— J'ai bien peur de ne pas avoir de contacts au Parlement, si c'est ce que vous recherchez.

— Vous êtes trop modeste, monsieur Di…, vous êtes trop modeste, Boz. Vous venez d'avoir un succès planétaire avec *Oliver Twist*. Votre prochain livre parcourra le globe, séduira le monde civilisé. Il pourrait être un phare, un propagateur de nobles idées généreuses, et hérétiques pour cela, comme l'ont été *La République* de Platon, L'*Utopie* de Thomas More, *La Nouvelle Atlantide* de Francis Bacon, *La Cité du soleil* de Tommaso Campanella et *La République chrétienne* de Jean-Valentin Andréæ, le grand maître du Prieuré de Sion.

Ce dernier, grand savant de son temps, avait en tête une patrie « christianopolitaine », sorte de Nouvelle Jérusalem terrestre placée sous la protection directe de Dieu.

— Je sers une maîtresse capricieuse, l'imagination. Je ne me sens pas l'âme de saint Paul évangélisant les païens. Mais il est vrai, je vous l'accorde, que mon message social contre la *Poor Law* et en faveur de la réglementation du travail dans les fabriques a su porter ses fruits…

— Franchement, vous suivriez les traces de grands hommes avant vous en vous ralliant à la cause de la société idéale que les pèlerins du *Mayflower* ont rêvée pour la Nouvelle-Angleterre, et la Compagnie, pour la Nouvelle-France. Prenez le romancier français Eugène Sue qui fait partie de l'ordre… Eh bien, il écrit présentement un roman qui va accuser les pouvoirs en place au vu de la misère des petites gens. Comme vous dans *Oliver Twist*.

— Je ne sais que répondre. Mais j'ose à peine vous le demander, oui, mes héros de jeunesse, Henry Fielding, Daniel Defoe et Oliver Goldsmith, est-ce qu'ils faisaient partie de votre Compagnie ?

— Je ne pourrais vous le confirmer, la Compagnie se ramifiant presque à l'infini. Mais il est sûr de le penser dans le cas de vos compatriotes Thomas More et Francis Bacon. Tous deux ont prêché l'avènement d'un nouvel ordre social. N'y a-t-il pas plus belle tâche ?

— Ha ! Ha ! Vous pourriez me convaincre si un autre de mes écrivains préférés, William Shakespeare, avait embrassé votre credo.

— Cela, je suis en mesure de vous le confirmer, affirma-t-elle.

— *Nonsense* ! Impossible ! grogna Dickens alors que sa soudaine hilarité était retombée aussi vite qu'elle était venue.

— Roméo et Juliette, les amoureux de Vérone, ont défié leurs familles ennemies. N'est-ce pas là le plus bel exemple de société unie et universelle ? Mais il y a plus. Certains pensent encore aujourd'hui que Shakespeare était très près de Francis Bacon… en fait, qu'ils étaient une seule et même personne.

— Vous vous payez ma tête, avouez-le donc.

— Comment expliquer autrement que le prénom « Francis » apparaisse trente-trois fois dans une seule page de la pièce shakespearienne *Henri IV,* quand on sait que 33 était le nombre secret de Bacon chez les rosicruciens, un autre groupe humaniste ? Enfin, saviez-vous que la première édition des œuvres de Shakespeare est décorée de signes et de codes appartenant à des sociétés secrètes comme les francs-maçons ? Les preuves abondent, mon cher Boz.

— Rien d'officiel.

— Officiel ? Jamais ! Nos sociétés sont discrètes, toutes nos archives sont systématiquement détruites.

— Vous êtes tout à fait convaincante, madame. J'y penserai donc, je veux dire, pour ce qui est de m'embrigader. Était-ce tout ? Si on allait à Table Rock, maintenant ? Ma femme Kate sera heureuse de vous rencontrer, j'en suis sûr. D'autant plus que ma mauvaise humeur pendant le voyage a mis sa patience à rude épreuve.

Margaret sourit, car elle avait aussi donné rendez-vous à Kate Dickens pour lui confier un important coffret reçu de monsignor McNamara. Elle ne pouvait s'en ouvrir à Dickens. Aussi déclina-t-elle l'invitation.

— Malheureusement, je ne puis plus m'afficher en public, du moins en tant que femme de monsieur Dorsay fréquentant les amis de monsieur Dorsay.

— Vous ferez mes cordiales salutations à cette vieille branche d'Ebenezer. Vous, qu'allez-vous faire ?

– Je compte me faire oublier en faisant ce que peu de femmes de ce siècle ont la chance de faire, soit me consacrer au spectacle. Je sais que certains rêvent de dévaler les chutes du Niagara dans un baril. Peut-être le ferai-je pour la première fois. Je me sens des fourmis dans les jambes depuis trop longtemps. Les femmes sont forcées d'être des bibelots dans le grand monde. Je vais en profiter pour me libérer.

– Ne le faites pas. Dévaler les chutes, je veux dire. Vous iriez à la mort.

– Je suis peut-être déjà morte, Boz. Enfin, je sais que vous descendrez à Montréal. Pourriez-vous livrer un pli à une certaine adresse ?

– Euh ! oui, je suppose. Il s'agit de quoi, en l'occurrence ?

– Le pli est sur le sol, devant vos pieds, là, à gauche de la porte. Il contient à peu près tout ce que vous verrez dans le rouleau de parchemin qui se trouve là aussi.

Habitué à l'éclairage capricieux de la flamme, tantôt aveuglant, tantôt tamisé, Dickens empocha le pli portant un sceau étrange, pareil à un soleil. Il déroula le parchemin et resta muet devant ce qu'il y vit.

Il ne s'attendait pas à trouver, dans cette modeste remise de foire, trois dessins de constructions, toutes de l'époque classique. Dans le coin supérieur gauche, il n'eut pas de mal à reconnaître une pyramide. Comme elle était représentée sous la forme d'un volume en perspective, Dickens compta cinq faces.

– Au centre de votre parchemin, voilà un temple grec, dit-il à voix haute en lorgnant dans la direction de la jeune femme pour obtenir une explication sur la signification de tout cela.

– Oui, un temple. Il est en fait inspiré du mausolée à Halicarnasse, en Asie mineure. Trente-trois colonnes ioniques en tout.

– Trente-trois, le nombre de Francis Bacon, se rappela Dickens, qui cherchait désespérément à faire le lien entre cette architecture et la Compagnie de l'épouse de son ami Dorsay.

Comme elle occupait toute la partie droite du document, la troisième figure lui parut plus majestueuse que les autres, quoique moins complexe en apparence. C'était une mince aiguille de pierre paraissant s'allonger sans fin. Il reconnut un obélisque.

– Comme la pyramide, expliqua Margaret, l'obélisque capte l'énergie du soleil et la déverse dans le sol où il est posé.

– « Washington National Monument Association », lut Dickens au bas du parchemin. Ça vient de l'Amérique non britannique. Mais je ne reconnais aucune de ces structures, je ne pourrais dire où elles sont érigées.

– Pas étonnant, Boz, car elles n'existent pas encore. Une de ces constructions doit être choisie à des fins de construction dans la capitale américaine. Il semble que, depuis 1833, l'obélisque ait la faveur de la population.

– En quoi cela me regarde-t-il ?

– La géométrie sacrée, gronda Margaret Dorsay sur le ton du reproche, comme si elle avait affaire à un domestique.

– La géométrie sacrée ? C'est donc de religion que parlent ces dessins ?

– De foi, dirais-je plutôt. Depuis toujours, les êtres humains ont eu recours à des formes et à des mesures spéciales, dont le nombre d'or, pour que les édifices servent de carrefour aux forces échangées entre le Ciel et la Terre.

– Ne serait-ce pas, de toute évidence, de simples symboles ?

– Vous croyez ? Nos frères et sœurs des colonies américaines, s'ils décident de s'inspirer concrètement de cette géométrie sacrée, risquent d'offrir à leur pays, sur un plateau d'argent, un avantage certain pour amadouer la « Force invisible ». D'ici cent ans, ils pourraient bien devenir les maîtres du monde civilisé. D'où l'urgence que le Haut-Canada et le Bas-Canada assurent eux aussi leur avenir en apprivoisant l'influx de la Terre et du Cosmos. Les cathédrales gothiques n'ont servi qu'à cela, vous savez, Boz. Elles ont protégé les civilisations occidentales comme le minaret et la coupole l'ont fait en Orient, et la pyramide, en Égypte. C'est d'ailleurs en Égypte, puisque nous parlons de mesures sacrées, que Pythagore a appris le théorème qui porte maintenant son nom.

— D'accord, d'accord, accepta Dickens, je serai ravi de livrer votre avertissement à qui de droit.

— Je vous en remercie de tout cœur, en mon nom propre et en celui d'Ebenezer.

— Nous nous arrêterons à Toronto, à Kingston, puis ce sera Montréal.

— En fait, Kingston a déjà refusé la géométrie sacrée : l'emplacement de la capitale n'y demeurera pas. Peut-être que Montréal en héritera dans un avenir rapproché. Mais sans cette architecture, le siège du gouvernement n'y demeurera pas non plus.

— Ne parliez-vous pas à l'instant de géométrie, de mesures spéciales ? demanda Dickens, fasciné.

— Cela va de soi, il faudra une œuvre architecturale fondée, comme celle de Washington, sur la combinaison des chiffres 5 et 6. Voyez l'obélisque : ce n'est pas un hasard s'il est haut de cinq cents pieds, soit six mille pouces. Le pyramidion en forme de losange, cette pierre qui coiffait le sommet de la pyramide, mesure, quant à lui, cinquante-cinq pieds, soit six cent soixante pouces.

— Vous avez sans doute raison, convint Dickens en reprenant le parchemin. Des 5 et des 6. Mais pourquoi diable ces deux chiffres ?

– À vrai dire, les alchimistes savaient que les trois lettres les plus importantes de l'alphabet hébreu correspondaient à des chiffres secrets : le 1, le 5 et le 6.

– Quelles lettres étaient-ce là ?

– Le *yod,* le *hey* et le *vav,* ou, si vous préférez, dans notre alphabet, le Y, le H et le V. Ainsi donc, le 1, le 5 et le 6 épellent le nom de Dieu : YHVH, ou Yahvé.

Dickens n'eut pas le temps de réagir à l'énoncé de ces principes qui remontaient à la nuit des temps. Avec un petit cri de frayeur et de mise en garde, Margaret Dorsay s'enfonça encore plus dans l'ombre de la remise, car la porte venait de s'ouvrir. Un violent rayon de soleil les aveugla. Dickens se sentit tiré à l'extérieur par le col de sa redingote avant de comprendre que c'était l'employé de la Burning Spring. Margaret Dorsay avait dit : « Trente minutes. » Il était temps de faire entrer d'autres touristes.

Pendant ce temps, la mystérieuse interlocutrice du romancier lui avait arraché subrepticement le parchemin, qu'elle jeta sur la flamme du gaz. Son beau-père lui avait prescrit de détruire les documents officiels de la Compagnie, mais elle voulait que Dickens les voie avant.

Invité à se retirer, repoussé au-delà de la file d'attente, le romancier entendit plusieurs fois, derrière lui :

– Le 6 et le 5, n'oubliez pas. Le 6 et le 5.

Chapitre 38

Clifton Town (Haut-Canada)

10 mai 1842

Postée à sa fenêtre du deuxième étage de Clifton House, Margaret Dorsay vit avec satisfaction les Dickens monter dans la voiture qui devait les conduire au vapeur pour Toronto. Mais cette journée-là, la satisfaction du devoir accompli fut immédiatement suivie d'un sentiment déchirant, à la fois joie sans bornes et doute cuisant.

Elle s'attardait au spectacle des conducteurs de calèches se jetant sur chaque client de l'hôtel quand son regard s'arrêta sur un de ces hommes. Comme les autres, il était revêtu de loques. La seule différence, c'est qu'il ne s'intéressait pas à la porte de la véranda d'où pouvaient venir les clients et les dollars.

Il avait la tête relevée vers l'étage et la fixait, elle, sans vraiment la voir sans doute, une main en visière à la hauteur de ses arcades sourcilières. Le cœur de Margaret fit un bond. Une douleur aiguë lui déchira la poitrine et entrava sa respiration, ce qui provoqua une toux nerveuse.

– C'est… c'est mon époux !

Il faut dire que, depuis qu'Ogden Creighton lui avait annoncé qu'on n'avait pas retrouvé le corps d'Ebenezer, l'amour qu'elle éprouvait entretenait l'espoir de le revoir un jour. Aussi distinguait-elle son époux dans tout nouveau touriste qui se présentait dans le hall de Clifton House ou qui déambulait sur Murray Hill ou sur Ferry Road. Elle se reprochait alors sa trop grande imagination qui la torturait, l'empêchant de vivre son deuil.

Mais cette fois, elle en était sûre, ce conducteur était Ebenezer. La barbe d'une semaine ne réussissait pas à cacher le visage pâle et fin de son conjoint. La vareuse de fermier sale et déchirée, serrée aux épaules, mais trop ample à la taille, accentuait même la minceur d'Ebenezer. Et il y avait ce regard insistant vers la fenêtre de la chambre qu'ils avaient partagée.

Margaret fit un signe de la main, en pure perte. L'homme avait détourné la tête. Elle essaya de soulever le lourd châssis, qui résista. Elle décida alors de courir à ses trousses.

Elle pesta contre son vêtement qui la ralentissait. Si, en 1842, les robes de taffetas étaient plus belles que dans la deuxième moitié du XIXe siècle, les franges de dentelles cachaient la bottine et retombaient sur le sol, qu'elles balayaient sans cesse. Une douzaine de jupons pareils à des pelures d'oignon alourdissaient la démarche, rendant laborieux tous les mouvements. De plus, elle avait pris la précaution de mettre son bonnet en paille de riz contre les rayons du soleil, si détestés à l'époque.

Elle tira vers le haut un pan de sa robe pour faciliter sa course, mais elle eut l'impression d'avancer au train d'un escargot. Quand elle déboucha enfin sur les grands jardins de la façade, une déception l'attendait. Le fantôme d'Ebenezer avait disparu. Il n'était pas parmi les hommes qui convergeaient vers elle en criant des tarifs.

De fort mauvaise humeur, elle donna une tape sur sa robe, qu'elle accusa de son échec.

« C'était bien mon cher époux, et ce maudit carcan m'a empêchée de le rejoindre à temps ! »

Elle se dit qu'elle était bien mieux chez son père, à la campagne, alors qu'elle portait une culotte comme ses frères. S'ils lui jouaient un tour, elle pouvait les poursuivre pour les corriger.

Cette vision d'Ebenezer resta gravée dans sa mémoire toute la journée.

« Je dois en avoir le cœur net ! » se dit-elle enfin.

Elle visita les forains sur Goat Island. Ceux-ci étaient en train de démonter la plateforme d'où Blondin s'élançait sur son fil de fer. Elle les interrogea et apprit que Blondin ne pouvait pas faire de chute, qu'il soit chargé d'un homme ou non.

— Si vous voulez en savoir plus, lui dit-on, voyez le frère de Blondin. Il est en dessous.

— En dessous ?

C'est alors qu'elle remarqua une autre équipe en train de construire une plateforme vingt-cinq mètres plus bas, au milieu de la falaise.

— Le frère de Blondin va marcher sur un câble, plus bas ?

— Non. C'est pour ce fou de Sam Patch. Il va plonger dans l'eau à partir de là.

— Ça veut dire qu'on peut survivre à une chute dans l'eau ?

— Sam Patch le peut.

— Et pourquoi pas Blondin ?

Quand elle parvint à la seconde plateforme sur un des paliers de l'escalier Fiddle, elle entendit le frère de Blondin qui sifflait *La Marseillaise*. L'expression du jeune Français passa de la gaieté à la tristesse en la voyant. Ou l'homme était sans cœur, ou son frère n'était pas mort une semaine auparavant. Margaret voulut croire qu'il jouait la comédie, ce qui confirmerait ses doutes. Elle l'interrogea au sujet de l'accident, mais l'homme s'en tint à la version officielle.

— Mon pauvre frère, se lamenta-t-il, mais ses yeux étaient moins empreints de douleur que de méfiance envers elle.

Forte de ses intuitions, quelques jours plus tard, elle poursuivit ses démarches jusqu'à Toronto en se rendant auprès de son beau-père. Lui aussi, en apprenant la nouvelle, ne parut pas ébranlé, même si Ebenezer était son fils unique.

— Ebenezer est peut-être tombé dans les remous, déclara-t-elle, mais je l'ai vu bien vivant quelques jours après. Vous me cachez quelque chose, monsieur Dorsay.

— Ebenezer devait disparaître pour son bien, expliqua Harmanus Dorsay. Son rôle dans la Compagnie était d'attirer l'attention des caïnites pour laisser le champ libre à la véritable détentrice du secret de Dieu.

— C'est-à-dire moi. Non seulement vous ne m'avez jamais dit que mon mari faisait partie de la Compagnie, mais en plus, vous lui avez fait jouer un rôle de diversion, comme l'agneau appâtant le fauve.

— Je suis désolé, Maggie. Les affaires de la Compagnie passent avant les affaires du cœur.

— Il est donc vivant ? J'avais raison ?

— Oui. Blondin est un nageur exceptionnel. Il a tiré Ebenezer au bord.

— Où puis-je le retrouver ?

— Je crains fort que ce soit impossible. Vous mèneriez nos ennemis jusqu'à lui. Vos habits, qui indiquent l'appartenance à une classe sociale aisée, seraient vite repérés dans le monde où il se cache, celui du petit personnel et des gueux.

« C'est ce qu'on va voir, pensa Margaret, plus résolue que jamais. S'il se terre dans les bas-fonds, il ne me reste plus qu'une chose à faire pour le retrouver. »

Ses sorties à Toronto la firent voir de plus en plus souvent habillée à la garçonne. Mais ce n'était pas pour provoquer à la façon de George Sand, l'écrivaine romantique bien connue. Un jour, une amie la reconnut et l'interpella, scandalisée :

– Mais, ma fille, vous avez perdu la raison ! Que dit Ebenezer de cet accoutrement ?

– Je ne vis plus avec Ebenezer.

– Quelle horreur ! Avez-vous oublié que ça ne se fait strictement pas ? Qu'avez-vous fait pour mériter cela ? Il vous entretient certainement, vous n'avez pas à porter des loques de matelot en guinguette !

Après cela, Margaret se surprit. Elle était vraiment prête à tout pour retrouver son mari. Elle n'acceptait pas son impuissance devant le destin imposé par les caïnites et, ne l'oublions pas, par la Compagnie.

Elle jeta d'abord la *pimpernel water* et l'eau de rose, mais elle but toute la bouteille de brandy cosmétique. Pour échapper à une éventuelle surveillance, elle se rasa la tête dans sa chambre de pension après avoir été expulsée de Clifton House. Mais sur les quais de Queenstown, dans une boutique en plein air, elle paya un tatoueur pour qu'il lui dessine trois jolis 6 enlacés sur le haut du crâne, et ce, par fidélité envers la mission confiée par son beau-père et, il faut le dire, par témérité.

Cette transformation lui donna l'impression de rajeunir, de revenir à son enfance à Kingston.

Les aristocrates la méprisèrent. Les hommes du peuple, soldats et amuseurs de foule, furent à ses genoux, car sa beauté était telle que rien ne semblait pouvoir l'enlaidir. Elle dormit dans l'étable d'un fermier de Clifton Town. « Je ne peux pas retourner chez mon père. Je risquerais d'attirer les caïnites et de mettre tous les membres de ma famille en danger. Je les aime trop pour ça. »

Les années passèrent, durant lesquelles elle fréquenta les abords de la cascade et se renseigna auprès des gens de spectacle à propos de la meilleure façon de gagner sa vie. En 1846, elle avait presque épuisé les fonds tirés de la vente de ses biens à Toronto.

— Il y a quatre ans, autour de 1842, lui rappela-t-on à la réception de Clifton House, un certain Patch a plongé la tête la première à partir d'un tremplin sur Goat Island.

— Les rumeurs veulent, dit un portraitiste à touristes, qu'un funambule, un Français, ait voulu marcher sur un câble tendu entre les deux rives.

— Vous connaissez un homme mince dans la trentaine, le visage pâle, qui aurait connu ce Français ? demanda Margaret. Il serait plutôt près de ses sous, s'il en a.

— Non, mais j'y pense, il y a bien une chose que personne n'a osé faire, lui déclara un autre. C'est de se laisser porter par le courant et de sauter les chutes dans une embarcation. Ceux qui l'ont fait par accident ne sont jamais remontés.

L'idée fit son chemin peu à peu. « Qui sait si je ne retrouverai pas mon mari en le suivant dans les eaux de la chute ? »

Elle se fit de nouveaux amis parmi les forains, notamment des cascadeurs arméniens qui avaient fait le tour du continent dans une roulotte aux couleurs criardes, comme les gitans qu'ils étaient. Ils devinrent inséparables, d'autant plus qu'un jeune cascadeur était très séduisant.

Un soir, Margaret resta dans la roulotte foraine pour jouer aux cartes avec ses amis, prendre un verre et rêver à la façon dont ils conquerraient l'Amérique.

— Margaret, dit une amie prénommée Gertie en lançant une bouteille de vodka vide par la porte ouverte à cause de la chaleur, j'ai une bonne nouvelle.

— Quoi donc ? Dis vite, j'ai besoin de bonnes nouvelles !

– La troupe va descendre aux États-Unis à partir de la semaine prochaine. Tu devrais venir, ce sera formidable !

– Oui, viens, Maggie, insista le jeune homme en plongeant son doux regard noir dans les pupilles dilatées de Margaret.

– C'est tentant, répondit-elle simplement.

Margaret savait qu'elle n'irait pas, malgré l'appel de l'aventure qui lui fouettait le sang. Elle était convaincue qu'Ebenezer était vivant, même quatre années après sa disparition. C'est à Niagara qu'elle le retrouverait, elle en était certaine.

Cette nuit-là, il était 2 h quand Gertie sortit de la roulotte. Elle allait franchir le pont Terrapin quand apparut devant elle un militaire dont la livrée rouge luisait dans les ténèbres régnant sur Goat Island.

Gertie n'avait peur de rien, et elle ne s'alarma pas malgré l'étrange visage du nouveau venu. En effet, à l'endroit où on aurait dû deviner la bouche, il n'y avait qu'une mâchoire en bois allongeant le visage vers l'avant.

Elle se dit plutôt, avec un sourire malicieux, qu'il devait avoir passé la soirée dans une taverne, car il avait la gueule de bois.

Sans dire un mot, l'homme retira sa prothèse, retenue derrière la tête par une solide lanière de cuir.

Gertie s'attendit à découvrir une horrible blessure de guerre, mais elle eut la surprise de voir une bouche normale, avec un maxillaire inférieur en parfait état.

Cet appareil était la source d'une forte odeur d'alcool.

– Bonsoir, m'dame. Belle nuit, n'est-ce pas ?

Au cas où elle aurait eu affaire à un bandit de grand chemin, Gertie se prépara à lancer un petit poignard qu'elle portait à sa ceinture. Autre surprise : il ne fit rien d'autre que de tousser. Trois fois. Sans se couvrir la bouche.

– Il faudra soigner ça, mon beau, dit-elle avec sarcasme. Bien que cette toux ne soit pas très grasse, on dirait que tu te forces pour m'envoyer de la salive sur les joues.

– Je suis soldat, la belle, et j'ai été stationné en Orient. Certains en rapportent des colifichets de Saint-Pétersbourg, moi je suis revenu avec des microbes. Mais ils ne me font rien parce que j'ai bu beaucoup de jus de serpent en compagnie de types fantastiques qui adorent les cobras. Je passe la maladie aux autres sans en mourir. Et j'aime particulièrement la passer aux misérables membres de la Compagnie comme vous, m'dame Dorsay.

Étonnée et amusée par ses menaces, Gertie n'eut pas le temps de détromper son interlocuteur. Tout le monde les confondait, elle et Margaret Dorsay. Même visage mince à la pâleur sépulcrale imposée par la santé, même vareuse de marin. Mais elle n'était ni Margaret ni employée d'une quelconque compagnie, puisqu'elle exécutait des numéros d'acrobatie dans un cirque.

L'homme réajusta la boîte à alcool sur le bas de son visage et tourna les talons pour se perdre du côté du pont Terrapin, qui menait à Prospect Island puis à Niagara Falls, sur la rive américaine.

Gertie était couchée depuis à peine une heure quand elle commença à souffrir d'un terrible mal de tête. Elle se tortilla sur sa couche improvisée au lieu de sombrer dans le sommeil paisible auquel elle était accoutumée. Elle se mit ensuite à tousser comme si elle voulait s'arracher les viscères et les cracher le plus loin possible. Elle réussit à allumer sa lampe sans laisser tomber l'allumette.

Le spectacle qui l'attendait l'horrifia. La chemise de nuit blanche était rougie sur sa poitrine par un liquide visqueux.

« Je suis atteinte de consomption ! crut-t-elle en se trompant de maladie, se rappelant les ravages de la tuberculose parmi les enfants de son village natal. De ça, on ne revient pas ! »

Gertie ne fit pas appel à ses amis arméniens pour ce qu'elle avait décidé de faire. La tuberculose pouvait leur être transmise. C'est par ses propres moyens qu'elle résolut de retourner à Goat Island, où on avait préparé un baril pour Margaret, qui entendait ces jours-là devenir une foraine à part entière, à la façon de Blondin l'équilibriste et des Arméniens cascadeurs, en exécutant son premier saut en baril.

Fiévreuse, délirante, mais résolue de préserver jalousement l'intimité de sa mort comme les chats, elle fit patiemment rouler le baril en laiton jusqu'au bord des rapides furieux au-dessus de la cataracte. Elle se glissa dans l'espace exigu déjà encombré par les objets de Margaret, une enclume de forgeron pour le lest, un livre de Dickens, un des deux coffrets dorés lui ayant été confiés par les prêtres catholiques et une robe à crinoline, souvenir nostalgique de sa vie avec Ebenezer.

Elle imprima de nouveau au baril un mouvement de rotation, mais de l'intérieur cette fois, et elle sentit tout à coup une force s'en emparer et le projeter vers le fracas assourdissant. Elle devina le gouffre pareil à une gueule noire, mais de nouvelles quintes de toux distrayèrent ses sens en alerte.

La jeune pestiférée fut la première d'une longue série de casse-cou à sauter en baril et la première à n'en pas revenir. Les eaux ne rendirent jamais le baril. Horseshoe Falls avait réclamé une autre victime, quatre ans après la disparition de Blondin et d'Ebenezer Dorsay.

**

Margaret Dorsay avait quitté la roulotte des forains un peu après Gertie. Plus tard, elle retrouva sans encombre la chaude paillasse de son étable.

Le lendemain, elle chercha son amie Gertie, qui lui ressemblait comme si elle avait été sa jumelle, au point où les Arméniens les avaient surnommées les «bessonnes». Elle avait disparu, de même que le baril avec lequel Margaret espérait réaliser ses premiers exploits dans le milieu du divertissement.

Dans les recherches qui suivirent, Margaret croisa une calèche conduite par un cocher qu'elle crut reconnaître.

«Mon époux, c'est mon époux! Cette fois-ci, j'en suis certaine!»

Sans ralentir, la calèche se perdit du côté des baraquements de l'armée.

Ce soir-là, en rentrant à l'étable, une surprise l'attendait. Dans le creux de la paille où elle avait l'habitude de s'étendre, un objet était posé. Elle le reconnut avec un pincement au cœur. C'était la poupée de son qu'elle avait apportée avec elle à Toronto, après son départ de la maison paternelle à Kingston. Elle l'avait pourtant jetée aux ordures avec rancœur, après de nombreux essais infructueux pour avoir des enfants.

Avec ce souvenir romantique, quelqu'un lui signalait, elle en était sûre, qu'à son âge il était encore temps d'avoir des enfants. Elle fouilla les lieux avec une hâte non contenue, sans trouver celui qu'elle espérait.

«Il est donc bien vivant, comme je le croyais. Me dit-il qu'il est à la veille de revenir? Ou m'exhorte-t-il à l'oublier et à refaire ma vie?»

C'est alors que son attention fut attirée par un détail de la poupée. Sur son corset blanc, quelqu'un avait tracé à l'encre de Chine les lettres T-H-É-O.

«"Théo"? A-t-il nommé la poupée "Théodora"?»

Puis, elle s'aperçut que la chaîne de lettres se poursuivait dans le dos de la poupée.

«"D-O-L-I-T-E"... Est-ce le même mot qui commence par "théo" et se termine par "dolite"? Mais bien sûr, "théodolite"... L'appareil de l'Observatoire magnétique et météorologique à Toronto, qui sert à faire des mesures astronomiques pour établir l'heure exacte! Me dit-il ainsi que l'heure est venue ou qu'il faut laisser passer le temps?»

La nouvelle de la disparition de Gertie se répandit autour des chutes. On supposa qu'elle avait tenté le saut en baril prévu pour Margaret. Certains habitants de Clifton, parmi les plus superstitieux, y virent la preuve que le gouffre était maudit, que quelqu'un, par le passé, lui avait jeté un sort et que l'on ne devait plus tenter de le vaincre, que ce soit en baril ou autrement.

L'avenir confirma leurs appréhensions.

En effet, durant l'hiver de 1846, en mars plus précisément, les forains sur Goat Island furent réveillés par une étrange sensation. Eux et beaucoup de riverains crurent la fin du monde arrivée tellement les lieux étaient devenus silencieux près des chutes.

La population avait été réveillée non par le bruit, mais par l'absence de bruit. Les gens terrifiés se dirent que, par quelque machination du diable, les chutes ne rugissaient plus pour la première fois depuis leur formation, à l'époque de la fonte de l'inlandsis, un énorme glacier qui recouvrait la région plusieurs dizaines de milliers d'années auparavant. La fin du monde devait donc être arrivée.

Cette nuit-là, le frère aîné des Kane, l'homme à la prothèse de bois, cuvait son vin sur le pont Terrapin menant à Goat Island. En plus du froid, le silence soudain des chutes le dégrisa complètement, car il se rappela alors les paroles du petit secrétaire catholique de monsignor O'Reilly que lui avaient rapportées ses deux frères, le petit et le gros Kane, après l'avoir torturé sous Horseshoe Falls en se servant de l'eau de la chute, il y avait de cela quatre ans.

« "Que cette chute soit maudite [...], que son eau se fige, qu'elle s'assèche pour avoir renié le vrai Dieu !" »

Chapitre 39

À bord du Challenger, en route vers Ottawa (quatre mille mètres d'altitude)

6 juin, 14 h 44, moins de 4 heures avant l'attaque finale

— Est-ce qu'on a complètement foiré ? laissa échapper Quentin DeFoix en prenant un air dégoûté.

Il était assis en face de Kristen Vale devant une table ovale encastrée dans le coin de la cloison séparant le salon du poste de pilotage. Sur la table, deux objets retenaient leur attention depuis le départ de Hamilton.

Il y avait un coffret doré arraché à la poigne d'un cadavre. Il y avait aussi ce qui ressemblait à un livre dont la plupart des pages avaient été rongées par l'humidité et par les bactéries qui avaient migré du corps après le décès. En revanche, la couverture rigide en cuir bovin ne semblait pas avoir subi les outrages du temps.

Malgré cette récolte, l'anxiété était palpable dans le salon du Challenger en route vers Ottawa.

— On a jusqu'à 18 h 30 seulement, continua Quentin, et ça, c'est tout ce qu'on a : un objet précieux, mais qui s'est révélé désespérément vide après qu'on l'a ouvert, et un roman qu'on ne peut pas lire.

Ils volaient à bord du plus petit des deux modèles de Challenger mis à la disposition du gouvernement par la Défense nationale. Tout cela pour gagner du temps, mais ils se heurtaient à un mur dans leur quête, semblait-il.

Quentin était particulièrement déprimé. Il ne cessait de s'accabler d'émotions négatives.

— Est-ce que j'ai mal lu le premier indice découvert à la tour de la Paix ? Ça ne peut pas être le secret de Dieu. Les terroristes ont demandé de rechercher et de détruire un texte qui décrit la nature de Dieu.

— Tu n'as pas mal lu, lui répéta Kristen pour qui ça semblait être la centième fois, elle qui voulait préserver un minimum de calme et de rationalité. Le fait que tu nous aies menés à un cadavre prouve que nous suivons bien une piste sérieuse. Et il y a le coffret en or. Tu supposes que le soleil sur le couvercle est le symbole de la Compagnie du Saint-Sacrement dont nous a parlé Plantagenêt ?

— Oui. Quand les membres de la Compagnie ont fondé Montréal, ils avaient avec eux un ostensoir représentant un soleil avec ses rayons, tout comme le motif sur le coffret.

— Tu tiens quelque chose…

— Oui, mais le fichu coffret est vide. Il n'y a rien là-dedans qui fournit des révélations sur l'identité divine, cracha Quentin en désignant les deux artéfacts.

— Il y a bien un texte, puisqu'il y a un livre.

— Un livre presque réduit en miettes. Un amas spongieux. Si le trésor était écrit là-dedans, il est maintenant illisible. Si on dit ça aux terroristes, ils ne nous croiront pas.

— Le bouquin contenait peut-être des notes maintenant effacées, mais il peut constituer un indice pointant dans une autre direction. N'oublie pas que Plantagenêt a dit que la Compagnie disséminait les pistes dans les artéfacts.

– La seule autre direction que je vois, c'est l'Angleterre. Londres, pour être plus précis, puisqu'il s'agit des aventures d'*Oliver Twist,* par Charles Dickens. On n'a tout de même pas le temps d'aller faire une promenade en Europe, même en *jet* !

– Tu ne peux rien tirer de ce qui reste du bouquin à part ça, toi, l'historien de génie ?

Si Vale avait voulu piquer Quentin au vif pour qu'il performe à deux cents pour cent, elle avait réussi. Il enfila une légère paire de gants en coton que les autorités à Niagara Falls lui avaient remise. Ce sont ces gants qu'il utilisait, dans les chambres fortes souterraines de la bibliothèque du Parlement, pour feuilleter de fragiles documents datant d'avant la Confédération. Il n'avait même pas le droit de prendre des notes avec un stylo, seulement avec de petits bouts de crayon à mine de graphite fournis par l'institution.

Il palpa la couverture beige dont le recto montrait un dessin de marbrures bleu-gris et violettes, comme c'était la mode à l'époque. Seul le titre, *Oliver Twist,* apparaissait sur le dos, entre la deuxième et la troisième nervure du haut. Il semblait les narguer.

– On ne peut pas lire la date, mais je jurerais que c'est l'édition originale de 1838, ou encore celle de 1841.

– Quel est le lien entre Dickens et Niagara Falls ?

Quentin reprit l'ordinateur. En bon indexeur, il tapa ces deux termes dans la fenêtre du moteur de recherche, mais sans grand espoir. Il fut agréablement surpris des résultats.

– On trouve vraiment tout sur Internet, clama-t-il. Je me demande pourquoi le docteur Plantagenêt n'a pas fouillé sur la Toile pour trouver la clé du message de la tour de la Paix.

– Il s'est dit surveillé de près. De plus, il ne pouvait pas se rendre à Niagara Falls aussi vite que nous et, rendu là, il ne pouvait pas faire arrêter les chutes comme nous l'avons fait grâce à un décret en Conseil. Plantagenêt est un espion désavoué par les autorités, ne l'oublions pas, et il constitue le suspect numéro un dans l'assassinat du sénateur Strickland.

– Peut-être…

– Mais qu'as-tu trouvé là ?

– Ça dit que Charles Dickens est passé à Niagara Falls vers la fin d'un voyage de plusieurs mois qui l'avait conduit de New York à Saint Louis.

– Charles Dickens… l'auteur d'*Oliver Twist* ?

– Lui-même.

– Les informations de ce site sont-elles sûres ? demanda Vale en éprouvant les scrupules d'une universitaire. On déverse tellement de choses sur Internet !

– Elles sont sûres, car on y cite le récit de voyage écrit par Dickens lui-même, intitulé *American Notes*.

– Qu'est-ce que Dickens vient faire là-dedans ?

– Il était peut-être membre de la Compagnie du docteur Plantagenêt. Une chose est sûre : il était aussi célèbre à l'époque que J. K. Rawlings ou Stephen King aujourd'hui.

– Alors, qu'est-ce que ce livre, *Oliver Twist,* nous dit sur le secret de Dieu ?

– Rien. Dans *American Notes,* Dickens décrit une traversée d'enfer à bord du *S. S. Britannia,* puis une série d'incessants déplacements en train, en diligence et en vapeur sur le continent. Oh…

– Quoi ?

– On dit ici qu'il a passé plus d'une semaine à Niagara Falls, au début de mai, puisqu'il est descendu à Montréal et à Québec, à partir du 10 de ce mois.

– Alors ? Pourquoi cet air triste ?

– Dickens a fait son voyage en 1842 et non en 1846, l'année indiquée dans le message de la tour de la Paix..

– Il est peut-être revenu ?

– Je ne crois pas. Enfin, il est retourné aux États-Unis, mais pas dans la colonie nord-américaine restée fidèle à l'Angleterre, c'est-à-dire le futur Canada.

Quentin referma brutalement le portable. Il savait qu'il aurait pu lire le roman *Oliver Twist* sur Internet afin d'y trouver une bouée à laquelle s'accrocher. Mais le temps manquait, même pour une lecture rapide. Le temps et la concentration.

Il se leva pour arpenter la cabine de l'avion et pour se calmer. Le regard fixe, il tentait de se convaincre.

– Il y a une solution, il y a une solution…

Enfin, il résolut de s'asseoir loin à l'arrière.

– Qu'est-ce que tu fais ? lui lança sa compagne.

– Je m'isole… pour penser.

En fait, dans le calme, il comptait dormir quelques minutes. Il n'osa pas expliquer à une agente trop pragmatique qu'il conditionnait souvent son subconscient avant le sommeil, lui demandant de lui révéler la chose qu'il cherchait. Il estimait avoir eu du succès une ou deux fois de cette façon, se réveillant le matin avec la clé de l'énigme, que ce soit une théorie de l'histoire canadienne pour sa thèse de doctorat ou l'endroit où il avait égaré quelque chose.

Il avait lu quelque part que Robert Louis Stevenson trouvait ainsi ses idées de romans : en dormant.

Assoupi depuis peu, Quentin sentit son esprit plonger dans un rêve qui l'avait déjà intrigué auparavant. Il lisait au milieu de flots rageurs blancs d'écume. Il ne semblait pas en souffrir puisque les eaux se retiraient, à sa grande satisfaction. Apparaissait alors une femme entièrement habillée de noir.

Quand il se réveilla, il comprit que son rêve récurrent des derniers jours représentait sa visite à Niagara Falls, l'assèchement extraordinaire de la rivière et la découverte du roman de

Dickens. Quant à la femme en noir, ce pouvait être le squelette dans le baril immergé, quoiqu'il eût porté des vêtements de couleur claire.

– Tu sais, Kristen, quelque chose m'a dirigé vers Niagara Falls, déclara-t-il à sa compagne assise devant lui. Il semble que j'aie eu des rêves prémonitoires. Ça t'arrive, à toi ?

C'est à peine si Vale l'entendit, concentrée sur autre chose. Quelques instants plus tôt, elle s'était jetée sur le portable inutilisé à l'avant de l'avion. Pendant qu'une webcam intégrée transmettait une image à son correspondant, elle fit le point avec ce dernier. On lui donna des instructions, puis elle les confirma.

– Bien compris. Je ne suis pas d'accord pour le lui livrer, mais vous êtes le patron.

Quentin, qui s'était levé en sursaut, demanda :

– À qui tu parlais ? À Willis ? Il y a du nouveau ?

– Euh… oui.

Kristen semblait encore plus contrariée par sa conversation électronique que par l'énigme de Niagara Falls. Peut-être était-ce aussi à cause de ce qu'elle laissa tomber gravement :

– Quentin, je suis désolée, mais nous devrons nous séparer à l'arrivée. J'ai un rendez-vous urgent.

– Qu'est-ce qui peut être plus urgent que fournir le secret de Dieu aux terroristes ?

– Tu pourras continuer sans moi…

Dégoûtée, elle mit fin à l'échange en détournant la tête vers le hublot où apparaissait déjà la tour de contrôle de l'aéroport international d'Ottawa.

Elle se demanda comment les terroristes pouvaient leur accorder aussi peu de temps. « Ils doivent croire que ce fameux secret de Dieu est caché dans un coffre-fort quelque part et que le gouvernement le sait. Et s'il le sait, pourquoi le premier ministre Shackleton n'en a-t-il pas parlé ? »

Son mutisme avait une autre source. Elle ressentait des émotions fortes, frustration, révolte, permises aux agents de la sécurité nationale, du moment qu'elles ne nuisaient pas à leur efficacité sur le terrain. Bien sûr, l'annonce de la fin du monde ne l'aurait pas troublée davantage que la perte éventuelle de millions de vies innocentes. Ce satané secret de Dieu ne pouvait d'aucune manière justifier ce sacrifice.

Une autre chose la troublait au plus haut point.

— Je dois t'avouer quelque chose, déclara-t-elle en se tournant de nouveau vers Quentin. J'ai eu des visions identiques à celles dont tu as parlé.

— Ah oui ?

— Oui. Ma tête s'est remplie de furieux tourbillons d'eau avant même que tu ne les désignes comme étant ceux de Niagara Falls. Une autre image vient de m'apparaître dans le Challenger : une femme toute vêtue de noir.

À croire que quelqu'un leur soufflait des choses à l'oreille… Quentin pouvait le penser, lui, mais Vale, quant à elle, ne croyait pas du tout qu'il s'agissait de Dieu.

Comme pour répondre à leurs questions, le cellulaire de Kristen fit entendre sa mélodie.

— Bonjour, mon amour ! Tu sais que je t'aime très fort ? J'aimerais tellement être là !

— […]

— Oui, je sais que grand-papa et grand-maman sont près de toi, n'empêche que si ce n'était de choses très importantes dans mon travail, je serais avec toi en ce moment.

— […]

— Oui, tu as raison, Grady, mon chou. Tu es entre bonnes mains avec la docteure Semira et tout va bien aller, oui, oui.

– […]

– Non, je ne tuerai personne. Ni les araignées, ni les puces, ni aucun insecte. C'est promis. Bisou !

En parlant, Kristen s'était détournée avec pudeur vers la cloison percée d'un hublot à ses côtés. Quentin entendit la voix devenir plus douce, puis le bruit du baiser. Kristen parla ensuite à quelqu'un d'autre.

– […]

– Bonjour, maman. *Jesus,* je suis tellement déçue ! Les événements ont pris une tournure dramatique ici. Je ne peux pas t'en dire plus, mais le premier ministre Shackleton a insisté pour que je poursuive une mission, une affaire de vie et de mort pour beaucoup de gens, tu comprends ?

Quentin sentit le chagrin de la jeune femme dans ses dernières paroles. Il ne vit pas que la main de Kristen avait blanchi à force de serrer le téléphone portable.

Il n'entendit pas le reste de l'échange, puisque Kristen avait encore baissé le ton. Quand elle referma son appareil, elle ouvrit son ordinateur, posé sur la tablette accrochée au dossier du siège devant elle.

Quentin vit l'écran afficher le visage espiègle d'un jeune garçon. Il remarqua le geste de Vale, qui caressa l'image du bout des doigts.

– C'est ton fils ?

– Euh… non, mon neveu, Grady, dit-elle en rougissant.

– Une belle photo. Il va briser le cœur des filles dans quelques années, dit Quentin en reconnaissant les traits méditerranéens de Kristen.

– Si seulement c'était possible…

– Pourquoi dis-tu ça ?

Kristen Vale résolut d'en parler à son partenaire, malgré la rage qui la prenait quand elle pensait au destin de Grady.

– C'est lui qui vient de m'appeler de l'hôpital. Il revient du bloc opératoire.

– J'espère que ce n'est rien de grave…

– On a retiré des senseurs en vue de sa troisième et dernière opération, demain.

– Qu'a-t-il ?

– Il vient à peine de fêter son septième anniversaire et il a un dossier médical plus épais que celui de mon père.

– Si tu veux en parler, j'aimerais bien en savoir plus…

En savoir plus sur la famille de cette femme qui l'attirait de plus en plus. De minute en minute, on aurait dit.

– Non seulement sa mère célibataire, ma sœur Mary, est décédée – mes parents ont adopté Grady –, mais, en plus, son sang ne coagule pas. La semaine dernière, il s'est cogné la tête en jouant, et cela a provoqué une hémorragie au cerveau. Il doit porter un casque de football. Mes parents se sentent très coupables de ne pas l'avoir surveillé de plus près.

– On ne peut pas attacher un enfant.

– Non.

– Je suis certain que la médecine d'aujourd'hui peut en venir à bout…

– La neurochirurgienne le pense aussi.

– La neurochirurgienne ? Tu dis qu'il doit être opéré une troisième fois ? Mais on n'opère pas dans les cas d'hémophilie !

– Non, c'est que l'hémorragie a entraîné des crises d'épilepsie. Beaucoup de crises. Les médicaments anticonvulsifs ne font pas effet. La chirurgienne pense devoir retirer une partie du cerveau.

– Oh non !

– Une très petite partie, pas plus grosse qu'une amande. Il ne devrait pas avoir de séquelles, sinon Semira Sleeman ne l'opérerait pas. Mais rien ne garantit qu'il ne perdra pas certaines facultés en même temps que disparaîtront les crises. Mais le pire…

Quentin fit une grimace. Kristen Vale n'épargna pas ses émotions.

– La chirurgienne n'a jamais opéré le cerveau d'un patient dont le sang ne coagule pas. Les premières opérations se sont bien déroulées. Mais demain, on va procéder à l'ablation.

– Pourquoi plusieurs opérations ?

– Les deux premières visaient à déterminer l'emplacement des tissus nécrosés à enlever. Le crâne a été découpé en rondelles pour installer le grillage d'électrodes de l'encéphalographe, qui sert à enregistrer les ondes électriques, et ce, pour voir d'où viennent les crises.

Cette fois-ci, la mauvaise humeur de Kristen mit fin à la conversation. Elle se tourna vers le hublot et remarqua que l'avion amorçait sa descente. La tour du parlement était bien visible au loin, malgré les édifices qui poussaient de plus en plus nombreux au centre-ville, à l'emplacement d'anciens terrains de stationnement. Elle poursuivit à voix basse, sans chercher à être entendue.

– Je crois que Grady aimerait que je sois sa mère…

Elle appela néanmoins son père et sa mère. C'était occupé. Elle enregistra les mots suivants sur la boîte vocale des Vale :

Je ne peux pas être au chevet de Grady. Dites-lui ceci svp, car je pense qu'il y a une chance qu'il m'entende, même dans son coma. Dites-lui que je serais honorée d'être sa maman. Ou plutôt, non : dites-lui que je serai honorée d'être sa maman.

En entendant la teneur du message de Kristen, Quentin fut ému. À son tour, son cellulaire vibra. Il reconnut le numéro de ses parents.

– Où es-tu, Quent ? dit la voix inquiète de sa mère.

– En avion au-dessus d'Ottawa. Qu'y a-t-il ?… Papa ?

– Il va bien. Et même très bien. Il semble renaître depuis ta dernière visite.

– Il se souvient de ma visite ? C'est fantastique… mais comment est-ce possible ?

– Je comprends ta surprise, mon chéri. On a su que ton père avait l'Alzheimer quand il a commencé à oublier les événements récents.

– Évidemment, l'autre jour, je l'ai interrogé sur son travail au Parlement il y a une quarantaine d'années. Dès qu'il a pu remonter le temps, il est redevenu le Robert DeFoix des beaux jours.

– C'est le problème. Il se prend pour le Robert DeFoix des beaux jours depuis ce que vous vous êtes dit.

– Que se passe-t-il, maman ?

– Il s'est faufilé pendant que j'étais à la librairie, en face de l'immeuble. Il m'a écrit une note disant qu'il fallait aider notre fils et qu'il se rendait de ce pas à son ancien atelier à la Chambre des communes.

– Quoi ? Papa à la Chambre ? Il ne fallait pas…

– N'aie pas peur pour lui, mon chéri. Je suis sûre qu'il va pouvoir se rendre, mais je ne sais pas s'il va se rappeler où il demeure. Je sais où il est, je me charge de le ramener au bercail.

– Maman, ne va surtout pas à la Chambre. Surtout pas.

– C'est rien, mon chéri, j'ai l'habitude…

– Dis-lui qu'il ne faut pas aller à la Chambre ! laissa tomber Kristen, qui se pencha pour attirer l'attention de Quentin.

– Quoi ?

Kristen lui fit signe de mettre l'appel en attente.

– Ne quitte pas, maman, je te reviens. Qu'y a-t-il, Kristen ?

– Mauvaises nouvelles.

– Quoi encore ?

– On vient de m'informer : il y a eu escalade de l'ultimatum des terroristes. Le bureau de l'opposition vient de recevoir un second message. Il paraîtrait que les députés ont été pris en otage à la Chambre des communes même.

– Une arme biologique à la Chambre ?

– Exactement. Si quelqu'un entre dans l'enceinte, la peste se répand aussitôt, tuant tout le monde. Si quelqu'un sort, même scénario. Et si on n'a pas trouvé le secret de Dieu avant 18 h 30, finis les députés.

– Comme si on avait besoin de ça pour nous mettre de la pression.

– Donc, rassure-toi, ton père ne pourra pas passer s'il va à la Chambre. La colline est bouclée.

Quentin se retourna vers son cellulaire pour prévenir sa mère :

– Maman, il ne faut surtout pas aller à…

Joyce DeFoix n'était plus en ligne. Seul son répondeur semblait d'accord pour écouter les objections de Quentin.

Chapitre 40

Appartement des DeFoix, Ottawa

Deux jours plus tôt

Le 4 juin, le lendemain du meurtre à la tour de la Paix, Quentin avait visité ses parents comme il avait l'habitude de le faire une ou deux fois par semaine. Ceux-ci vivaient dans un des condos de luxe nouvellement aménagés au coin de la rue Rideau et de la promenade Sussex, à l'avant-dernier étage de leur immeuble.

Sa mère, âgée de cinquante-cinq ans et récemment retraitée après trente-cinq années passées au service du ministère de la Santé en tant que scientifique-chef de laboratoire, l'accueillit avec une bise.

Aussitôt, ils échangèrent un regard complice.

— Comment va-t-il ? demanda le fils.

En guise de réponse, elle l'attira vers la cuisine. Elle pointa la porte vitrée du frigo et, sans l'ouvrir, ils purent voir sur l'étagère du haut ce que Quentin reconnut comme étant une pile de journaux.

— C'est lui qui ?…

— Oui.

Joyce Cleary-DeFoix n'était ni dévastée ni effondrée devant la progression de la maladie de son mari. Quentin savait qu'elle était plus solide que la falaise du parlement. C'est elle qui avait révélé aux médias le peu de cas que le ministère faisait de ses avertissements au sujet de certaines maladies animales. Il fallait des nerfs d'acier pour divulguer des secrets.

— Mais viens, Quent, il t'attend.

Robert DeFoix se leva précipitamment de son fauteuil du salon. Il fit plus que serrer la main de son fils comme il le faisait depuis toujours : il l'entoura de ses bras, maladroitement, contrôlant mal ses gestes et manquant presque d'étouffer son fils. Ce dernier ne s'en plaignit pas mais, peu habitué à de telles marques d'affection, il se raidit. Par chance, son père était grand et mince, doté plus d'une force nerveuse que d'une puissance musculaire de lutteur.

— Salut, fiston ! Content de te revoir ! Tu ne viens pas assez souvent !

L'éternel reproche des parents.

— Est-ce que tu as enfin une petite amie ?

— Je vous ai présenté Robin il n'y a pas longtemps.

— Robin va bien ?

— Très bien.

— Le travail ?

— Oui.

— Et est-ce que tu as rencontré une jeune fille à ton bureau ?

— Oui, papa.

— Tu travailles toujours à la Chambre ?

— Euh ! oui, à la Direction des publications parlementaires.

— Tu irais mieux si tu fréquentais une femme de ton âge, tu sais. Et à ton travail, comment ça va ?

Quentin s'assit pour mettre fin à ce dialogue. Il avait des nouvelles hors de l'ordinaire à annoncer. Il pourrait ainsi meubler le silence qui tombe quand la maladie a effacé la mémoire à court terme d'une personne.

Son père avait été sculpteur au parlement pendant une trentaine d'années. Il avait secondé la responsable des travaux de restauration de la frise surplombant le foyer de l'édifice du Centre dans les années 1970. Il s'intéresserait sûrement aux événements récents survenus à la tour de la Paix.

– J'ai connu le sénateur Strickland, dit Robert DeFoix après le récit de son fils sur la mort du parlementaire. Il était député à l'époque.

– Mon Dieu ! Quentin, pourquoi a-t-on tué ce pauvre William ? demanda madame DeFoix.

– Il aurait découvert un message secret gravé sur une pierre de la tour de la Paix.

– Un message secret ?

– Oui, maman. On l'appellerait le « secret de Dieu ». Je dois avouer que ça m'obsède. Qui sait s'il n'y aura pas d'autres meurtres à cause de ce foutu message !

Il aurait voulu révéler à ses parents qu'il s'était lui-même fait attaquer. Mais il ne voulait pas inquiéter sa mère. Il risqua néanmoins quelques mots.

– J'aimerais bien mettre la main sur ce texte, si texte il y a. Ainsi, on pourrait peut-être éviter d'autres morts.

Depuis l'arrivée de Quentin, Robert DeFoix avait adopté un air dégagé pour ne pas l'inquiéter avec sa dépression consécutive à la maladie. Cependant, il portait son peignoir tôt en après-midi. Tout à coup, il ne put s'empêcher de se renfrogner.

– Qu'y a-t-il de nouveau à la Chambre ? demanda-t-il. Le train-train quotidien, le tir de barrage de l'opposition et le patinage du gouvernement ?

– Le sénateur Strickland est mort, papa.

– Comment ?

– Il a été assassiné.

– C'est horrible !

– Tu es à l'emploi de la Chambre et non du Sénat, heureusement, remarqua Joyce Cleary-DeFoix en pressant l'épaule de son fils avant de s'asseoir sur l'accoudoir de son fauteuil, à la façon d'une adolescente. Vaut mieux te tenir loin de ça, mon chéri. On ne voudrait pas que tu sois mêlé à ça.

– Tu as déjà entendu parler du secret de Dieu, maman ?

– Non. Je serais mal placée pour en parler. Je ne suis pas tout à fait une scientifique croyant à la Création divine.

– On le sait, tu es la pragmatique de la famille, dit Quentin en lui effleurant la joue du revers de la main dans un geste de tendresse.

– Et toi, Robert ? Tu es au courant ?

– Au courant de quoi ?

– D'un message gravé sur la tour de la Paix ?

– J'ai beaucoup aimé travailler à la frise du hall d'honneur pour Helen Crane. Les francophones de l'équipe ne l'appelaient pas Helen mais 'Tite Hélène.

Quand on parlait du temps présent, Robert DeFoix feignait l'insouciance. Mais le passé, qui occupait tout son esprit désormais, prenait une dimension quasi mythique.

– Tu sais qu'on s'est tapé les échafaudages la nuit pour que le bruit et la poussière n'incommodent pas les députés le jour ? Ce que j'ai aimé ça ! Quelle superbe idée d'Helen de retracer l'histoire du pays !

– Tu étais bon pour sculpter la « profondeur », je m'en souviens, fit remarquer Quentin. On aurait dit que les personnages s'animaient en trois dimensions parce que tu les détachais presque complètement du bloc de pierre.

– Mais les échafaudages étaient tout un défi, fiston. En haut, on transpirait comme dans un sauna. Et on ne pouvait pas reculer pour évaluer notre travail. Il fallait descendre, s'asseoir sur le sol, mais ça faisait loin pour juger. Et on ne pouvait pas apprécier les formes dans la lumière artificielle.

Son air s'assombrit quelques secondes.

– Je t'ai emmené, une fois. Et tu es tombé endormi dans mon panier à lunch.

– Tu avais quelques mois, intervint Joyce Cleary sur un ton de reproche dirigé vers son mari.

– Plus tard, je t'ai acheté un ciseau et un marteau, mais tu n'y as jamais touché.

– Il aurait voulu faire de toi le prochain sculpteur du parlement, dit la mère de Quentin en grondant toujours. Pourtant, tu as ta vie. Il a compris, je pense.

« J'aurais aimé te faire plaisir, papa, pensa Quentin. Mais j'ai rencontré le docteur Plantagenêt à l'université. Adieu les beaux-arts, bonjour l'histoire. »

Il revint à son obsession.

– Ça te dit quelque chose à toi, papa, le « secret de Dieu » ?

– De quoi parles-tu ?

– D'un message gravé sur la tour.

Son père ne répondit pas. Il se rembrunit et se tassa un peu plus dans son fauteuil en tirant le peignoir sur ses genoux.

La conversation prit fin.

Chapitre 41

Colline du parlement, Ottawa

6 juin, 14 h 19, un peu plus de 4 heures avant l'attaque finale

— Que se passe-t-il ? demanda Robert DeFoix en arrivant à l'entrée sud-est du parlement. Pourquoi ne peut-on pas passer ?

Le quartier était bouclé, ce qui surprit l'ancien sculpteur. Il savait que, par respect pour les principes démocratiques, on avait toujours hésité à fermer la colline, même à l'annonce de manifestations monstres.

Il s'adressa à un policier tout vêtu de noir qui lui barrait la route. L'homme portait le casque, le masque et le gilet pare-balles des membres de l'équipe d'intervention tactique. Il répondit néanmoins avec courtoisie.

— Ne vous inquiétez pas, monsieur. C'est un exercice de défense antiterroriste comme il s'en fait beaucoup depuis le 11 septembre.

Robert DeFoix rebroussa chemin à l'entrée de la Cité parlementaire.

Au premier abord, le père de Quentin ne présentait aucun symptôme de régression mentale. Après avoir constaté que la colline était barricadée derrière un mur de militaires et de policiers, il descendit sur le bord du canal Rideau à partir du

Château Laurier, qui n'était pas en zone interdite. Une fois là, il traversa le vantail d'une écluse et se retrouva à la base du promontoire. Il s'orienta.

– Si je me rappelle bien, en 1971, quand je travaillais à la tour, le sous-sol de la vieille bâtisse était ventilé par de nombreuses conduites d'aération. Il en débouche partout, à même la falaise.

Robert se sentait investi d'une mission urgente. Son fils unique était mêlé à une histoire de meurtre et il semblait que le texte qu'il avait gravé au temps de sa jeunesse pouvait le tirer d'affaire. Il l'aimait, et sa façon de le montrer consistait à mettre à profit ses ressources personnelles.

Calmement, il gravit la pente raide. Des arbres et des buissons couvraient la face nord de la colline parlementaire. La végétation y poussait de façon anarchique et tout autre que lui aurait peiné à repérer une bouche d'aération.

Il éprouva une grande satisfaction quand sa mémoire à long terme ne le trahit pas. Au contraire, il vit presque immédiatement un grand soupirail grillagé appuyé sur un socle de béton. Celui-ci était entièrement couvert de troncs d'arbres morts.

« Félicitations, Robert DeFoix ! Je reconnais enfin le vrai homme que tu es toujours malgré tout ! » se dit-il avec fierté.

Résolu à ne pas être paralysé par les obstacles, il eut rapidement raison du cadenas. Une grosse pierre détachée de la paroi rocheuse en surplomb remplaça avantageusement les cisailles qu'il n'avait pas.

« Tu vas voir, mon fils, ce que ton vieux père peut encore faire ! »

Il s'arc-bouta contre la paroi et arracha la pièce de métal que la rouille avait presque soudée à la conduite. Il s'écorcha le bout des doigts, mais il ne ressentit aucune douleur. Sans hésiter, il se glissa dans l'ouverture. Il dut ramper sur le ventre pour progresser au cœur de la falaise.

Son esprit mis à part, le corps de Robert était en parfait état de marche. Cette contradiction faisait partie de la frustration qu'il éprouvait. Depuis toujours, l'artiste s'était doublé d'un amateur de trekking. Il emmenait souvent Quentin dans le parc de la Gatineau quand il était adolescent.

« Ça ne doit plus être loin. »

En effet, après quelques minutes, sa reptation dans le noir le mena à un cercle de lumière.

« Dire qu'à l'époque on cachait nos provisions de scotch dans ces conduites de ventilation ! Espérons que l'hélice de ventilation est toujours vissée et non rivée. »

Il avait un tournevis de cuisine dans sa poche. Il se souvenait même du type de vis à tête cruciforme.

« Tête Philips, j'espère. Sinon, il me restera à tout défoncer avec mes pieds. »

Il n'eut pas à user de sa force. Cependant, la tête des vis était du côté intérieur. Il tâta la paroi métallique pour les retrouver, puis inséra son tournevis sans vraiment voir ce qu'il faisait. Leur filetage était oxydé et il sua un bon coup avant de les sentir bouger.

Il éprouva une vive euphorie quand il mit pied dans le sous-sol, les « caves du pouvoir », comme il appelait ces lieux avec l'humour décapant de l'artiste anticonformiste.

– Tout va trop bien. Il ne manque plus que l'atelier, dont Helen et les autres se servaient à l'époque de la frise du hall principal, soit intact.

Il s'orienta de nouveau. Il était entouré de grosses machines servant sans doute à souffler l'air frais l'été et l'air chaud l'hiver.

« Où est ce maudit atelier ? »

Tout à coup, il sentit sa pensée s'évaporer.

« Quel atelier ? »

Un passage à vide. Il se demanda où il était et ce qu'il faisait là. Il était suffisamment conscient pour savoir qu'il aurait dû s'accrocher à ses souvenirs. Les larmes lui montèrent aux yeux.

Par bonheur, le flot de paroles se déversant dans son oreille droite au moyen du petit écouteur de son iPod le rappela à sa mission. Sa conjointe avait l'habitude d'enregistrer les visites de leur fils à l'appartement. Afin que le malade soit constamment ramené aux événements récents, elle filmait les moments importants de leur vie à l'aide d'une webcam. C'est ce que Robert entendait sur son iPod.

Grâce à une commande programmée, les paroles échangées avec son fils se répétaient sans arrêt :

— *Mon Dieu ! Quentin, pourquoi a-t-on tué ce pauvre William ?*
— *Il aurait découvert un message secret gravé sur une pierre de la tour de la Paix.*
— *Un message secret ?*
— *Oui, maman. On l'appellerait le « secret de Dieu ». Je dois avouer que ça m'obsède. Qui sait s'il n'y aura pas d'autres meurtres à cause de ce foutu message ! J'aimerais bien mettre la main sur ce texte, si texte il y a. Ainsi, on pourrait peut-être éviter d'autres morts.*

« C'est ça. Je suis au parlement parce que les frères maçons m'ont demandé un service. Graver un texte dans la pierre de la tour de la Paix. Un texte qui ne me disait rien, qui n'était certainement pas dangereux, en tout cas. Je l'ai fait. »

Il se rappela que l'atelier se trouvait sous le Sénat, dans la partie est de l'édifice du Centre. Il reprit son chemin. C'est cet atelier qu'il cherchait, en plus des fameux mots censés être écrits pour l'éternité.

«Voyons voir. Le bureau dont on se servait pour le design des sculptures avait été aménagé dans un terminal téléphonique. La pièce 113.»

Fier de se souvenir de ces détails, il était maintenant sûr de pouvoir reconnaître les lieux.

«Il n'y a plus de pièce 113, s'aperçut-il après avoir arpenté le sous-sol. Quant à l'atelier, aurait-il été nettoyé, puis démoli? On est dans les années 2000, et ça, ça remonte aux années 1960 ou 1970.»

Au débouché d'un corridor, il reconnut l'objet de sa quête.

«Le voilà, mon Dieu!»

Bien des coins de l'édifice demeuraient intouchés. Le gouvernement planifiait de rénover l'intérieur après avoir restauré les vieilles pierres gothiques de l'extérieur. Pendant les travaux, il était prévu que la Chambre emménage à la place de la cafétéria de l'édifice de l'Ouest. La charpente devait être consolidée et le réseau électrique, modernisé. Déjà, le sous-sol qui courait sous l'édifice du Centre et sous la bibliothèque du Parlement avait été en partie converti en régie électronique. Certaines des vieilles bouches d'aération grillagées dans le roc de la falaise expulsaient le souffle chaud des ordinateurs.

L'atelier était bel et bien sous la Chambre du Sénat. La superficie de la pièce avait été réduite de moitié. Mais Robert revit avec plaisir une partie du désordre des artistes. Des échelles en bois d'origine et des tubulures d'échafaudages étaient debout; on devait s'y faufiler comme dans un labyrinthe. Le sol était jonché de moulages de plâtre, pour la plupart cassés. Robert reconnut néanmoins sa première ébauche du navire de Jacques Cartier, sur laquelle il avait trimé dur pendant des semaines. Beaucoup d'autres sculptures portaient sa marque. Les personnages étaient massifs, dotés de jambes puissantes, un style qui lui était demeuré des enseignements d'un professeur d'Europe de l'Est. Il y avait aussi des œuvres de sa patronne Helen et de l'équipe de sculpteurs affectés à la frise.

Il ne put s'empêcher de caresser ces vestiges de son passé, de cette époque où il était vraiment vivant. Les émotions affluèrent en lui à travers le bout de ses doigts et la paume de ses mains.

De nouveau, il éprouva la désagréable impression d'avoir perdu son chemin. Où était sa femme ? Était-il toujours célibataire comme à Oxford ?

– Oui, maman. On l'appellerait le « secret de Dieu ». Je dois avouer que ça m'obsède. Qui sait s'il n'y aura pas d'autres meurtres à cause de ce foutu message ! J'aimerais bien mettre la main sur ce texte, si texte il y a. Ainsi, on pourrait peut-être éviter d'autres morts.

L'enregistrement le remit sur la bonne voie. Il était là pour aider Quentin.

« Ce que je cherche doit se trouver avec les dessins. »

Beaucoup de plans traînaient sur le parquet, couverts d'une fine pellicule de plâtre et de poussière. Il se mit à les inspecter un à un. Mais à mesure que les feuilles de papier s'empilaient derrière lui, il éprouvait de plus en plus d'impatience. Il n'avait jamais été patient. Il était plutôt génial avec un ciseau et avec un marteau pneumatique. Cependant, les projets à long terme lui donnaient le goût d'avoir son propre atelier et de travailler sur des pièces plus modestes et plus rapides à exécuter. La variété plutôt que le monument. L'indépendance plutôt que les ordres.

Sa progression dans l'atelier, au gré des documents épars, le mena à un vieux secrétaire adossé de guingois à la muraille à cause d'une patte cassée.

« C'est là-dedans, j'en suis sûr ! »

Sa soudaine excitation fut aussitôt tempérée. Les tiroirs étaient verrouillés. Il avisa un petit tuyau de métal aux extrémités plates qui avait servi à l'échafaudage. Il força son outil dans la fente d'un tiroir et s'en servit comme levier.

Le panneau de bois geignit d'abord, puis céda brusquement dans un craquement violent. Robert fut projeté vers l'arrière et frappa un obstacle mou. Il se retourna et eut la surprise de sa vie. Un homme était là, debout. Il était vêtu de l'uniforme des Forces canadiennes et portait une arme automatique passée en bandoulière.

C'est son visage qui lui parut le plus étrange. Des cheveux roux jaillissant du casque, des yeux bleus taillés au regard morne, mais surtout une longue cicatrice barrant le côté gauche de son visage, du front à la mâchoire.

— Vvvous pas droit être ici, dit le soldat sans que son regard manifeste la moindre émotion, qu'il s'agisse de colère ou d'agacement. Zzzzone militairrre pour exerrrcices Merrrcurrry.

— Je sais, je sais. Je me suis perdu. J'ai un début d'Alzheimer, à ce qu'il paraît, dit Robert pour s'excuser, alors qu'en temps normal il refusait d'entendre ou d'admettre tout diagnostic de ce genre.

— Que fairrre ici ? Vous pas obéi consignes ? Employés devoirrr évacuer.

« Quel est cet accent ? » se demanda l'ancien sculpteur, qui montra de la méfiance à son tour.

Robert garda son sang-froid. Il devait être là pour une bonne raison, sinon il aurait obéi aux ordres, même s'il n'aimait pas interrompre son travail sur la frise, que ce soit pour manger ou pour discuter avec la patronne, 'Tite Hélène.

Inconscient du danger qui se présentait en la personne de ce soldat balafré, Robert était plutôt préoccupé par le motif de sa présence dans ces lieux. Le discours sur son iPod vint encore à sa rescousse.

– J'ai travaillé ici en tant que sculpteur. Je recherche un texte que j'ai gravé dans la pierre… il y a une éternité, on dirait.

Une lueur apparut dans les yeux morts du militaire.

– Un texte dans pierrrrrre ?

– Vous ne pouvez pas comprendre, mais j'ai autrefois gravé un message très important sur une pierre de la tour de la Paix et j'aimerais le retrouver de toute urgence.

– Vous ici pourrr longtemps ? Vous avoirrr trrrouvé ?

– Je sais qu'il est dans ce bureau.

L'homme armé considéra avec convoitise la porte arrachée du secrétaire.

– Allez. Mais trrrès vite.

Robert fut surpris que le militaire soit compréhensif. Il ne se fit pas prier pour se remettre à la tâche. Là encore, il mit la main sur des tonnes de documents lestés par toutes sortes d'outils, maillets, ciseaux et crayons de charbon. Il accéléra le mouvement et eut l'impression d'être devant le Graal quand il découvrit un petit carnet écorné aux pages lignées.

Il se retourna vers le soldat en exhibant le carnet comme un drapeau. Il triomphait. Ce carnet était la preuve que Robert DeFoix n'était pas mort et enterré à cause de ces maudites cellules du cerveau qui s'éteignaient une à une.

– Vous êtrrre sûrrr que texte dans carrrnet ? l'interrogea l'autre.

– Sans l'ombre d'un doute.

– Donner carrrnet tout de suite.

Robert n'aima pas le ton impérieux. Il allait néanmoins s'exécuter quand une voix se fit entendre en provenance de la porte de l'atelier.

– Hé ! Vous deux ! Montez et déguerpissez !

Cet autre ordre venait d'un constable du sergent d'armes. Un employé du Parlement.

– Nous parrrtirrr! obtempéra le soldat. Avant, donnez carrrnet à moi, monsieur.

– Je le consulte en montant et je vous le remets en haut, si vous voulez bien, répondit Robert, agacé.

– Le carrrnet! cria presque le balafré en uniforme.

Comme Robert n'obéissait pas et s'accrochait à sa trouvaille, le soldat s'approcha et lui décocha un coup de crosse sur la mâchoire. Déséquilibré, Robert trébucha dans une cuve de terre cuite qui avait servi à délayer du plâtre.

Le soldat ramassa le carnet et fit mine de sortir de l'atelier. Le constable n'était pas armé, mais il s'interposa. On l'avait formé à faire montre de courtoisie en toutes circonstances et il n'aimait pas les manières insolentes du militaire. Sans compter que l'invasion d'uniformes kaki dans ce haut lieu de la démocratie et du pouvoir civil le scandalisait au plus haut point.

– Holà! Dites donc! Vous n'allez pas vous en tirer avec une telle attitude, mon gars. Je vais vous rapporter, et vite, exercice Mercury ou non. Non, mais! Vous auriez dû rester à Trenton avec un caractère pareil!

Une surprise totale se peignit sur les traits du constable quand le soldat releva le canon de son fusil-mitrailleur et appuya sur la détente. Les balles sifflèrent, fracassant la vitre de la porte et fauchant l'employé du sergent d'armes.

L'arme s'orienta sur Robert. Ce dernier n'eut que le temps de plonger la tête dans la cuve. Les balles claquèrent en frappant la terre cuite. Heureusement, les parois de la cuve étaient épaisses et n'éclatèrent pas. Mais elles n'allaient pas tenir longtemps.

Le tir cessa un moment. Robert se crut sauvé jusqu'à ce qu'il sente le métal chaud du canon sur son cuir chevelu. Il entendit des mots pour le moins surprenants dans les circonstances:

— Une balle suffirrrait pour faire trrrou. Ce serait mieux pourrr Judas et Caïn. Mais j'ai une mitrrraillette, et il faut êtrrre de son temps.

Robert comprit que le soldat allait tirer. « Mais qu'attend-il ? »

La mort ne vint pas. Pas encore. Robert entendit un grognement de douleur et sentit des éclats de plâtre saupoudrer ses cheveux et son visage.

En relevant la tête, il reconnut un visage familier. C'était le constable de tout à l'heure. Il venait de frapper le soldat à l'aide d'un bloc de plâtre. Une ébauche de la sculpture de Jacques Cartier qu'il avait faite lui-même, heureux de son style artistique qui le portait à donner de fortes jambes à ses personnages.

Le sculpteur ne put remercier son sauveur, car celui-ci s'écroula, touché à mort par la rafale du fusil-mitrailleur. Il avait eu juste assez de force pour assommer le militaire, qui reprenait maintenant ses esprits. Il avait été touché à la base du cou, sous le casque, et n'était qu'étourdi.

Robert se surprit de la vitesse de sa propre réaction. Il s'extirpa de la cuve et courut vers la sortie devant le soldat. Robert aurait déjà dû avoir oublié le drame qui venait de se jouer. Normalement, il serait resté sur place, inconscient de la mort qui allait venir dès que le soldat aurait repris ses esprits. Mais l'instinct de conservation semblait compenser sa perte de mémoire à court terme.

Des transformations brusques pouvaient se produire lors d'événements extrêmes. Des arthritiques cloués au lit s'étaient rués en courant dans l'escalier de leur centre d'accueil, de peur d'être brûlés vifs dans l'incendie de leur immeuble. Des mères délicates avaient réussi à soulever des camions sous lesquels leur enfant était prisonnier.

Et, bien sûr, il y avait le message du iPod qui se répétait inlassablement :

– Oui, maman. On l'appellerait le « secret de Dieu ». Je dois avouer que ça m'obsède. Qui sait s'il n'y aura pas d'autres meurtres à cause de ce foutu message ! J'aimerais bien mettre la main sur ce texte, si texte il y a. Ainsi, on pourrait peut-être éviter d'autres morts.

Robert était dans cet édifice pour aider son fils. C'était assez important pour qu'il doive échapper à son agresseur. Il oublia cependant qu'il était entré par l'arrière. Il courut donc vers la partie ouest en s'éloignant de la sortie. Dans sa course, il ne reconnut pas, au passage, le Service des journaux, là où les greffiers notaient les comptes rendus des séances à l'époque et qui avait été réaménagé depuis lors.

« Un escalier, vite ! Il faut que je monte ! Non, à bien y penser, il peut y avoir du danger à monter ! »

Son subconscient, plus que sa raison, l'éloigna des marches menant au hall d'honneur. Il fut plutôt guidé vers le passage souterrain reliant l'édifice du Centre et l'édifice de l'Ouest. Ce couloir permettait aux députés de se rendre à la Chambre en évitant de traverser la grande place, où leur route pouvait être bloquée par des manifestants. Il y avait un couloir identique entre l'édifice du Centre et l'édifice de l'Est, près du Château Laurier.

Il allait s'engager dans ce long passage légèrement courbé vers le sud, pareil aux galeries du métro de Montréal. Mais il s'arrêta net en entendant le bruit saccadé de nombreux pas. Ce ne pouvait être que d'autres soldats, donc d'autres ennemis.

Il se rappela avec soulagement la fameuse conduite d'aération où lui et les autres sculpteurs remisaient leur alcool à l'insu de leur chef, 'Tite Hélène. Il rebroussa chemin et se mit à courir vers l'est, sans savoir qu'il retournait sur ses pas. Une voix intérieure le poussait à fuir. Toujours fuir.

J'aimerais bien mettre la main sur ce texte, si texte il y a. Ainsi, on pourrait peut-être éviter d'autres morts.

« Je suis ici pour ce texte », se rappela-t-il.

Cette soudaine prise de conscience le poussa à tâter la poche de sa chemise de sport en jersey. Rien. Les poches de son pantalon étaient aussi désespérément vides.

Pourtant, il lui semblait avoir trouvé ce qu'il cherchait dans l'atelier. Un carnet où il esquissait des ébauches à la mine de graphite. Mais il n'avait pas ce maudit carnet sur lui.

« Je n'ai qu'à y retourner. Ce n'est pas plus compliqué que ça. »

Inconscient du danger, il se mit à marcher calmement et croisa de nombreux bureaux. Puis ce fut la salle des machines, où un réseau de conduites jaillissait comme les pattes d'une araignée monstrueuse. Il savait qu'il se trouvait sous le Sénat. L'atelier n'était pas loin.

Médusé, ne croyant pas à sa chance, le soldat à la balafre le vit approcher et releva son arme. « Non seulement ce type a laissé tomber son calepin dans la cuve, mais il revient s'offrir en sacrifice comme un agneau ! » pensa-t-il.

Il vit Robert s'arrêter un moment à l'extérieur de l'atelier, devant le buste posé sur un haut piédestal en bois pareil à un lutrin. Robert frôla la sculpture du bout des doigts, comme si les souvenirs entraient dans sa tête par les pores de sa peau.

« La tête de Bourinot, un des premiers greffiers de la Chambre, que j'ai sculptée pour la mettre dans mon portfolio afin d'obtenir le poste avec 'Tite Hélène et les autres. »

Son œuvre était restée là tout ce temps, loin des yeux du public, qui pouvait plutôt admirer, autour de la colline parlementaire, des statues d'anciens premiers ministres : Borden, Mackenzie King, etc. Même si le greffier était le grand manitou de l'administration avec le président de la Chambre, il ne faisait pas autant partie de l'Histoire avec un grand H.

C'était le bon vieux temps.

L'index du soldat se raidit sur la détente de son arme. Cet imbécile était à quelques enjambées. Robert allait être scié en deux par la rafale.

J'aimerais bien mettre la main sur ce texte, si texte il y a. Ainsi, on pourrait peut-être éviter d'autres morts.

L'enregistrement tira Robert de la contemplation de sa jeunesse. Abandonnant le buste, il allait se remettre en marche quand il remarqua qu'il n'était pas seul.

« Tiens ! Un type des Forces armées. Que fait-il ici ? »

Il n'eut pas le temps de répondre à cette question. Un *tac-tac-tac* assourdi par le silencieux au bout du canon résonna à ses oreilles. Aussitôt, il entendit les balles siffler autour de lui comme les mouches à chevreuil à son chalet du lac McGregor, à Val-des-Monts.

Robert tomba à genoux, l'air ébahi. Dans un geste d'incrédulité, il toucha le stigmate sur son front et vit ses doigts maculés de rouge. « Je suis à la Chambre ? se demanda-t-il. J'ai dû me blesser avec ce fichu marteau. Quand je suis fatigué, à la fin de notre quart de nuit, je commence à me donner des coups de marteau au lieu d'enfoncer le ciseau. »

Des éclats de pierre autour de lui lui suggérèrent un autre type d'accident. « J'ai donné un coup trop fort et une éclisse de calcaire m'a frappé à la tête. C'est ça. Quelle belle mort pour un sculpteur d'être tué par la même frise qu'il a fait sortir du néant ! Je suis bien ! »

Robert avait atteint le niveau de paix parfaite que la maladie lui avait refusé.

J'aimerais bien mettre la main sur ce texte, si texte il y a. Ainsi, on pourrait peut-être éviter d'autres morts.

Une seule fausse note : il ne pourrait plus aider son fils. Il ne reverrait jamais sa femme, Joyce. Les deux amours de sa vie, bien loin devant son amour du calcaire et du ciseau. Il comprit trop tard.

– Oh ! Joyce ! Ma chérie !

Ce constat fut tellement déchirant qu'il crut apercevoir le visage blanc de neige et les boucles blondes de son éternelle compagne de vie. Le visage n'était pas paisible, cependant, comme il s'y serait attendu d'un ange.

Il l'entendit même crier :

– Relève-toi, Robert ! Je t'en prie ! Ce n'est pas le moment de dormir, *damn it* !

Sa femme ne jurait que lors des grandes occasions. La dernière fois, c'était lorsque le médecin avait diagnostiqué la maladie d'Alzheimer. La colère valait mieux que la prostration qui nous guette quand on apprend que l'amour de notre vie ne sera plus le même.

Robert se sentit soulevé sous les aisselles.

– Lève-toi, bon sang ! Tu es trop lourd pour que je te porte !

Encore étourdi, Robert réalisa où il se trouvait. À ses côtés, le buste de Bourinot avait éclaté, propulsant des dizaines de morceaux. C'est un de ces éclats qui l'avait atteint à la tempe. La blessure saignait abondamment et tachait sa chemise de sport, qui ressemblait maintenant à un tablier de boucher.

– Joyce chérie ? C'est bien toi ?

Son épouse était à ses côtés et, avec des gestes et des paroles, lui enjoignait de se remettre sur ses jambes au plus vite.

– Allez, viens ! On file !

– Mais comment ?

– Je t'ai suivi, grand bêta ! Tu as toujours eu besoin que je te suive ! Je savais que si la colline était ceinturée, tu passerais par la falaise, comme tu le faisais quand on s'est mariés.

Elle l'entraîna.

– C'est par là qu'on sort de ce guêpier. Dépêche-toi avant que celui qui t'en veut se remette de sa chute.

Robert se rendit compte que Joyce, d'un coup de bélier, avait projeté le soldat vers l'avant. Le type était passé la tête la première à travers la vitrine entourant l'atelier. Déséquilibré, il avait manqué sa cible et fait exploser le buste de Bourinot.

Le couple s'élança vers l'arrière de l'édifice du Centre.

– Quelle idée de fou tu as eue ! dit Joyce.

– Aider notre gars, aider Quentin !

C'est seulement lorsqu'ils atteignirent le bas de la falaise, sur le bord de la rivière des Outaouais, que Joyce se permit de l'interroger.

– Aider Quentin ? Comment ?

– C'est moi qui ai gravé le texte de la tour. Sans savoir ce que ça voulait dire au juste.

– Il a été détruit à coups de marteau, paraît-il.

– Je savais l'avoir laissé à l'atelier.

– C'est ce que tu es venu faire ici ?

– Oui.

– Tu l'as ?

– Oui. Je l'avais noté dans mon calepin. Je notais tout, les ébauches, les événements…

Triomphant, Robert plongea la main dans la poche de sa chemise. Soudain, la contrariété plissa son front.

— Alors ? s'impatienta Joyce.

— Je croyais l'avoir ramassé près du balafré au fusil-mitrailleur. Mais je ne le trouve plus, maintenant…

Chapitre 42

Chambre des communes, Ottawa

6 juin, 14 h 30, 4 heures avant l'attaque finale

— Si vous voulez dormir un peu, je vous offre mon épaule, ne vous gênez pas, dit Simu Zeklos d'une voix mielleuse. Surtout, il ne faut pas s'en faire, la police va régler cela.

— C'est vrai qu'on est au Parlement. Il ne peut rien nous arriver, n'est-ce pas ?

La conversation se déroulait dans les tribunes du public surplombant la Chambre des communes à la façon d'un jubé d'église.

Simu Zeklos s'adressait à sa voisine, avec qui il avait fraternisé dès son arrivée. D'expression française, la femme venait de la Gaspésie et était seule, ce qui convenait tout à fait au terroriste.

— Mes amis du voyage en autobus ont bien fait, eux, d'aller visiter le Musée de la monnaie, de l'autre côté de la rue, plutôt que de venir s'asseoir ici, se confia-t-elle en reprochant à ses camarades de l'avoir abandonnée. Ils ont adoré l'escalade jusqu'en haut de la tour, mais pour ce qui est de venir écouter avec moi des discours sans pouvoir parler…

Elle lui avait alors souri. À son accent, elle pouvait dire qu'il était sans doute anglophone.

En fait, l'homme était un commando étranger. Polyglotte, il pouvait parfaitement s'exprimer dans les deux langues officielles du pays, ce qui avait joué en faveur de son embauche pour cette mission.

Les exigences en matière de compétences linguistiques étaient les mêmes pour n'importe quel agent secret envoyé en service commandé à Ottawa, que ce soit pour espionner les échanges entre le SCRS et la CIA effectués par l'intermédiaire du chef de station à l'ambassade des États-Unis ou pour découvrir les plus récentes inventions des firmes NASDAQ à Kanata, dans la banlieue ouest.

Dès son arrivée dans la tribune du public, il avait été entouré par deux classes d'élèves du primaire venus visiter la capitale. Heureux d'avoir de telles victimes offertes en sacrifice sur un plateau d'argent, il jugea bon de ne pas se faire remarquer, seul adulte au milieu de cette marmaille.

«Quand l'ultimatum sera reçu, à 14 h, se dit-il selon son habitude de solitaire depuis l'extermination de ses proches à Tchernobyl, ce ne sera plus le temps de bouger. Tout mouvement sera noté par un quelconque guetteur. Au contraire, si je me tiens près de cette femme seule qui a à peu près mon âge, on passera pour un couple de touristes.»

Simu Zeklos sut que le plan entrait dans sa première phase quand le président de la Chambre héla la vice-première ministre et le sergent d'armes. Il les connaissait de vue pour avoir étudié non seulement les règles de la Chambre, mais aussi, grâce à l'ordinateur de Rusinski, les photos des députés et des hauts fonctionnaires de la Chambre affichés sur le site Web du Parlement.

– Le président de l'assemblée délibérante porte la toge noire, pareille à celle des avocats, commenta l'homme au profit de sa voisine. Il dirige les débats à partir de la chaise en face, sur l'estrade, surmontée d'un dais en bois précieux offert par la reine d'Angleterre.

L'homme assista au conciliabule autour du président. Celui-ci jetait discrètement des regards inquiets vers la barre et vers les tribunes. « Ils s'attendent peut-être à voir débarquer un commando en armes, pensa le terroriste en réfrénant un sourire, avec mitrailleuses kalachnikovs et uniformes de camouflage. »

Le président de l'assemblée désigna enfin son moniteur de télé. L'homme devina ce qui apparaissait à l'écran. C'était sans doute le texte de l'ultimatum. Il savait que son contact au Canada, celui de l'aéroport international de Montréal et de la chapelle gothique du Musée des beaux-arts, devait avoir transmis le courriel quelques minutes plus tôt au bureau du leader du parti de l'opposition officielle, au quatrième étage de l'édifice du Centre.

– On ne va pas envoyer l'ultimatum d'abord au gouvernement, histoire d'impliquer l'opposition, lui avait expliqué son contact en parlant de ce courriel. En étant les premiers prévenus de l'attaque, ils seront moins portés à croire que c'est une nouvelle tactique du gouvernement. Il faut s'assurer de la collaboration des trois cent huit députés, de leur personnel et du personnel de la Chambre, pour maintenir l'ordre. Personne ne doit douter que c'est vraiment un acte terroriste, que c'est sérieux et qu'ils doivent obéir.

D'autres députés quittèrent leur banquette pour monter sur l'estrade de la présidence. L'homme reconnut les chefs des partis politiques et leurs whips, soit les députés responsables de la discipline au sein des troupes.

« Ça y est, ils essayent de se faire une idée pour savoir si tout cela est bien réel et non une mauvaise plaisanterie. Puis, les rouages tournent dans le cerveau du président pour trouver un moyen d'éviter la panique et la ruée à l'extérieur de la Chambre, ce qui provoquerait automatiquement l'épidémie.»

En bas, ils durent convenir d'agir avec prudence. Le mot fut transmis vers les banquettes à la droite de la présidence, réservées au gouvernement, et vers les banquettes à sa gauche, occupées par les députés des partis minoritaires. «Le président a été convaincant, constata le terroriste. Les députés s'assoient gentiment sans essayer de fuir.»

L'homme vit le président faire un signe vers la régie du service de télédiffusion, au-dessus de la tribune des visiteurs. Il croisa son index et son majeur. «Voilà qu'il interrompt la retransmission en direct, je suppose.»

Afin de vérifier, Zeklos tira un BlackBerry de sa poche et le consulta discrètement entre ses genoux. En temps normal, il n'était pas permis de se servir d'un tel appareil dans les tribunes. Maniaque de protocole, il se serait normalement plié à cette règle, mais c'était un des rares détails du fonctionnement de la Chambre des communes qu'il n'avait pas mémorisés. Trop récente, cette directive n'apparaissait pas encore dans les manuels d'usages parlementaires. Il syntonisa en hâte la chaîne parlementaire. Un avis annonçait aux téléspectateurs que le réseau éprouvait des difficultés techniques et qu'il devait suspendre la retransmission en direct jusqu'à nouvel ordre.

C'est alors qu'on entendit du remue-ménage en provenance de la tribune située au-dessus de l'homme. Des enfants s'étaient précipités vers les issues et venaient d'être refoulés par des gardes. Après avoir discuté avec les agents de sécurité, les enseignants réconfortèrent leurs ouailles tant bien que mal. Les pleurs ne cessèrent pas, quoique quelque peu étouffés.

— Qu'est-ce qui se passe, pour l'amour? dit la Gaspésienne.

«Bravo! songea le tueur, on a établi un cordon de sécurité autour de l'enceinte. Les autorités ne tiennent pas à risquer une pandémie mortelle. Ils savent déjà que je n'entends pas à rire, ayant prouvé ma résolution en faisant quelques victimes à Kingston, puis dans un collège privé ici même, à Ottawa. Des cobayes, des dommages collatéraux nécessaires pour prouver ma force. »

Jadis, Simu Zeklos n'aurait jamais pensé violenter des enfants, étant père lui-même. Depuis cette époque lointaine, son esprit avait basculé dans un monde de vengeance et de folie.

– Qu'est-ce qui se passe ? répéta la Gaspésienne.

Zeklos allait la réconforter. Déjà, il avait déposé une main calme sur l'épaule de sa voisine. Mais il n'eut pas le temps d'égrener des mots suaves.

Le président de la Chambre s'était levé pour s'adresser à toute l'assemblée et aux visiteurs dans les gradins, mettant fin aux murmures qui s'étaient propagés dans ce haut lieu de la démocratie transformé en prison.

– Mesdames et messieurs, il est de mon devoir de vous informer que, en raison de circonstances hors de notre contrôle, toutes les personnes présentes devront demeurer à leur place jusqu'à nouvel ordre. Des représentants du gouvernement passeront bientôt parmi vous pour vous renseigner sur ce que tous, ici, auront à faire au cours des prochaines heures. Il n'y a pas de danger immédiat pour aucun d'entre nous, aussi veuillez demeurer à votre place. Si nous n'agissons pas ainsi, la population court un véritable danger.

« Voilà, rien de mieux que de faire appel au sens civique », songea Zeklos.

– Vous comprenez quelque chose, vous ? lui demanda sa voisine, plus impatiente qu'angoissée. Est-ce que ça veut dire que je ne pourrai pas retourner à l'autobus avec mon groupe ? On repart pour Matane ce soir.

– Regardez! Les chefs vont voir chacun de leurs députés pour les intimer de rester tranquilles, pour les convaincre qu'il n'y a rien à craindre.

– Les chefs?

– Oui, les chefs élus des différents partis. Ils se sont sans doute mis d'accord avec le gouvernement pour que leurs troupes observent le décorum. La situation me semble grave et ils vont coopérer. Ils le font dans des circonstances moins dramatiques.

– Mais qu'est-ce qui se passe? demanda de nouveau sa voisine en se laissant tomber lourdement sur son siège.

« Vous ne le savez pas, chère madame, se dit l'homme à lui-même, mais, en bas, ils viennent de vous sauver la vie. »

Il se racla la gorge nerveusement, comme on fait tourner le barillet d'un revolver. Mais le moment n'était pas venu de projeter la mort.

Il se retourna pour constater avec plaisir que les classes d'enfants étaient toujours là, à portée de son vaporisateur qui, s'il le déclenchait, condamnerait les plus proches à une mort rapide. Il repéra une fillette aux grands yeux intelligents et aux pommettes couvertes de taches de rousseur qui, à sa grande surprise, ne semblait pas intimidée. Elle devait avoir dix ou onze ans et ressemblait beaucoup à une de ses propres filles. Son esprit de dément décida qu'elle serait la première. « Avant de lancer la frappe totale, je lui réserve le premier jet de mon vaporisateur. Ses deux copines, avec qui elle rigole en cachette depuis tout à l'heure, vont écoper aussi. Puis, après cinq minutes, elles se mettront à tousser toutes les trois, augmentant la propagation de façon exponentielle. Des deux classes de vingt à vingt-cinq écolières, chacune va y passer. Si j'ai de la chance, personne n'aura remarqué mon geste. Un simple petit geste. »

Zeklos s'adonna à un rapide calcul mental. «Mon objectif est d'enlever la vie de mille enfants pour chacune de mes filles. Je suis loin du compte, mais j'y arrive.»

Cependant, il savait devoir attendre le signal de son contact. Il avait donc le temps de faire le point. «Je meurs lentement d'un cancer causé par l'explosion d'un réacteur nucléaire à Tchernobyl, en 1986. Si j'ai vécu seul depuis vingt ans, je ne mourrai pas seul, à moins que mon contact ne me prévienne, avant l'ajournement de 18 h 30, que les autorités canadiennes ont satisfait à ses exigences. Et même si c'est le cas, je jouerai malgré tout de mon vaporisateur pour infecter les enfants autour de moi.»

Tout à coup, il se demanda s'il avait toute sa tête. «As-tu complètement perdu la raison, prof? Pourtant, je ne me suis jamais senti aussi bien depuis 1986. Mes patrons, eux, sont tout à fait fêlés. Dire qu'ils ont insisté pour que la peste se répande le sixième jour du sixième mois à la sixième heure de l'après-midi… 6, 6, 6. Pour se moquer, je suppose, de la Compagnie qui utilise ce signe. Ça, c'est vraiment fêlé!»

Liste des abréviations et acronymes
(français et anglais)

Certains des termes indiqués ci-dessous, bien qu'ils n'apparaissent pas dans les deux tomes de ce roman, seront toutefois utiles aux lecteurs qui souhaiteront se documenter davantage sur certains aspects ou éléments abordés dans ce récit.

AB   Arsenal biologique (Biological Weaponry, ou **BW**)

ABDM   Armes biologiques de destruction massive (Biological Weapons of Mass Destruction, ou Bio WMD)

ACDI   Agence canadienne de développement international (Canadian International Development Agency, ou **CIDA**)

ACSTA   Administration canadienne de la sûreté du transport aérien (Canadian Air Transport Security Authority, ou **CATSA**)

ADM   Armes de destruction massive

ADN   Acide désoxyribonucléique

ASFC   Agence des services frontaliers du Canada (Canada Border Services Agency, ou **CBSA**)

BCP   Bureau du Conseil privé (Privy Council Office, ou **PCO**)

BFC   Base des Forces canadiennes

BPM   Bureau du premier ministre (Prime Minister's Office, ou **PMO**)

CBRE   Scaphandre contre la pollution chimique, biologique, radiologique et environnementale

CDC   Centers for Disease Control and Prevention (États-Unis)

CIA   Central Intelligence Agency (États-Unis)

CMIU   Centre de mesures et d'interventions d'urgence

CNRC   Conseil national de recherches du Canada

CSI   Agent de police technique sur les scènes de crime (Crime Scene Investigator, en anglais)

CST   Centre de la sécurité des télécommunications (Communications Security Establishment, **CSE**)

DEA   Drug Enforcement Administration (États-Unis)

DND   Ministère de la Défense nationale ou Défense Canada

DRES   Defence Research Establishement Suffield (Alberta, Canada) – Recherche et développement pour la défense

DRP   Direction des recherches pour le Bureau – Service de recherche et de consultation en procédure parlementaire de la Chambre des communes (Table Research Branch, ou **TRB**)

DSP   Digital Signal Processing (traitement numérique d'un signal)

EIS   Epidemic Intelligence Service (États-Unis) (équipe d'investigateurs médicaux pour les CDC – voir ci-dessus)

FBI   Federal Bureau of Investigation (États-Unis)

FINTRAC   Financial Transactions and Reports Analysis Centre (Canada) – Centre d'analyse des opérations et déclarations financières

FSB   Service fédéral de sécurité de la Fédération de Russie (organisme successeur du KGB)

GRC   Gendarmerie royale du Canada (en anglais : Royal Canadian Mounted Police, ou **RCMP**)

HVAC   Système de chauffage, de ventilation et d'air conditionné intégré

INFOSEC   Information System Security Professional Regulation (division de la CST) – Sécurité de l'information

INSET   Integrated National Security Enforcement Teams (équipes intégrées de la sécurité nationale, ou **EISN**)

KGB   Service de renseignement et de contre-espionnage soviétique (URSS)

LCBO   Liquor Control Board of Ontario (équivalent de la Société des alcools du Québec)

MI-5   Service de contre-espionnage du Royaume-Uni

MI-6   Service de renseignement du Royaume-Uni

NASA   Organisme de recherches aéronautiques et spatiales civiles des États-Unis

NRBC   (Armes) nucléaires, radiologiques, biologiques et chimiques. Cet acronyme est utilisé partout dans le monde pour désigner les armes non conventionnelles qui ont été utilisées ou qu'on a menacé d'utiliser lors de certains incidents particulièrement graves. (En anglais : Chemical, Biological, Radiological and Nuclear [Weapons], ou **CBRN.**)

NSA   National Security Agency (États-Unis)

PDM   Personnes de marque (Very Important Persons, ou **VIP**). Aussi : Section de la protection des personnes de marque (**GRC**)

PNIL   Laboratoire de recherches scientifiques appliquées du ministère de la Défense de l'URSS

PSEPC   Public Safety and Emergency Preparedness

QG   Quartier général (Headquarters, ou **HQ**)

RAF   Royal Air Force (Royaume-Uni)

REER   Régime enregistré d'épargne-retraite (Canada)

SAM-650   Shared Access Memory (accès à mémoire partagée : large bloc de mémoire vive auquel on a accès par l'entremise de divers processeurs dans un système multiprocesseur)

SCBA   Self-Contained Breathing Apparatus (appareil respiratoire autonome)

SCRS   Service canadien du renseignement de sécurité (Canadian Security Intelligence Service, ou **CSIS**)

SIGINT   Signals Intelligence (division de la CST)

SPPCAD   Section de la protection des personnalités canadiennes et des agents diplomatiques (GRC)

SRAS   Syndrome respiratoire aigu sévère

SSRBCP   Secrétariat de la sécurité et du renseignement du Bureau du Conseil privé (Privy Council Office – Security and Intelligence Secretariat, ou **COSI-PCO**)

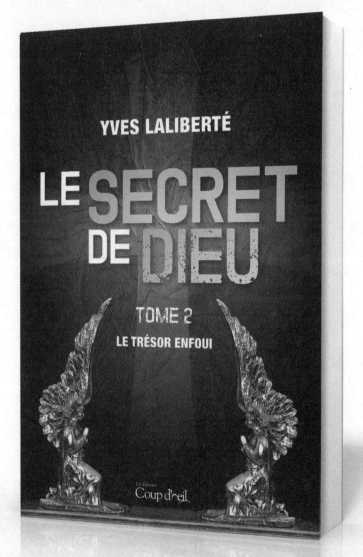

MARQUIS

Québec, Canada